# LE FRANÇAIS COMMERCIAL

# Les langues pour tous

Collection dirigée par Jean-Pierre Berman, Michel Marcheteau et Michel Savio

---

**Série Initiation :**

L'anglais pour tous en 40 leçons
L'allemand pour tous en 40 leçons
L'arabe pour tous en 40 leçons
L'espagnol pour tous en 40 leçons
L'italien pour tous en 40 leçons
Le néerlandais pour tous en 40 leçons
Le portugais pour tous en 40 leçons
Le russe pour tous en 40 leçons (*à paraître*)

**Série Perfectionnement :**

Pratiquer l'américain
Pratiquer l'espagnol

**Série Score (100 tests d'autoévaluation) :**

Score anglais
Score allemand
Score espagnol
Score italien

**Série économique et commerciale :**

L'anglais économique et commercial
L'allemand économique et commercial
L'espagnol économique et commercial
La correspondance commerciale en anglais

**Série Dictionnaires :**

Dictionnaire de l'anglais économique et commercial
Dictionnaire de l'allemand économique et commercial

**Série « Bilingue » :**

Conan Doyle : Sherlock Holmes enquête
Nouvelles anglaises et américaines d'aujourd'hui
Nouvelles allemandes d'aujourd'hui (*à paraître*)

**Grammaire de l'anglais d'aujourd'hui (O.U.P.)**

LES LANGUES POUR TOUS
*Collection dirigée par*
Jean-Pierre Berman
Michel Marcheteau
Michel Savio

# LE FRANÇAIS COMMERCIAL

par

Michel Danilo
*Chargé de cours au Département expérimental d'étude de la civilisation française Paris IV — Sorbonne et à l'Institut catholique de Paris*

Odile Challe
*Chargée de cours à l'Institut catholique de Paris*

Pierre Morel
*Professeur à l'École Supérieure de Commerce de Paris*

PRESSES POCKET

*Nous tenons à remercier,*
*pour leur collaboration technique,*
*la CEGOS*
*et la direction de son département*
Alphalangues.


ISBN 2-266-01-1353-X

# SOMMAIRE



ANNEXES

# Avant-propos

*Le Français commercial* est **une méthode d'apprentissage de l'expression écrite et orale** nécessaire à la vie professionnelle. Elle s'adresse à des non-francophones ou à des francophones insuffisamment familiarisés avec la langue commerciale ; également à des étudiants (écoles de secrétariat, écoles de commerce), ainsi qu'aux candidats aux examens de français des affaires de la Chambre de Commerce et d'Industrie de Paris.

*Le Français commercial* a pour but :
- d'amener l'utilisateur travaillant seul ou en groupe à **pratiquer le français commercial** dans des situations réelles et courantes de la vie professionnelle ;
- de le familiariser avec les notions de base nécessaires à **la compréhension du monde de l'entreprise** et de la vie des affaires en France ;
- d'aider et encourager **l'enseignant** chargé d'un cours de français commercial ;
- d'offrir aux enseignants et aux étudiants **un matériel pédagogique** clair, structuré, varié, motivant.

**Mode d'emploi**
- Lire attentivement **les dialogues (A)** en écoutant la cassette.
- Lire **les documents (B)** dans l'ordre proposé. Ne pas chercher à saisir le sens exact de tous les mots, mais plutôt à comprendre le sens global du texte.
- Faire **les exercices (C)**, après avoir étudié **les fiches de langue** intitulées : « Comment exprimer… » Ne pas hésiter à se reporter souvent à ces fiches, puis procéder au contrôle des réponses, grâce au **corrigé** des exercices.
- S'entraîner surtout à réutiliser les mécanismes ou expressions étudiés dans des situations nouvelles et analogues à celles décrites dans la méthode.

Le lecteur trouvera en fin de volume :
- **un lexique** des principaux termes utilisés avec un renvoi au chapitre où ils se trouvent, ainsi que leur traduction en anglais, allemand et espagnol ;
- **deux index** des différents termes de la communication et des points grammaticaux qui s'y rapportent.

# ■ L'ENTREPRISE PULVÉRIX I

## AUTREFOIS

**1930.** Pierre Favier, ouvrier mécanicien à Paris, met au point[1] un moulin à légumes à main. La même année il présente son premier modèle à la foire[2] de Paris. Devant le succès remporté, il prend des risques et fonde sa propre entreprise dans un petit atelier de 45 $m^2$.
L'affaire connaît un développement régulier et emploie une vingtaine de personnes à la veille[3] de la Seconde Guerre mondiale.

**1952.** Louis Favier, qui vient de succéder[4] à son père, adapte le moteur électrique sur les appareils Favier. Cette innovation[5], répondant à un besoin réel du marché, entraîne un essor rapide de l'entreprise. Cette extension[6] oblige les responsables à prendre deux décisions : d'abord transformer l'entreprise individuelle en Société en nom collectif sous le nom « Favier et Cie », puis décentraliser[7] les ateliers à Fontainebleau (à 50 km au sud de Paris).

## ... ET MAINTENANT

La Société Favier et Cie emploie 650 personnes et ses produits électroménagers (moulins à légumes, moulins à café ...) sont vendus sur l'ensemble du marché national sous la marque Pulvérix.

### FICHE D'IDENTITÉ DE PULVÉRIX

- **Dénomination sociale :** Pulvérix.
- **Statut juridique :** Société en nom collectif.
- **Nationalité :** française.
- **Siège social :** 32, rue du Moulin
  77300 FONTAINEBLEAU.
- **Date de création :** 1930.
- **Activité :** appareils électroménagers.
- **Moyens de production :** * matériel : 3 ateliers dans l'usine de Fontainebleau.
  * personnel : 650 personnes.

# II ■ PULVÉRIX À FONTAINEBLEAU

Il y a cinq ans la société PULVÉRIX quittait la banlieue parisienne pour s'installer dans de nouveaux locaux à Fontainebleau.
Voici, ci-dessous, l'article du journal local annonçant l'inauguration de ce nouvel établissement.

### UNE NOUVELLE ENTREPRISE À FONTAINEBLEAU

La société Pulvérix, fabriquant des appareils électroménagers, vient de s'installer dans la zone industrielle de Fontainebleau.
Antérieurement installée dans la banlieue parisienne, cette entreprise a ressenti[16] le besoin de nouveaux locaux plus vastes pour assurer son expansion. Elle dispose désormais de 10 000 $m^2$ et de locaux modernes comprenant ateliers, entrepôts[17], laboratoires de recherches et un bâtiment administratif.
Lors de l'inauguration[18] à laquelle assistaient le maire[19] de la ville, les représentants de la Chambre de Commerce et d'Industrie, ainsi que de nombreuses personnalités, les dirigeants de Pulvérix ont déclaré que d'ici à quelques années, ils devraient être en mesure[20] de créer des emplois pour le plus grand bien de notre région.

**Louis Favier,** 52 ans, dirige la maison depuis 1952. Ingénieur ouvert aux techniques d'avant-garde[9], il a apporté plusieurs innovations (le moulin à café électrique par exemple). Maintenant l'entreprise « tourne »[10]. Il gère avec prudence et compétence. Cette année, à la suite d'un surmenage[11], il a dû réduire ses activités, tout en restant à la tête de l'entreprise. Il garde également le contrôle de la question financière.

**Pascal Favier,** 27 ans, est diplômé d'une grande école[12] commerciale.. Après avoir effectué plusieurs stages dans différentes entreprises, il a été appelé à seconder[13] son père. Il est particulièrement responsable du secteur commercial.

**Nicolas Cotreau,** 48 ans, Directeur de production. Habile technicien, il est le compagnon[14] du début de Louis Favier et a su jusqu'à ce jour organiser la fabrication et diriger les ateliers.

**Paul Rolland,** 64 ans, Secrétaire général. Dans l'entreprise depuis 22 ans, il est tout à la fois directeur administratif et chef du personnel. Il éprouve de plus en plus de difficultés à suivre l'évolution de l'entreprise et les problèmes d'organisation qu'elle pose. Il doit partir en retraite dans trois mois.

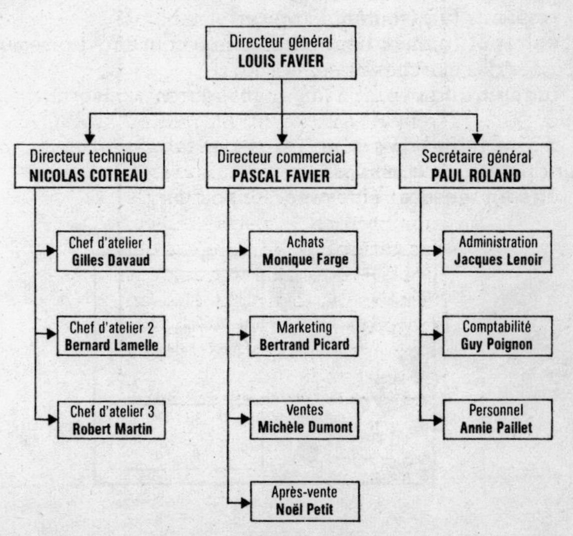

## ■ REMARQUES

1. **mettre au point :** réaliser, établir avec précision.
2. **foire** (n.f.) : grand marché, grande exposition commerciale.
3. **à la veille** (n.f.) : juste avant.
4. **succéder** à qqn : prendre sa place après son départ.
5. **innovation** (n.f.) du v. *innover* : introduire quelque chose de nouveau.
6. **essor** (n.m.) : le développement, l'expansion, l'extension.
7. **décentraliser** (v.) : ici, déménager l'atelier de Paris en province.
8. **marque** (n.f.) : nom commercial d'un produit.
9. **d'avant-garde** : qui est en tête du progrès.
10. **tourner** (v.) : ici, tournure familière pour fonctionner, marcher.
11. **surmenage** (n.m.) : très grande fatigue.
12. **grande école** (n.f.) : établissement spécialisé d'enseignement supérieur qui recrute sur concours.
13. **seconder** (v.) : ici, aider.
14. **compagnon** (n.m.) : personne qui partage les occupations d'une autre.
15. **retraite** (n.f.) : moment où une personne âgée arrête de travailler. Être en retraite.
16. **ressentir** (v.) (soutenu) : éprouver.
17. **entrepôt** (n.m.) : lieu, bâtiment où sont provisoirement déposées des marchandises.
18. **inauguration** (n.f.) : (du v. *inaugurer*) : ouverture officielle.
19. **maire** (n.m.) : personne élue par le *conseil municipal* pour diriger une *commune*.
20. **être en mesure :** être capable, pouvoir.

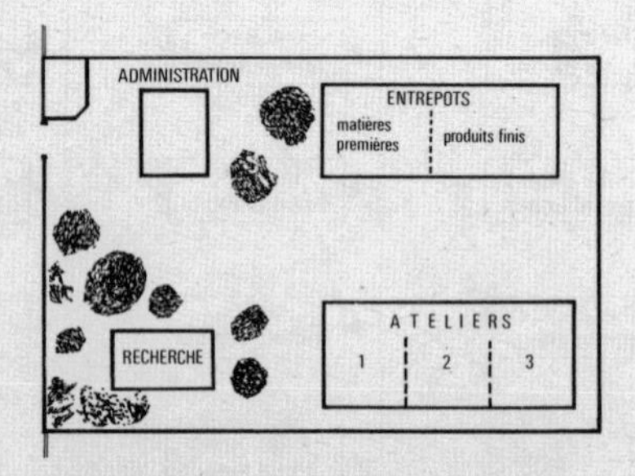


PLAN DES ÉTABLISSEMENTS PULVÉRIX

# CHAPITRE 1 ■ PRÉSENTATIONS

**A** - DIALOGUE

**A1.** Une visite chez Pulvérix.

**A2.** Remarques.

**A3.** Une visite chez Pulvérix (suite).

**A4.** Remarques.

**B** - DOCUMENTS

**B1.** Document 1 : qu'est-ce qu'une entreprise ?

**B2.** Document 2 : l'organisation de l'entreprise.

**B3.** Document 3 : avez-vous la fibre du chef d'entreprise ?

**C** - EXERCICES

**C1.** Exercice 1.

**C2.** Exercice 2.

**C3.** Exercice 3.

**C4.** Exercice 4.

**D** - LANGUE

**D1.** Comment poser des questions.

**D2.** Corrigés des exercices.

# ■ Une visite[1] chez Pulvérix.

*A l'ouverture[2] des bureaux ce matin-là, Pascal Favier rencontre Nicolas Cotreau, le directeur technique[3] de l'usine.*

P.F. - Bonjour, Nicolas, ça va ?
N.C. - Oui, ça va, et toi ?
P.F. - Je ne suis pas en avance[4] aujourd'hui ; je reçois[5] tout à l'heure Mme Arnaud.
N.C. - Mme Arnaud, qui est-ce ?
P.F. - Tu en as entendu parler ; elle travaille chez Caron[6].
N.C. - Ah oui, cela me dit quelque chose : ce n'est pas elle qui remplace Lasserre au service commercial ?
P.F. - C'est cela. Bien, je te laisse.
N.C. - D'accord, à la prochaine fois.
P.F. - Si tu veux demain on peut déjeuner ensemble ; tu es libre ?
N.C. - Oui, entendu, je passe te prendre à ton bureau vers midi, ça va ?
P.F. - Un peu plus tard si possible, j'ai une réunion pour le nouveau projet. Disons midi et demi de préférence.
N.C. - Pas de problème. A demain. Bonne journée !
P.F. - Toi aussi. Au revoir.

*Nicolas Cotreau entre dans son bureau. Sa secrétaire, Chantal Clauze, est au téléphone. Son correspondant[7] est un certain M. Michel.*

C.C. - Je vous écoute, que puis-je pour vous ?
M.M. - Voilà, j'aimerais connaître le prix de...
C.C. - Excusez-moi, Monsieur, vous êtes au service technique et ce n'est pas nous qui nous occupons des tarifs[8]. Refaites le numéro[9] et demandez le poste 425. Vous aurez le service des ventes. On vous donnera les renseignements[10] que vous désirez.
M.M. - Bien, je vous remercie beaucoup ; au revoir.
C.C. - De rien, Monsieur, au revoir.
N.C. - Eh bien, Chantal, on vous demande encore des prix ?
C.C. - On a encore confondu les postes 421 et 425.
N.C. - Passez donc un coup de téléphone[11] au standard pour qu'ils fassent un peu plus attention. Et puis, venez me voir dans mon bureau avec le dossier[12] Lasserre.
C.C. - Je le fais tout de suite et j'arrive.

1. **visiter** (v.) *(un musée, une usine)* ; la visite, rendre visite *(à quelqu'un)*.

2. **ouverture** (n.f.) ouvrir : CONTRAIRE : fermer ; la fermeture *(du magasin, du bureau)*.

3. **directeur** (n.m.) **technique :** le directeur du service technique *(qui s'occupe de la production)* ; le directeur commercial : le directeur du service commercial *(qui s'occupe de la vente)*.

4. **être en avance ;** être à l'heure ; CONTRAIRE : être en retard ; arriver en avance ; arriver à l'heure ; arriver en retard.

5. **recevoir quelqu'un :** faire entrer dans son bureau (**heures de réception des clients**) ; dans sa maison (**donner une réception : inviter**).

6. (travailler) **chez** (Caron) : travailler **dans la société** Caron.

7. **correspondant** (n.m.) : la personne qui correspond avec vous au téléphone ou par lettre *(courrier)* ; la correspondance.

8. **tarif** (n.m.) : le prix ; la tarification ; tarifer. Il a réussi à l'obtenir à un tarif réduit, à demi-tarif.

9. (re)**faire le numéro :** (re)composer le numéro du correspondant sur le cadran du téléphone.

10. (On vous) **donnera les renseignements :** On vous renseignera.

11. **passer un coup de téléphone :** donner un coup de téléphone ; téléphoner à quelqu'un.

12. **dossier** (n.m.) : l'ensemble des documents qui concernent un client, une affaire...

## 1-A3 ■ Une visite chez Pulvérix (suite).

*A ce moment-là, Mme Arnaud arrive dans le bureau d'Hélène Boucher, secrétaire de Pascal Favier.*

H.B. - Mme Arnaud est là, Monsieur.
P.F. - Bien, faites-la entrer.
Mme A. - Bonjour Monsieur, permettez-moi de me présenter[1] : Madame Arnaud, la nouvelle responsable[2] du service commercial de la société Caron.
P.F. - Je suis heureux de faire votre connaissance[3]. Asseyez-vous, je vous prie. M. Lasserre va bien, depuis sa promotion[4] ?
Mme A. - Très bien, je vous remercie. Il m'a chargée[5] de vous transmettre ses salutations.
P.F. - Transmettez-lui les nôtres, également.
Mme A. - Je n'y manquerai pas[6].
P.F. - Vous êtes notre fournisseur[7] le plus important, aussi j'ai pensé qu'il serait utile que vous rencontriez Monique Farge qui est responsable des achats[8] dans notre maison[9].
Mme A. - Oui, tout à fait.
P.F. - Je vais l'appeler ; excusez-moi un instant... Allô, Hélène, pouvez-vous dire à Monique Farge de passer dans mon bureau dès qu'elle pourra ?... Elle va venir d'un instant à l'autre... Tenez, la voilà.
M.F. - Bonjour Monsieur, vous m'avez demandée...
P.F. - Bonjour. Oui. Madame Arnaud, je vous présente Monique Farge, responsable du service des achats.
Mme A. - Enchantée.
M.F. - Bonjour ; je crois que nous nous sommes rencontrées il y a quelques semaines dans le bureau de M. Lasserre.
Mme A. - Oui, c'est exact ; c'était ma première semaine chez Caron, M. Lasserre me mettait au courant[10]...

*Pendant ce temps, Luc Duplessis, responsable du marketing, entre dans le bureau d'Hélène Boucher. Il cherche à voir Pascal Favier.*

L.D. - Bonjour, Hélène. Dites-moi, il est là, M. Favier ?
H.B. - Oui, mais il est occupé[11]. Il reçoit Mme Arnaud.
L.D. - Ce nom me dit quelque chose[12]. Comment est-elle ?
H.B. - Elle est grande ; elle a les cheveux bruns courts et la peau très brune.
L.D. - Oui c'est sûrement elle. Elle travaillait avant chez Novax.

## ■ Remarques.



1. **Permettez-moi de me présenter :** *Puis-je me présenter ?*
2. **la responsable** (n.f.) : *être responsable de, avoir la responsabilité de* la production, se sentir responsable.
3. **je suis heureux** / enchanté / ravi / de faire votre connaissance / vous rencontrer / vous voir.
4. **promotion** (n.f.) : être promu à un poste supérieur, recevoir une promotion.
5. **charger quelqu'un de faire quelque chose :** Je vous charge de téléphoner à l'usine = demander.
6. **ne pas manquer de :** *ne pas oublier de faire quelque chose .*
7. **fournisseur** (n.m.) : fournir ; une **fourniture** *(un objet fourni).*
8. **achat** (n.m.) : les achats ; acheter ; un **acheteur**, une **acheteuse.** La vente ; vendre ; un **vendeur**, une **vendeuse.**
9. **maison** (n.f.) : *la société, l'entreprise.*
10. **mettre au courant :** *informer de la situation ; tenir au courant.*
    être au courant : *être informé de la situation.*
11. **être occupé :** *ne pas être libre* (personne, bureau, ligne de téléphone).
    être occupé à : *être en train de* (téléphoner à un client) ; une **occupation.**
    s'occuper de : *prendre soin de ;* une occupation.
12. **Ce nom me dit quelque chose :** je suis presque sûr de connaître ce nom.

## 1-B1 ■ Document 1 - Qu'est-ce qu'une entreprise ?

**Lieu de production**
L'entreprise combine des moyens humains, techniques et financiers pour produire des biens et/ou des services.

**Lieu de répartition**
Elle distribue des revenus aux travailleurs, aux propriétaires et aux fournisseurs.

ENTREPRISE

**Lieu de collaboration,** mais aussi de **conflit** entre les partenaires de l'entreprise (salariés et dirigeants).

**Lieu d'exercice du pouvoir**
Le patron prend les décisions, les cadres les transmettent, les employés et les ouvriers les exécutent.

## 1-B2 ■ Document 2 - L'organisation de l'entreprise.

Les joueurs de football qui veulent progresser et obtenir de bons résultats doivent définir et mettre en place une **organisation** de leur équipe. Il en est de même pour l'entreprise qui emploie plusieurs personnes. La structure est généralement représentée par un **organigramme** qui fait apparaître les fonctions des individus, les services et leurs liaisons.

L'organisation peut être :

— *hiérarchique :* chaque subordonné ne reçoit d'ordre que d'un seul chef auquel il doit rendre compte de son activité ;

— *fonctionnelle :* chaque responsable spécialiste exerce son autorité sur plusieurs services, mais dans le seul domaine de sa compétence ;

— *une troisième structure,* dite *staff and line,* combine les deux précédentes. Il existe alors au sein de l'entreprise deux types de liaisons : l'une hiérarchique, l'autre fonctionnelle.

# 1-B3 ■ Document 3 - Avez-vous la fibre du chef d'entreprise ?



*Vous avez décidé de créer une petite entreprise dans un secteur déterminé. Avant de vous lancer dans l'opération, faites ce test qui vous indiquera quelles sont vos dispositions à être un bon chef d'entreprise (cochez la case oui ou non).*

**Vos compétences réelles :**

**oui non**

☐ ☐ 1. Aimez-vous les responsabilités ?

☐ ☐ 2. Avez-vous des notions en matière commerciale et en matière de gestion ?

☐ ☐ 3. Préférez-vous commander plutôt que de recevoir des ordres ?

☐ ☐ 4. Êtes-vous prêt à travailler parfois 60 heures par semaine ?

**Vos prévisions financières :**

☐ ☐ 5. Disposez-vous des capitaux nécessaires au financement de départ ?

☐ ☐ 6. Avez-vous des possibilités d'emprunt (famille, amis, banque...) ?

☐ ☐ 7. Pensez-vous obtenir un bénéfice dès la première année ?

☐ ☐ 8. Au départ, seriez-vous disposé à gagner moins qu'en étant salarié ?

☐ ☐ 9. Connaissez-vous le prix de vente de vos concurrents ?

**Votre implantation :**

☐ ☐ 10. Votre localisation tient-elle compte des possibilités de recrutement de personnel qualifié ?

☐ ☐ 11. Connaissez-vous la situation et les tendances économiques de la région ?

☐ ☐ 12. Avez-vous parfaitement étudié la disposition de vos futurs locaux ?

**Votre marché :**

☐ ☐ 13. Avez-vous déterminé la catégorie de clientèle que vous visez ?

☐ ☐ 14. Vos produits répondent-ils à des besoins actuels ?

☐ ☐ 15. Connaissez-vous parfaitement les points forts et les points faibles de vos produits ?

## 1-C1 ■ Exercice 1.

*Chercher dans la 2e série de phrases les réponses correspondant à chacune des phrases de la première série (modèle : c—10).*

**a.** Que deviens-tu ? Tu travailles toujours chez Pulvérix ?
**b.** C'est bien vous, Mlle Dumont, la nouvelle secrétaire ?
**c.** Pourrais-je avoir un renseignement, s'il vous plaît ?
**d.** Vous ne voyez pas que je suis occupé.
**e.** Permettez-moi de vous présenter Mme Vermet.
**f.** M. Favier n'a pas pu venir à la réunion.
**g.** Vous avez déjà rencontré M. Labbé ?
**h.** Allô, le standard, le poste 431, s'il vous plaît ?
**i.** Allô, je suis bien au poste 745 ?
**j.** Je voudrais parler à M. Cotreau, si c'est possible.

**1.** Oui, toujours.
**2.** C'est son fils qui le remplace.
**3.** Oui, qui demandez-vous ?
**4.** Oui, c'est moi.
**5.** Ne quittez pas, je vous le passe.
**6.** Non, c'est la première fois.
**7.** Excusez-moi, je ne voulais pas vous déranger.
**8.** Il n'est pas là ; voulez-vous lui laisser un message ?
**9.** Très heureux de vous connaître.
**10.** Bon ! Que voulez-vous savoir exactement ?

## 1-C2 ■ Exercice 2 - Remplacer...

*Trouver l'équivalent verbal de chaque phrase, en faisant attention au temps.*

**Modèle :** Ses fabrications *sont vendues* dans toute la France.
**a.** on les vendra **b.** elles se vendent **c.** elles ont été vendues (b est la réponse correcte).

1. Son entreprise *va s'appeler* Pulvérix.
**a.** s'appelle **b.** s'est appelée **c.** s'appellera
2. Il vient de recevoir Mme Arnaud.
**a.** il la reçoit dans un instant.
**b.** il vient pour la recevoir.
**c.** il l'a reçue tout à l'heure.
3. Il doit partir à l'étranger le mois prochain.
**a.** il veut partir **b.** il va partir **c.** il peut partir

## 1-C3 ■ Exercice 3 - Compléter...

*Pour chaque phrase (de 1 à 8), retrouver le début (de a à h).*

| | |
|---|---|
| **a.** Aimeriez-vous leur . . . . . | **1.** . . . . si vous avez travaillé longtemps. |
| **b.** Auriez-vous l'amabilité de . . . . . . . . . . . . . . . . . . . . | **2.** . . de vous téléphoner plus tard ? |
| **c.** Nous attendons . . . . . . . . . | **3.** . . vous revoir à une autre occasion. |
| **d.** Serait-il possible . . . . . . . | **4.** . . . . qu'il soit arrivé en retard. |
| **e.** Nous espérons . . . . . . . . . | **5.** . . . . une réponse rapide. |
| **f.** Nous aimerions savoir . . . | **6.** . . . savoir qui l'a invitée ? |
| **g.** Nous avons été surpris . . . | **7.** . . . . . communiquer cette adresse ? |
| **h.** Disposez-vous . . . . . . . . . | **8.** . . d'un peu de temps pour recevoir Mme Arnaud ? |

## 1-C4 ■ Exercice 4 - Classer...

*Voici quelques expressions qui indiquent les temps :* présent, passé et futur.

**présent :** aujourd'hui... ; de nos jours . . . . . □□□□□□□□□
**passé :** il y a... ; en 1952 . . . . . . . . . . . . . . . . □□□□□□□□□
**futur :** plus tard... ; dans quelques années . □□□□□□□□□

*Placer chacun des éléments de la liste suivante dans les cases correspondant aux 3 catégories :* présent, passé ou futur.

**1.** à l'avenir
**2.** depuis (22 ans)
**3.** maintenant
**4.** quelques années (après l'invention du transistor)
**5.** dans trois mois
**6.** dès le début de la crise
**7.** cette année
**8.** actuellement
**9.** la veille
**10.** avant la création de l'entreprise Pulvérix
**11.** récemment
**12.** après-demain
**13.** il y a peu de temps
**14.** pendant la crise de 1929
**15.** bientôt
**16.** sous peu
**17.** en ce moment même
**18.** pour le moment

## 1-D1 ■ Comment poser des questions ?

1. **Vous êtes** Pascal Favier ? **Comment** s'appelle votre entreprise ?
2. **Êtes-vous** satisfait de votre formation ?
3. **Croyez-vous** au progrès scientifique ?
4. **Pouvez-vous** me donner votre date de naissance ?
5. **Quel** est votre métier, **quelles** sont vos responsabilités ?
6. Et **quels** sont vos projets ?
7. **Souhaitez-vous** voyager à l'étranger ?
8. **Combien** de personnes sont employées chez vous ?
9. Vos ateliers sont à Fontainebleau ? **Pourquoi ?**
10. **Pensez-vous** déménager, un jour ? et pour aller **où ?**
11. **Vous êtes bien né** le 14 juillet 1930, c'est ça ?
12. **Est-ce que vous** êtes satisfait de votre métier ?

| **Sans inversion du sujet** | **Avec** *est-ce que ?* | **Avec inversion du sujet** |
|---|---|---|
| Tu as payé ? | Est-ce que tu as payé ? | As-tu payé |
| Le directeur est parti ? | Est-ce qu'il est parti ? | Le directeur est-il parti ? |

## 1-D2 ■ Corrigés des exercices.

**Test :** si vous avez coché entre **12** et **15** OUI : *vous êtes un futur chef d'entreprise, dynamique et compétent ;*
— entre **8** et **12** OUI : *vous pouvez réussir, mais vous auriez intérêt à perfectionner vos connaissances ;*
— entre **4** et **7** OUI : *il serait préférable que vous retardiez vos projets d'installation ; préparez-vous mieux ;*
— **moins de 3** OUI : *vous risquez de rencontrer de sérieuses difficultés dans votre entreprise. Peut-être feriez-vous mieux de rechercher une activité mieux adaptée à votre personnalité et à vos compétences.*
– **Exercice 1 :** a : 1 ; b : 4 ; c : 10 ; d : 7 ; e : 9 ; f : 2 ; g : 6 ; h : 5 ; i : 3 ; j : 8.
– **Exercice 2 :** 1 : c ; 2 : c ; 3 : b.
– **Exercice 3 :** 1 : f ; 2 : d ; 3 : e ; 4 : g ; 5 : c ou e ; 6 : a ; 7 : a ou b ; 8 : h.
– **Exercice 4 :** *présent :* 3, 7, 8, 17, 18 / *passé :* 2, 4, 6, 9, 10, 11, 13, 14 / *futur :* 1, 5, 12, 15, 16.

# CHAPITRE 2 ■ LES DIFFÉRENTES FORMES DE SOCIÉTÉS.

**A** - DIALOGUE
- **A1.** Faut-il changer la forme de la société ?
- **A2.** Remarques.

**B** - DOCUMENTS
- **B1.** Document 1 : les entreprises sont variées.
- **B2.** Document 2 : l'artisan.
- **B3.** Document 3 : différents types de sociétés.
- **B4.** Document 4 : tableau récapitulatif.

**C** - EXERCICES
- **C1.** Exercice 1.
- **C2.** Exercice 2.
- **C3.** Exercice 3.

**D** - LANGUE
- **D1.** Comment proposer, accepter.
- **D2.** Comment interroger.
- **D3.** Corrigés des exercices.

SCÉNARIO

Le fils de Louis Favier, Pascal Favier, désire moderniser l'entreprise familiale et lancer de nouveaux produits, en particulier une balance pour la cuisine utilisant un moyen de mesure électronique. Pour lancer cette nouvelle production, la société doit trouver des sources de financement extérieures. Louis Favier sait qu'il lui faudra accepter de nouveaux associés et changer le statut de la société ; mais il hésite encore à prendre la décision...

#  2-A1 ■ Faut-il changer la forme de la société ?

*Louis Favier discute avec un de ses amis, André Maheu, des projets*[1] *d'expansion*[2] *de la société Pulvérix ; leur financement*[3] *l'inquiète. Il se demande comment il pourra trouver l'argent nécessaire et dans quelles conditions. La structure actuelle de la société lui permet difficilement d'emprunter*[4] *de grosses sommes. Il envisage donc de changer la forme juridique*[5] *de la société.*

**L.F.** - Le projet qu'étudie mon fils est intéressant. Le nouveau produit devrait se vendre très bien, mais je m'interroge sur le financement de notre expansion.

**A.M.** - Est-ce que vous ne pouvez pas emprunter aux banques ?

**L.F.** - Les banques veulent bien me prêter une grande partie de l'argent dont j'ai besoin. Mais, c'est moi-même qui hésite. Vous savez que ma société est en nom collectif...

**A.M.** - Oui, mais cela ne vous empêche pas d'emprunter.

**L.F.** - Exactement. Cependant la différence avec les autres formes de société est que je suis personnellement responsable[6] de toutes les dettes[7] de la société.

**A.M.** - Je comprends ; en cas de grosses difficultés financières, de faillite[8] par exemple, vous devez rembourser[9] toutes les dettes de la société.

**L.F.** - Oui, avec ma fortune personnelle s'il le faut. Vous voyez donc pourquoi je ne suis pas très favorable à un emprunt. Notre projet est ambitieux ; il nécessite de gros investissements[10] et en cas d'échec je risque de perdre tout ce que je possède.

**A.M.** - Pourquoi ne changez-vous pas la forme de votre société ? Une société à responsabilité limitée ou une société anonyme réduirait le danger dont vous parlez.

**L.F.** - C'est précisément à quoi je pense. Cela limiterait effectivement les risques sur ce que je possède. Mais d'un autre côté, il me faudrait trouver d'autres partenaires[11].

**A.M.** - Je suis sûr que beaucoup de personnes sont prêtes à vous faire confiance et à investir[12] dans votre entreprise.

**L.F.** - Sans doute, mais il est probable que les nouveaux partenaires me feraient perdre une partie du contrôle[13] que j'exerce actuellement sur la société.

**A.M.** - Oui, car ils seraient représentés au conseil d'administration[14].

**L.F.** - C'est cela... Je dois rencontrer un conseiller juridique[15] demain. Il m'aidera à décider.

1. **projet** (n.m.) : *idée, plan.*
2. **expansion** (n.f.) : croissance, augmentation de l'activité, essor, développement, *l'expansion* de la société, *l'expansion* de l'économie française, *l'expansion* du marché, un marché *en expansion.* CONTRAIRE : *récession, dépression.*
3. **financement** (n.m.) : **financer** (une opération) = *trouver de l'argent ;* le **financier** : la personne qui s'occupe des affaires d'argent ; les finances, le marché financier.
4. **emprunter ;** *l'emprunt ; l'emprunteur :* la société **emprunte** de l'argent sur le marché financier. (Elle a besoin d'argent). La banque **prête** de l'argent à la société ; *prêter ; le prêt ; le prêteur.*
5. **forme juridique** (n.f.) : *la structure juridique* (voir document 3).
6. **être responsable :** **1.** être responsable d'un service = *être le chef* **2.** être responsable des dettes = *être responsable du remboursement des dettes.*
7. **dettes** (n.f.) : argent que l'on *doit ;* devoir de l'argent, avoir des dettes ; *être endetté ;* **l'endettement.**
8. **faillite** (n.f.) : *faire faillite* = ne plus pouvoir payer ce qu'on doit.
9. **rembourser** (v.) : rendre au prêteur l'argent qu'on a emprunté ; le **remboursement.**
10. **investissement** (n.m.) : argent mis (investi) dans une société ou une entreprise.
11. **partenaire, associé, actionnaire** (n.m.) : personne qui participe au financement et aux décisions d'une société.
12. **investir ;** un *investissement ;* un *investisseur* est une personne qui met son argent dans une société.
13. **exercer** (v.) **le contrôle :** avoir une influence décisive dans la gestion d'une entreprise.
14. **conseil d'administration** (n.m.) : le groupe (conseil) de personnes (administrateurs) qui prend les décisions importantes d'une société.
15. **conseiller juridique** (n.m.) : un expert juridique qui donne des conseils aux sociétés.

## 2-B1 ■ Document 1 - Les entreprises sont variées.

Elles sont petites, moyennes ou grandes ; elles exercent des activités très diverses ; leurs techniques de production, d'organisation, de vente sont différentes. Elles n'ont pas le même **statut juridique.** On distingue en particulier :

### ENTREPRISES PRIVÉES

**L'entreprise individuelle :** elle a pour propriétaire une seule personne qui dirige et organise elle-même la production. On la rencontre spécialement dans l'agriculture, l'artisanat et le petit commerce.

**La société :** le capital nécessaire à sa constitution est apporté par plusieurs personnes.

**La coopérative :** le but essentiel des coopératives est de rendre service à leurs membres.

**La coopérative de production :** regroupe des travailleurs qui sont propriétaires du capital de l'entreprise et qui la dirigent.

**La coopérative de consommation :** ses membres sont des consommateurs.

**Autres coopératives :** coopératives agricoles, bancaires, d'assurances (mutuelles), etc.

### ENTREPRISES PUBLIQUES

Elles sont contrôlées par l'État ou une collectivité publique.

**Les sociétés nationales** (ou nationalisées) : l'État est (ou est devenu) le seul propriétaire de l'entreprise : Ex. Renault, Banque Nationale de Paris (B.N.P.).

**La société d'économie mixte :** l'État possède une partie du capital, le reste étant la propriété de personnes privées. Ex. Air France, la C.F.P. (Total).

## 2-B2 ■ Document 2 - L'artisan.

Pour être considéré comme artisan en France, il faut remplir les conditions suivantes :

— exercer un travail manuel pour son propre compte ;
— justifier d'une qualification professionnelle ;
— employer au plus 10 ouvriers (compagnons).

Les grandes entreprises sous-traitent* parfois à des artisans une partie de leur production.

* sous-traiter : faire exécuter une partie du travail par une autre entreprise.

## 2-B3 ■ Document 3 - Différents types de sociétés.



**Les sociétés de personnes :** les associés ont une responsabilité illimitée. Si la société a des dettes qu'elle ne peut rembourser, chacun des associés devra s'en acquitter avec ses biens personnels. La société, qui regroupe des individus devant se faire confiance, reste de taille restreinte. Sa forme la plus fréquente est la société en nom collectif (S.N.C.).

**Les sociétés de capitaux :** la responsabilité est limitée à l'apport financier. Chaque associé ne peut perdre que ce qu'il a apporté à la société. C'est la forme juridique des grandes sociétés, car elle permet de réunir un grand nombre d'associés, et donc des capitaux importants. Sa forme la plus fréquente est la société anonyme (S.A.).

**La société à responsabilité limitée :** la S.A.R.L. se situe à mi-chemin des deux précédentes. Elle est, en général, de taille moyenne, car elle peut regrouper au maximum 50 associés. Chaque associé n'est responsable des dettes de la société que sur son apport financier.

## 2-B4 ■ Document 4 - Tableau récapitulatif.

| caractéristiques / formes juridiques | TYPE DE SOCIÉTÉ | NOMBRE D'ASSOCIÉS | RESPONSABILITÉ DES ASSOCIÉS | CESSION DES PARTS DE PROPRIÉTÉ | ORGANE DE DIRECTION |
|---|---|---|---|---|---|
| SOCIÉTÉ EN NOM COLLECTIF (S.N.C) | Société de personnes | 2 au minimum | Totale | Les parts sociales ne sont cessibles qu'à la condition d'obtenir l'accord de tous les autres associés. | gérant(s) |
| SOCIÉTÉ A RESPONSABILITÉ LIMITÉE (S.A.R.L.) | Société de capitaux | 2 au minimum, 50 au maximum | Limitée aux apports | Les parts sociales sont cessibles à condition d'obtenir l'accord de la moitié des autres associés. | gérant(s) |
| SOCIÉTÉ ANONYME (S.A.) | Société de capitaux | 7 au mimimum | Limitée aux apports | Les actions sont librements cessibles | P.-D.G. ou directoire |

## 2-C1 ■ Exercice 1 - Compléter le dialogue.

*Voici un dialogue où ne figurent que les réponses ; imaginer les questions.*

Q - ..................................................
R - Ça va bien, merci.
Q - ..................................................
R - Trente-cinq ans.
Q - ..................................................
R - Dans une agence de tourisme à Genève.
Q - ..................................................
R - Je suis interprète.
Q - ..................................................
R - De 8 heures du matin à 17 heures.
Q - ..................................................
R - Non bien sûr, jamais le week-end.
Q - ..................................................
R - Non, seulement l'espagnol.

## 2-C2 ■ Exercice 2 - Compléter les phrases.

*Compléter les phrases suivantes avec :* **qui, quand, est-ce que, combien, lequel, quoi, si, pourquoi, quelle, par où, ce que.**

**1.** ...... vous travaillez beaucoup dans cette usine ?
**2.** ...... livrerez-vous ces machines ?
**3.** ...... des deux pensez-vous garder ?
**4.** J'aimerais savoir ...... est sa profession ?
**5.** A ...... ça sert d'investir tant d'argent ?
**6.** ...... a sollicité le poste de secrétaire général ?
**7.** Pouvez-vous me dire ...... tous les clients ont reçu le catalogue ?
**8.** ...... coûtent ces classeurs ?
**9.** Savez-vous ...... pense faire le gouvernement ?
**10.** Je ne sais pas ...... il n'est pas là, il devait venir.
**11.** Mais enfin, ...... deviendras-tu raisonnable ?
**12.** Avec ...... fabrique-t-on ce produit ?

## 2-C3 ■ Exercice 3 - Dire autrement.



*En choisissant parmi les expressions suivantes, remplacer les mots en italique dans chaque phrase pour en garder le sens.*

**a.** modifier.
**b.** emprunter.
**c.** accorder.
**d.** sont en mesure de.
**e.** compléteront le.
**f.** en difficulté.
**g.** est la propriété de.
**h.** dangereux.
**i.** engagées.
**j.** augmenter.

1. Cette entreprise *appartient* à Louis Favier.
2. Il est *aventureux* d'*accroître* nos charges.
3. Essayons de ne pas mettre la trésorerie *en danger*.
4. Il faut *transformer* le statut de la société.
5. Les apports des nouveaux associés *viendront s'ajouter au* capital actuel.
6. Les banques *peuvent* vous *proposer* des prêts.
7. Vous n'êtes pas responsable des dettes *contractées* par la société.
8. Il nous faudra *faire appel* aux banques.

## 2-D1 ■ Comment proposer, accepter, refuser.

1. Alors voulez-vous changer de statuts ?
   **Oui,** j'y pense/Oui, c'est une bonne idée.
   **Non,** ce n'est pas le moment, à mon avis.
2. Pourquoi ne pas emprunter aux banques ?
   **Oui,** vous avez raison, j'ai déjà envisagé cette solution.
   **Non,** cette solution paraît trop chère.
3. Est-ce que vous ne devriez pas prendre de nouveaux associés ?
   **Oui,** pourquoi pas, nous allons y réfléchir.
   **Non,** c'est hors de question ; vous n'y pensez pas.
4. Ne vaut-il pas mieux qu'ils aillent voir un conseiller juridique ?
   Je crois que **oui.**
   J'en doute/Je crois que **non.**
5. Que diriez-vous d'aller déjeuner dans un bon restaurant ?
   **J'accepte** bien volontiers.
   **Je regrette,** on m'attend ; une autre fois peut-être.

## 2-D2 ■ Comment interroger.

| MOTS INTERROGATIFS | SANS INVERSION DU SUJET | AVEC INVERSION DU SUJET | AVEC *« est-ce que »* |
|---|---|---|---|
| **qui** | Qui paiera ? Vous partez avec qui ? Avec qui vous partez ? | Qui est cet homme ? Qui rencontrerez-vous ? Qui le directeur rencontrera-t-il ? Avec qui partez-vous ? | Qui est-ce qui paiera ? Qui est-ce que vous rencontrerez ? Avec qui est-ce que vous partez ? |
| **que** | | Que penses-tu ? Que raconte la secrétaire ? | Qu'est-ce qui fait ce bruit ? Qu'est-ce que tu penses ? |
| **quoi** | A quoi vous pensez ? Vous pensez à quoi ? | A quoi sert cet appareil ? A quoi sert-il ? | A quoi est-ce que vous pensez ? |
| **Quel, quelle, quels, quelles** | Quel train n'est pas arrivé ? A quelle heure vous partirez ? | Par quel avion partirez-vous | Par quel avion est-ce que vous partirez ? |
| **Lequel Laquelle Lesquels Lesquelles** | De ces deux voitures, laquelle tu préfères ? Laquelle de ces deux voitures tu préfères ? | De ces deux voitures, laquelle préfères-tu ? Laquelle de ces deux voitures préfères-tu ? | De ces deux voitures, laquelle est-ce que tu préfères ? |
| **Où Quand Combien Comment Pourquoi** | Quand/Où, vous partirez ? Vous partirez quand ? où ? | Quand/Où partirez-vous ? Quand/Où le directeur partira-t-il ? | Quand/Où est-ce que vous partirez ? |

## 2-D3 ■ Corrigés des exercices.

EXERCICE 1 : Comment allez-vous ? - Quel âge avez-vous ? -Où travaillez-vous ? - Quelle profession (métier) exercez-vous ? (faites-vous) ? - Quels sont vos horaires de travail ? - Travaillez-vous le dimanche ? - Parlez-vous une autre langue que l'espagnol ?

EXERCICE 2 : **1 :** Est-ce que - **2 :** Quand - **3 :** Lequel - **4 :** quelle - **5 :** quoi - **6 :** Qui - **7 :** si - **8 :** Combien - **9 :** ce que - **10 :** pourquoi - **11 :** quand - **12 :** quoi.

EXERCICE 3 : **1 :** g - **2 :** h/j - **3 :** f - **4 :** a - **5 :** e - **6 :** d/c - **7 :** i - **8 :** b.

# CHAPITRE 3 ■ UNE EMBAUCHE.

**A** - DIALOGUE
- **A1.** Paul Rolland prend sa retraite.
- **A2.** Remarques.
- **A3.** L'entrevue.
- **A4.** Remarques.

**B** - DOCUMENTS
- **B1.** Document 1 : petite annonce.
- **B2.** Document 2 : lettre de candidature.
- **B3.** Document 3 : curriculum vitae.

**C** - EXERCICES
- **C1.** Exercice 1.
- **C2.** Exercice 2.
- **C3.** Exercice 3.

**D** - LANGUE
- **D1.** Comment s'informer.
- **D2.** Comment interroger.
- **D3.** Corrigés des exercices.

SCÉNARIO

La Société Pulvérix est maintenant une société anonyme. Elle s'est engagée dans de nouvelles productions.

Paul Rolland, son secrétaire général, arrive à l'âge de la retraite. Il faut le remplacer à ce poste important.

# 3-A1 ■ Paul Rolland prend sa retraite[1].

*Louis et Pascal Favier discutent du remplacement, au poste de secrétaire général, de Paul Rolland qui part en retraite.*

**P.F.** - Comment penses-tu remplacer Paul Rolland ? C'est ton collaborateur[2] le plus proche depuis longtemps.

**L.F.** - Oui, ça va être un recrutement[3] difficile. Pour l'instant j'étudie avec notre comptable les conditions de sa retraite.

**P.F.** - Il y a longtemps qu'il cotise[4] à la caisse[5] de retraite ; il devrait toucher une pension confortable.

**L.F.** - Et nous lui accordons en plus une grosse prime de départ calculée sur son ancienneté[6] ici.

**P.F.** - Quand doit-il nous quitter ?

**L.F.** - La date de son départ n'est pas encore fixée exactement ; il serait déjà en droit[7] de prendre sa retraite s'il le voulait. De toute façon il ne nous quitte pas vraiment : j'aimerais qu'il siège au conseil d'administration de notre nouvelle société.

**P.F.** - As-tu quelqu'un en vue pour lui succéder ? Il nous faudrait recruter quelqu'un qui puisse te seconder[8] efficacement dans nos projets d'expansion. Tu sais, il faut un homme qui ait déjà une solide expérience de ce genre de poste, en tous les cas quelqu'un qui connaisse parfaitement les techniques modernes de gestion[9].

**L.F.** - D'accord, ce poste ne peut être confié à un cadre[10] routinier, mais pas non plus à un jeune inexpérimenté.

*Anne Paillet, directrice du personnel, entre.*

**L.F.** - Entrez, nous parlions justement du profil[11] de la personne qui doit remplacer Paul Rolland. Où en êtes-vous du recrutement ?

**A.P.** - Je reviens précisément du cabinet[12] de conseil en recrutement qui doit nous aider à sélectionner[13] les candidats. Nous procéderons comme d'habitude : ils feront une pré-sélection des candidats[14] et nous enverront les meilleurs pour une entrevue personnelle.

**L.F.** - Quel est leur avis sur l'état du marché ?

**A.P.** - Ils pensent que le marché nous est assez favorable. Les conditions que nous faisons sont attrayantes[15] et il y a un grand nombre de cadres à la recherche[16] de ce type d'emploi. Je vous ai apporté l'annonce[17] qui paraîtra dans la presse mercredi prochain. Nous l'avons rédigée ensemble, tenez...

1. **retraite** (n.f.) : partir en retraite, prendre sa retraite (à 60 ou 65 ans) ; le **retraité.**
2. **collaborateur** (n.m.) : v. collaborer : *aider, assister ;* **la collaboration** : ce travail a été exécuté avec la collaboration de M. Dumont.
3. **recrutement** (n.m.) : v. recruter : *embaucher,* prendre un nouvel employé dans la société.
   CONTRAIRE : *renvoyer ;* le renvoi ; *licencier :* le licenciement.
4. **cotiser** (v.) : *contribuer,* donner une certaine somme d'argent tous les mois (ou tous les ans) pour obtenir un avantage (par exemple la retraite) ; **la cotisation.**
5. **caisse** (n.f.) **de retraite :** l'association ou la société qui collecte les cotisations des personnes qui travaillent et leur paie une **pension** quand ils partent en retraite.
6. **ancienneté** (n.f.) : le nombre d'années pendant lesquelles une personne a travaillé dans une société.
7. **être en droit de :** *avoir le droit de.*
8. **seconder** (v.) : *aider, assister ;* le **second :** le *collaborateur.*
9. **gestion** (n.f.) : le *« management » ;* gérer ; le **gestionnaire =** le *« manager ».*
10. **cadre** (n.m.) : employé responsable d'une activité de la société.
11. **profil** (n.m.) : les éléments (expérience, personnalité, formation) qui caractérisent professionnellement un candidat, un employé.
12. **cabinet** (n.m.) **de conseil en recrutement :** une agence, un bureau indépendant spécialisé dans le recrutement pour les entreprises.
13. **sélectionner** (v.) : *choisir, faire un choix ;* la **sélection.**
14. **candidat** (n.m.) : *être (se porter) candidat* à un emploi. Écrire, rédiger une lettre de candidature.
15. **attrayante** (adj.) (qui attire) : *avantageuse, favorable, intéressante.*
16. **être à la recherche** d'un emploi : *chercher un emploi.*
17. **annonce** (n.f.) : la *petite annonce.* Il recherche un emploi en lisant les petites annonces dans les journaux (la presse). Rédiger une petite annonce.

## ■ L'entrevue.

*Le dossier de Claude Roy a fait très bonne impression sur la direction de Pulvérix. Le candidat est convoqué[1] au siège[2] de l'entreprise. Après une visite des ateliers et des bureaux, Claude Roy, Paul Rolland et Louis Favier rentrent dans le bureau de ce dernier.*

**L.F.** - J'espère que ce rapide tour d'horizon[3] vous aura donné une idée plus précise de notre entreprise.

**C.R.** - Quels sont les horaires[4] du personnel ?

**P.R.** - Les ouvriers arrivent le matin entre 7 heures 30 et 8 heures et partent le soir entre 16 heures 30 et 17 heures ; ils disposent d'une heure pour le déjeuner à la cantine[5].

**C.R.** - Et les employés ?

**P.R.** - Ils bénéficient d'horaires flexibles ; nous leur demandons de travailler 39 heures par semaine... Nous sommes satisfaits de cette formule.

**C.R.** - De quels avantages sociaux[6] bénéficie [7] le personnel ?

**L.F.** - En plus des assurances obligatoires, assurance maladie, vieillesse, allocations[8] familiales, nous avons souscrit[9] une assurance complémentaire pour tout le personnel. Nous avons également un système de primes[10] de productivité pour les ouvriers ; et enfin, avec l'aide de l'inspection[11] du travail, nous mettons en place un système d'intéressement[12] aux bénéfices.

**C.R.** - Je vois que vous êtes une entreprise assez « sociale »[13].

**L.F.** - Si nous parlions maintenant de vos prétentions ?[14]

**C.R.** - Dans ma dernière lettre, je vous avais expliqué qu'un salaire d'environ 30 % supérieur à celui que je touche actuellement me conviendrait ; compte tenu de la cherté[15] de la vie en région parisienne, par rapport à la province, et de la promotion[16] que représentait le poste offert, je demandais également une clause d'indexation[17] sur le coût de la vie.

**L.F.** - Cela semble raisonnable. Il nous reste à parler du contrat.

**P.R.** Nous vous proposons une période d'essai d'un an avec un contrat à durée déterminée. Après quoi, vous signerez un contrat à durée indéterminée... Mais je vois qu'on nous fait signe que le restaurant nous attend... Nous continuerons notre conversation en mangeant...

1. **convoquer** (v.) : *demander à quelqu'un de venir ;* la **convocation** ; être **convoqué** à...
2. **siège** (n.m.) : de la société : lieu où se trouvent les principaux services de direction.
3. **tour d'horizon** (n.m.) : *présentation complète.*
4. **horaire** (n.m.) **(les horaires) :** l'heure à laquelle commence et finit le travail, **la durée du travail.**
 **horaires flexibles :** les employés ne sont pas tous obligés de venir à la même heure mais doivent tous travailler un nombre égal d'heures.
5. **cantine** (n.f.) : *le restaurant de l'entreprise.*
6. **avantages sociaux** (n.m.) : tous les avantages que les employés reçoivent en plus du salaire ; par exemple les assurances sociales, les congés payés...
7. **bénéficier :** *profiter ;* le bénéfice = *l'avantage* ou *le profit* (financier).
 ATTENTION, ne pas confondre :
 1. la société **bénéficie** d'un avantage sur le marché ;
 2. la société **fait un bénéfice** sur le marché.
8. **allocations** (n.m.) **familiales** (allouer : donner) : somme d'argent versée aux familles pour chaque enfant.
9. **souscrire une assurance :** *signer un contrat d'assurance.*
10. **prime** (n.f.) : somme d'argent donnée comme encouragement ou récompense ; *recevoir une prime.*
11. **inspection** (n.f.) **du travail :** service public chargé de faire respecter les lois concernant le travail dans les entreprises ; **l'inspecteur du travail.**
12. **intéressement** (n.m.) **aux bénéfices** (être intéressé aux bénéfices) : *le partage d'une partie des bénéfices de l'entreprise entre ses employés.*
13. **« entreprise sociale » :** qui fait beaucoup pour ses employés.
14. **prétentions** (n.f.) : *ici,* le salaire qu'un candidat à un emploi désire ; prétendre à une augmentation.
15. **cherté** (n.f.) : subst. formé sur l'adj. *cher.*
16. **promotion** (n.f.) : *l'avancement,* le passage à un poste plus important ; promouvoir *(il a été promu directeur).*
17. **clause** (n.f.) **d'indexation :** le salaire augmente au moins aussi vite que le taux d'inflation.

## 3-B1 ■ Document 1 - Petite annonce.

**P.M.E. région sud de Paris**
*recherche*
SECRÉTAIRE GÉNÉRAL

Nous sommes une société en pleine expansion dans le secteur des petits appareils ménagers.

Nous recherchons une personne dynamique pour superviser la gestion administrative et financière, ainsi que la gestion du personnel de l'entreprise.

Les candidats devront avoir 35 ans au minimum, une formation supérieure (type ESC), avoir exercé des responsabilités semblables au sein d'une entreprise de taille moyenne.

Anglais écrit et parlé indispensable.

Envoyez **lettre manuscrite, C.V., photo** et **prétentions** sous **référence n° 5581** au journal qui transmettra. Discrétion assurée.

*L'Espoir,* 10 mai 198.

## 3-B2 ■ Document 2 - Lettre de candidature.

Le 13 mai 198.

Monsieur,

J'ai pris connaissance dans « l'Espoir » du 10 mai dernier de votre offre pour le poste de secrétaire général dans votre entreprise. Par cette lettre, je désire faire acte de candidature.

Depuis quatre ans, j'occupe le poste de secrétaire général dans une entreprise familiale de taille moyenne (250 employés). Je suis responsable des problèmes financiers et administratifs de l'entreprise. Je m'occupe également d'établir sa politique de développement avec le directeur.

L'entreprise ne m'offre plus de possibilités de promotion et sa direction actuelle ne manifeste pas, à mon avis, le dynamisme qui lui permettrait de tirer meilleur parti du créneau qu'elle occupe.

Je pense que mon profil (formation et expérience) devrait retenir votre attention. Je reste à votre disposition pour tout entretien ultérieur.

Veuillez agréer, Monsieur, l'expression de mes meilleurs sentiments.

Claude Roy

P. J. Curriculum vitae, photo, lettres de recommandation.

**ROY Claude**
*Adresse actuelle :* 107, rue Lebeau, 14300 Caen.
Né le 12 février 19.. à Dozulé 14430.
*Situation de famille :* marié, 3 enfants.

**Formation**
19.. : diplôme d'expert comptable.
19.. : diplôme de l'École de commerce de Rouen.
19.. : baccalauréat, lycée de Caen.

**Stages**
— septembre 19.. à juin 19.. : stage d'expertise comptable au cabinet Morillon à Paris.
— 1er trimestre 19.. : département informatique de la Société Luxor (fournitures automobiles).
— été 19.. : département du personnel de la Société Lampret, S.A.

**Expérience**
19.. jusqu'à ce jour : secrétaire général, Société Lelarque et Cie.
19.., 19.. directeur administratif, Établissements Michon.
19.., 19.. directeur service comptable, Multirex, S.A.
19.., 19.. expert comptable, Cabinet Morillon.

**Langues**
anglais : diplôme de la Chambre de commerce franco-britannique ; espagnol courant.

**Références**
— M. René Floquet, Établissements Michon
— M. Jacques Dubout, directeur général, Multirex
— M. Lionel Morillon, Cabinet Morillon

## 3-C1 ■ Exercice 1.

*Compléter les phrases suivantes avec l'adjectif ou le pronom interrogatif* (quel, quelle, lequel, auquel, qui, que, ou qu') *qui convient.*

1. *................ est la personne qui a reçu cette lettre ?*
2. *De ........................... école venez-vous ?*
3. *A ........................ endroit demeurez-vous ?*
4. *......... avez-vous fait pendant ce voyage à l'étranger ?*
5. *A .............. la faute, si je ne trouve pas de travail ?*
6. *................... faisiez-vous dans cette entreprise ?*
7. *......... préférez-vous, l'ancien ou le nouveau patron ?*
8. *................. de ces candidats sélectionnez-vous ?*
9. *Au fait, je ne sais pas ..................... vous êtes ?*
10. *...................... de ces employeurs as-tu écrit ?*

## 3-C2 ■ Exercice 2.

*Rédiger une phrase interrogative en remettant dans l'ordre correct les éléments suivants.*

**Modèle :** *Paul / pourquoi / il n'est pas rentré ?*
Pourquoi Paul n'est-il pas rentré ?

1. que / le visiteur / veut ?
2. vous / que / votre banquier / a dit ?
3. viendra / ton associé / aussi ?
4. ta cliente / elle / l' / a vu ?
5. parle / à qui / ton ami ?
6. ce document / à quel / as-tu donné / collaborateur ?
7. as-tu / qui / dans le hall / rencontré ?
8. votre père / comment / supporte-t-il / cette épreuve ?
9. le dossier / où est ?
10. que / tu / as / oublié ?
11. combien / sont allés / dans son bureau / de gens ?
12. il / vous a dit / de venir / pourquoi ?
13. vous devez / à l'usine / le conduire / quand ?
14. ces ouvriers / ils / travaillent / pour / qui ?

Compléter les phrases suivantes avec la préposition **à** ou **de** ou **d'**.

1. La rémunération sera constituée ... un fixe et ... une commission.
2. Après son stage, cet ingénieur sera-t-il responsable ... la négociation des contrats ?
3. Croyez-vous qu'il puisse faire face ... toutes ces responsabilités ?
4. Êtes-vous libéré ... toute obligation ?
5. Le directeur du personnel est favorable ... votre embauche.
6. Pouvez-vous nous faire parvenir une copie ... votre diplôme ... l'adresse suivante ?
7. Il s'agit ... la direction ... une entreprise ... travaux publics située ... l'est de Paris.
8. Ce licenciement est contraire ... la loi.
9. Je vais réfléchir ... votre offre ; vous aurez ... mes nouvelles.
10. ... quoi consacrez-vous votre temps libre ?
11. Vous devrez vous remettre ... faire des études.
12. ... qui faut-il confier ce document ?
13. En cas ... accord, le candidat devra être prêt ... partir ... l'étranger.
14. Vous avez encore droit ... 5 jours de congé.
15. Nous ferions mieux ... téléphoner ... leur usine.
16. Il est toujours ... la recherche ... un emploi.
17. Je me tiens ... votre disposition au cas où vous auriez besoin ... renseignements.
18. Veuillez dire ... M. Lambert ... rédiger cette lettre.

## 3-D1 ■ Comment s'informer...

1. — **J'aimerais savoir** à quel âge on peut prendre sa retraite ?
   — Ça dépend des catégories de personnel.
2. — **Pouvez-vous me dire** qui est le délégué syndical ?
   — Je ne sais pas ; demandez plutôt à M. Lambert.
3. — **Sauriez-vous** par hasard, si ce poste est vacant ?
   — Attendez, je vais me renseigner.
4. — **Est-il bien vrai que** M. Vatin a été remplacé ?
   — Il me semble que oui, mais je n'en suis pas sûr.
5. — Pardon, **où dois-je** m'adresser pour les entrevues ?
   — Aucune idée... je cherche aussi.

## 3-D2 ■ Comment interroger ; interrogation indirecte.

| | |
|---|---|
| Je vous demande<br>Je me demande<br>Je voudrais savoir<br>Dites-moi<br>Savez-vous<br>J'ignore | **si** la lettre a été envoyée.<br>**qui** a reçu la lettre.<br>**qui** vous rencontrerez.<br>**avec qui** vous travaillerez.<br>**quel** train il prendra.<br>**à quelle** heure il est parti.<br>**laquelle** de ces deux voitures lui plaît.<br>**ce qui** est arrivé.<br>**pourquoi** elle n'est pas venue.<br>**comment** il fera pour réussir.<br>**où** se réuniront les chefs de service.<br>**combien** gagne le comptable.<br>**quand** arrivera le courrier.<br>**ce que** veut le gouvernement.<br>**à quoi** sert cet appareil.<br>**avec qui** voyageront les salariés. |

1. Il y a souvent inversion du nom et du sujet.

## 3-D3 ■ Corrigés des exercices.

EXERCICE 1 - **1 :** Quelle. **2 :** quelle. **3 :** quel. **4 :** Qu'. **5 :** qui. **6 :** Que. **7 :** Lequel. **8 :** Lequel / Qui / Lesquels. **9 :** qui. **10 :** Auquel, Auxquels.
EXERCICE 2 - **1 :** Que veut le visiteur ? **2 :** Que vous a dit votre banquier ? **3 :** Ton associé viendra-t-il aussi ? **4 :** Ta cliente l'a-t-elle vu ? **5 :** A qui parle ton ami ? **6 :** A quel collaborateur as-tu donné... **7 :** Qui as-tu rencontré...**8 :** Comment votre père supporte-t-il... **9 :** Où est le dossier ?... **10 :** Qu'as-tu oublié **11 :** Combien de gens sont allés ?... **12 :** Pourquoi vous a-t-il dit ?... **13 :** Quand devez-vous le conduire ?... **14 :** Pour qui ces ouvriers travaillent-ils ?
EXERCICE 3 - **1 :** d'/d'. **2 :** de. **3 :** à. **4 :** de. **5 :** à. **6 :** de/à. **7 :** de/d'/de/à. **8 :** à. **9 :** à/de. **10 :** A. **11 :** à. **12 :** A. **13 :** d'/à/à ou pour. **14 :** à. **15 :** de/à. **16 :** à/d'. **17 :** à/de. **18 :** à/de.

# CHAPITRE 4 ■ LANCEMENT D'UN PRODUIT



SCÉNARIO

La Société Pulvérix a maintenant les structures qui lui permettront de se moderniser et de se développer. Elle peut donc envisager de lancer son nouveau produit : la balance électronique.

Tous les services de la Société ont terminé leurs études. Pascal Favier organise alors une réunion pour faire le point de la situation et décider de la suite qu'il convient de donner à ce projet.

## 4-A1 ■ Il y a un bon créneau pour le nouveau produit.

*Pascal Favier a demandé à tous les responsables des différents services d'assister à la réunion.*
*Sont présents : Pascal Favier, Claude Roy, le nouveau secrétaire général, Luc Duplessis, le directeur de marketing, Nicolas Cotreau, directeur de la production et Maurice Fournier, directeur des ventes.*

**P.F.** - Je crois que vous avez tous les documents concernant votre nouveau produit. Vous les avez lus ; ils semblent extrêmement encourageants. J'invite chacun d'entre vous à indiquer brièvement les résultats des études[1] effectuées.
**L.D.** - Au service marketing, nous avons réalisé plusieurs études : une étude économique, d'abord, qui montre que les ménages[2] consacrent une part importante de leurs revenus[3] à leur maison, à leur confort. Cela montre que la demande pour l'électroménager[4] reste forte. Nous avons ensuite fait une étude de marché.
**P.F.** - Oui, je m'en suis occupé de près... notre étude de marché nous révèle qu'il y a un bon créneau[5] pour une balance comme la nôtre. Nous avons fait plusieurs enquêtes[6] et sondages[7] auprès de notre clientèle habituelle et de notre clientèle potentielle[8]. Je dois dire que la réponse est extrêmement favorable. Nous avions peur au début que le produit fasse un peu « gadget » ; nous sommes rassurés à ce sujet : l'introduction de l'électronique est un atout[9] supplémentaire. Du côté de la concurrence[10]... Maurice ?
**M.F.** - Nous ne sommes pas menacés. Il y a des produits équivalents sur le marché, mais pas pour le grand public[11]. Nous avons cependant demandé à la production de modifier légèrement le concept de base du produit.
**N.C.** - Oui, le produit testé[12] au début présentait des inconvénients, des défauts. Par exemple, il a fallu augmenter la taille de la balance, élargir la gamme[13] de couleurs.
**P.F.** - Est-ce que cela va gêner la production ?
**N.C.** - Non, nous sommes prêts à lancer la fabrication.
**P.F.** - Bien... et la force de vente[14] ?
**M.F.** - Vous savez que nous avons été impliqués dans le projet dès le départ pour faire notre enquête auprès des distributeurs, des réseaux[15] de distribution. Nous sommes très motivés. Ce produit devrait bien marcher.
**P.F.** - Donc je crois que tout le monde est d'accord... Oui. Et bien réglons maintenant les détails du lancement.

1. **étude** (n.f.) : faire une *étude de marché,* étudier le marché, effectuer une étude.
2. **ménage** (n.m.) : *la famille ;* la consommation des ménages ; un **article de ménage** : un *article pour la maison.*
3. **revenu** (n.m.) : l'argent que gagne un individu ou un ménage ; **revenu disponible ; revenu mensuel ; revenu annuel.**
4. **électro-ménager** (n.m.) : *les appareils électriques* qui facilitent le travail à la maison : machine à laver, réfrigérateur.
5. **créneau** (n.m.) : il y a un créneau pour le produit ; *un marché.* C'est un bon créneau.
6. **enquête** (n.f.) : (v. : **enquêter**) : faire une enquête sur le comportement des consommateurs ; une enquête auprès des jeunes femmes de 18 à 25 ans...
7. **sondage** (n.m.) : (v. : **sonder**) : une *courte enquête* pour savoir ce que pense le public, ou un échantillon représentatif du public ; remplir un **questionnaire** pour un sondage.
8. **clientèle** (n.f.) **potentielle** : toutes les personnes susceptibles d'acheter le produit.
9. **atout** (n.m.) : *l'avantage.* Disposer d'un atout ; *avoir un atout.*
10. **concurrence** (n.f.) ; le **concurrent ; concurrencer ; faire de la concurrence à.**
    Ex. : *Nos concurrents lancent également une balance sur le marché. Sur ce marché, la concurrence est* **vive** (est forte).
11. **grand public** (n.m.) : tous les consommateurs.
    CONTRAIRE : **public spécialisé ; créneau spécialisé.**
12. **tester** (v.) : un test de produit ; le produit est testé *(essayé)* auprès de la clientèle. Faire un test, chercher à connaître les réactions de la clientèle sur un produit.
13. **gamme** (n.f.) : (ici) la variété des couleurs proposées aux clients ; **une gamme de produits** : les différents produits offerts aux consommateurs par une entreprise.
14. **force** (n.f.) **de vente** : dans une entreprise, l'ensemble des personnes qui s'occupent de la vente.
15. **réseau** (n.m.) **de distribution :** (v. : distribuer : *mettre sur le marché)* ; **le réseau** : *tous les éléments d'une organisation ;* **le réseau commercial :** *tous les points de vente d'une entreprise.*

## 4-B1 ■ De la gestion commerciale au marketing (à la mercatique[1]).

La fonction commerciale a été longtemps négligée dans les entreprises.

• **Au XIXe siècle et au début du XXe** on recherche l'amélioration des techniques de production et la réduction des coûts de fabrication.
*« J'admets que les clients demandent le modèle et la couleur de leur choix... pourvu que ce soit un modèle T, de couleur noire »*, disait Ford.

• **Avec la grande crise de 1929** qui entraîne des phénomènes de surproduction, les responsables des entreprises se rendent compte qu'il est souvent plus difficile de vendre que de produire. En conséquence :
— les entreprises commencent à étudier leur marché afin d'adapter la production aux désirs des clients ;
— les techniques de *dynamique commerciale* remplacent ce qu'on appelait la réclame.

• **A partir des années 1950-1960,** un nouvel esprit anime les dirigeants : l'entreprise doit se définir par rapport au marché. On n'écoule pas sa production sur le marché, on vend *des satisfactions.* La priorité est dans l'identification des besoins du marché et dans l'adaptation de la production à ce marché. L'approche marketing, c'est construire l'**offre** en fonction de la **demande** potentielle.

## 4-B2 ■ La connaissance du marché.

• Les **études du marché.** A partir de l'observation d'un échantillon représentatif d'une population, l'entreprise cherche à répondre à deux questions essentielles :
— qui achète ou est susceptible d'acheter ?
— combien achète-t-on ou est-on susceptible d'acheter ?

• Les **études de motivation** déterminent les raisons pour lesquelles un produit est acheté ou non par le public.

• Les **tests de marché :** le produit est mis en vente pendant un certain temps, dans une zone géographique limitée représentative du marché entier, afin d'étudier les réactions des clients.

(1) L'Académie française et l'Administration recommandent l'emploi du mot **mercatique,** mais dans la langue courante *marketing* reste le plus fréquent.

## ■ Document 3 - L'entreprise et son marché.



L'entreprise est une unité de production qui vit d'**échanges** avec le milieu extérieur. Elle achète les produits et services dont elle a besoin et, pour survivre, elle doit vendre sur le marché les biens qu'elle produit. Aussi, avant de lancer toute opération commerciale, se doit-elle de connaître exactement son **marché**. Cette étude systématique réduit l'incertitude et donc les risques liés à l'activité économique dans un système d'économie libérale.

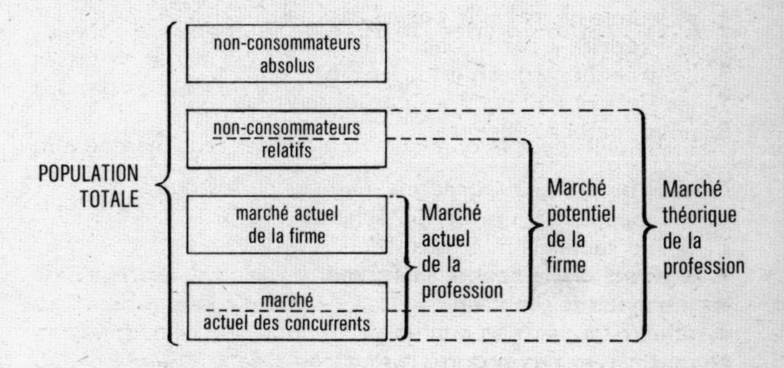


### La connaissance du marché

DIVERS TYPES DE MARCHÉS

| | |
|---|---|
| **Le monopole** | Un seul vendeur fait face à un grand nombre d'acheteurs. L'entreprise n'a pas de concurrent. Elle peut donc fixer le prix qui lui procure le profit maximum. |
| **L'oligopole** | Un petit nombre de vendeurs face à un grand nombre de clients. L'entreprise doit tenir compte de ses concurrents. Le prix sera fixé par le marché ou par entente avec les autres firmes. |
| **La concurrence parfaite** | Les vendeurs et les acheteurs sont nombreux. Le prix est déterminé par le marché (loi de l'offre et de la demande). |

## 4-C1 ■ Exercice 1 - Dire pourquoi...

*Sur le* **modèle** *suivant, dire pourquoi... Utilisez :* **Si... c'est parce que...**

MODÈLE : — le candidat n'est pas venu
— il a eu peur d'échouer

**Si** le candidat n'est pas venu, **c'est parce qu'**il a eu peur d'échouer.

**1.** l'employé est arrivé en retard
**2.** le comptable n'a pas voulu vous payer
**3.** la grève continue
**4.** sa femme ne travaille pas à l'extérieur
**5.** l'entreprise a perdu beaucoup d'argent
**6.** l'entrée du magasin est interdite
**7.** les ateliers sont occupés par les ouvriers
**8.** nous voulons rester ici

*Choisir parmi les suggestions données ci-dessous :*
**a.** le lancement du produit a échoué
**b.** le spectacle est intéressant
**c.** la direction ne veut pas négocier
**d.** il a manqué son train
**e.** elle s'occupe de sa famille
**f.** vous n'avez pas apporté la facture
**g.** les vendeurs font l'inventaire
**h.** la sécurité est mal assurée

## 4-C2 ■ Exercice 2 - Modifier chaque phrase.

*Modifier chaque phrase pour exprimer la cause, en commençant par l'expression* **« à cause de »** (du, de l', de la, des). **Attention au verbe.**

MODÈLE : *Cette grève a ralenti notre production.*
→ **A cause de** cette grève, notre production **a été ralentie**

**1.** L'augmentation du prix de l'essence a alourdi les frais de transport.
**2.** L'inflation va modifier notre politique de vente.
**3.** La faillite de notre principal fournisseur a perturbé notre approvisionnement.
**4.** Un changement de directeur retardera le lancement du nouveau produit.
**5.** La grève de la T.V. a gêné notre campagne publicitaire.

## 4-C3 ■ Corrigés des exercices.



EXERCICE 1 : **1 :** d. **2 :** f. **3 :** c. **4 :** e. **5 :** a. **6 :** g. **7 :** h. **8 :** b.

EXERCICE 2 : **1 :** A cause de l'augmentation du prix de l'essence, les frais de transport ont été alourdis.

**2 :** A cause de l'inflation, notre politique de vente va être modifiée.

**3 :** A cause de la faillite de notre fournisseur, notre approvisionnement a été perturbé.

**4 :** A cause du changement de directeur, le lancement du nouveau produit sera retardé.

**5 :** A cause de la grève de la télévision, notre campagne publicitaire a été gênée.

## 4-D1 ■ Comment exprimer l'alternative.

**1. — Préférez-vous** faire le sondage maintenant ou après les vacances ?

— Après, pour toucher un plus grand public.

**2. — Vaut-il mieux** vendre dans les grandes surfaces **ou** dans les magasins spécialisés ?

— Je pense que c'est mieux dans les magasins spécialisés : les vendeurs y sont plus disponibles pour conseiller le client.

**3. — Entre** ces deux stratégies, **laquelle** vous paraît **la plus** efficace ?

— La première, car la télévision a beaucoup d'impact.

**4.** — On pourrait **soit** leur téléphoner, **soit** leur écrire.

— Ni l'un ni l'autre n'est nécessaire, puisqu'ils vont venir.

**5.** — Quel produit se vend **le mieux** actuellement, le nouveau **ou** l'ancien modèle ?

— Le nouveau, grâce à la publicité que nous faisons.

**6. — Je me demande** si nous devrions organiser la campagne nous-mêmes, **ou si** nous devrions demander à leurs services de s'en occuper.

— Faisons-la nous-mêmes, nous serons sûrs de la qualité du travail.

## 4-D2. ■ Comment exprimer la cause.

| | |
|---|---|
| **à cause de**<br>**en raison de**<br>**par suite de**<br>**du fait de** + NOM<br>**étant donné ;**<br>**grâce à**<br>**pour** | *A cause de* / *En raison de* / *Par suite de* / *Du fait de* *cet accident, il n'a pas pu partir en vacances*<br>*Étant donné* sa situation financière, il ne pourra rien payer.<br>*Grâce à* ce succès commercial, nous pourrons nous agrandir.<br>Il a été condamné *pour* vol. |
| **car / en effet** | Ils ne parviendront pas à réduire le chômage *car / en effet* la production nationale est en baisse. |
| **parce que** + IND.<br><br><br>**puisque** + IND.<br>*(pour une cause déjà connue)*<br>**comme** + IND.<br>*(langue écrite)*<br>**étant donné que** + INDICATIF<br>**c'est parce que**<br>**c'est que** + IND.<br>*(langue parlée)*<br>**d'autant plus que** + INDICATIF<br>*(pour insister sur la cause)* | — Pourquoi êtes-vous en retard ?<br>— *Parce que* j'ai manqué mon train.<br>*Puisque* vous êtes satisfait de votre emploi, pourquoi le quitteriez-vous ?<br>*Comme* il était à court d'argent, il a vendu sa collection de tableaux.<br>*Étant donné qu'*il n'est pas venu, nous pouvons partir.<br>S'il est fatigué, *c'est parce qu'/c'est qu'*il n'a pas pris de repos depuis plusieurs mois.<br><br>Il mérite *d'autant plus* des compliments, *qu'*il a réussi seul, sans l'aide de personne. |
| **en** + PARTICIPE PRÉSENT | *En* voul*ant* diriger seul son entreprise, il l'a menée à la faillite. |
| avec un *verbe* | Les mauvais résultats financiers *sont dus à / proviennent de / ont été causés par / ont été provoqués par / ont pour cause / origine / tiennent à / dépendent de / résultent de / s'expliquent par* une gestion imprudente |

# CHAPITRE 5 ■ PUBLICITÉ.

**A** - DIALOGUE

**A1.** Visite à une agence de publicité.

**A2.** Remarques.

**B** - DOCUMENTS

**B1.** Document 1 : le lancement et la commercialisation d'un produit.

**B2.** Document 2 : différentes sortes de publicité.

**B3.** Document 3 : caractéristiques des principaux médias.

**C** - EXERCICES

**C1.** Exercice 1.

**C2.** Exercice 2.

**C3.** Exercice 3.

**D** - LANGUE

**D1.** Comment conseiller, recommander.

**D2.** Comment exprimer une intention.

**D3.** Corrigés des exercices.

SCÉNARIO

Les différentes études menées sur la balance électronique indiquent que la société Pulvérix tient là un produit plein de promesses et qu'elle peut donc commencer à le fabriquer. Tous les problèmes de production peuvent être réglés par les cadres et le personnel de l'entreprise. Par contre, en ce qui concerne la publicité, la société a besoin d'une aide extérieure. Elle s'adresse à une agence de publicité qui pourra lui proposer une campagne publicitaire adaptée au marché et au produit.

# 5-A1 ■ Visite à une agence de publicité[1].

*Michèle Dumont, responsable de la publicité à la société Pulvérix, s'entretient avec Pierre Magnan, chef de publicité à l'agence Publi-Azur.*

**P.M.** - J'ai bien réfléchi à votre projet de campagne[2]. J'ai des propositions à vous soumettre.
**M.D.** - Qu'envisagez-vous ?
**P.M.** - Mettre sur pied[3] une campagne d'information choc.
**M.D.** - Et vous la prévoyez de quelle durée ?
**P.M.** - Pour obtenir le maximum d'écoute[4], je vous suggère de commencer par une semaine de spots[5] publicitaires diffusés[6] à la radio, plusieurs fois dans la matinée. Après quoi une opération de complément par voie d'affichage[7] me semble tout à fait indiquée.
**M.D.** - Pour une semaine, elle aussi ?
**P.M.** - Oui, huit jours suffisent pour toucher[8] un large public.
**M.D.** - C'est une campagne tout à fait classique, alors ?
**P.M.** - J'ai réfléchi à un autre aspect de la campagne. Que penseriez-vous de caractériser la semaine radio par un jeu radiophonique ?
**M.D.** - Cette idée me paraît prometteuse. Mais qui pensez-vous toucher plus précisément ?
**P.M.** - Votre clientèle[9] potentielle, les ménagères[10] surtout.
**M.D.** - Quand diffuserez-vous donc les premiers spots ?
**P.M.** - Votre balance me paraît être un cadeau idéal pour la fête des mères. Je crois que nous avons tout intérêt à programmer[11] notre campagne à cette époque si nous voulons atteindre efficacement notre cible[12].
**M.D.** - Nos produits existants se vendent déjà très bien dans ces périodes-là.
**P.M.** - Oui mais dans cette campagne spécifique, nous allons sensibiliser[13] la clientèle grâce à un indicatif[14] sonore qui accompagnera le slogan[15] des messages radio. L'indicatif musical serait rythmé par un bruit imitant le *bip-bip* de votre balance ! Ensuite, nous relancerons le produit par voie d'affichage, dans le centre des villes uniquement. Je vous préciserai rapidement quels sont les espaces[16] publicitaires les plus appropriés à votre type de produit. Allons voir maintenant l'équipe de rédaction[17] qui règle les derniers détails du slogan et du texte, si vous le voulez bien.

1. **publicité** (n.f.) : faire *de la publicité* pour, faire *de la réclame* pour un produit.
**promotion** (n.f.) : (v. : *promouvoir, vanter*) une **action publicitaire** ; un **publicitaire** : personne qui fait de la publicité.
2. **campagne** (n.f.) **publicitaire :** toutes les actions entreprises pour vanter un produit ; **lancer** une campagne publicitaire.
3. **mettre sur pied** (v.) (la *mise sur pied*) : **organiser.**
4. **écoute** (n.f.) (v. : *écouter*) : le nombre de gens qui écoutent une publicité à la radio ; les **heures de grande écoute** (7-8 heures du soir).
5. **spot** (n.m.) publicitaire : une très courte annonce (quelques secondes) pour vanter un produit à la radio ou à la télévision.
6. **diffuser** (v.) : faire passer une information à la radio ou à la télévision, *émettre ;* la **diffusion** ; un produit de grande diffusion (qu'on peut trouver partout).
7. **affichage** (n.m.) (v. : *afficher*) ; une *affiche ;* coller des affiches.
8. **toucher** (v.) le public : l'influencer.
9. **clientèle** (n.f.) (le client) : l'ensemble des clients.
10. **ménagère** (n.f.) (le ménage) : la *« femme au foyer » ;* la *« mère de famille » :* la personne qui s'occupe de la maison.
11. **programmer** (v.) : *prévoir quelque chose à l'avance ;* le **programme** ; la **programmation** ;
Ex. : *Ce spot est programmé pour 8 heures du soir.*
12. **cible** (n.f.) : le groupe de gens que la publicité veut toucher ; **viser** une cible : *essayer d'atteindre une cible ;* **cibler** un produit : *adapter un produit* au goût d'un groupe de clients potentiels.
13. **sensibiliser** (v.) : rendre le public sensible aux avantages du produit.
14. **indicatif** (n.m.) (v. : indiquer) : *musique courte* qui attire l'attention du public.
15. **slogan** (n.m.) : *phrase courte* qui attire l'attention du public, phrase percutante.
16. **espace** (n.m.) **publicitaire :** *endroit loué par une société pour mettre des affiches publicitaires ou des réclames* (murs, panneaux, journaux...).
17. **équipe** (n.f.) **de rédaction** (v. : rédiger) : *équipe qui rédige le slogan* et le texte de la publicité.

# 5-B1 ■ Document 1 - Le lancement et la commercialisation d'un produit.

**ÉTAPE 1 →** NAISSANCE DE L'IDÉE

— Que va-t-on produire et vendre ?

— Il faut d'abord avoir l'idée du produit ou service que l'on désire produire et commercialiser.

**ÉTAPE 2 →** ANALYSE DE L'IDÉE

— Le produit est-il réalisable ?

— Pourrez-vous disposer des moyens financiers nécessaires ?

— Le projet est-il réaliste ?

**ÉTAPE 3 →** L'ÉTUDE DE MARCHÉ

Analyse approfondie et détaillée du marché du futur produit.

* *Analyse de l'offre*

• Quels sont les produits similaires offerts par les concurrents ?

• Quels sont les avantages, les défauts de ces produits ?

• En quoi votre produit se différencie-t-il de ses concurrents ?

• A quel prix sont vendus les produits concurrents ?

• Quelle est la part du marché occupée par ces entreprises ?

* *Analyse de la demande*

• Quel est le profil exact du futur consommateur ? (âge, sexe, localisation, catégorie socio-professionnelle, revenu...)

• Pourquoi achète-t-il ou n'achète-t-il pas le produit ? Quelles sont ses « motivations » ?

• Est-il nécessaire de « segmenter le marché » ?

L'étude de marché indique à l'entreprise quelle quantité elle peut espérer vendre et dans quelle « fourchette de prix » elle pourra vendre son produit. Si cette étude se révèle favorable, l'entreprise pourra passer à l'étape suivante.

**ÉTAPE 4 →** LA MISE AU POINT DU PRODUIT

L'étude de marché a permis de déterminer les caractéristiques idéales du nouveau produit. C'est alors aux techniciens de tout mettre en œuvre pour élaborer le produit répondant le mieux aux besoins de la clientèle.

**ÉTAPE 5 →** LA COMMERCIALISATION DU PRODUIT

** Détermination*

- de la *marque* du produit : c'est le nom sous lequel il sera commercialisé. ;
- de son *conditionnement* : c'est la forme sous laquelle il sera présenté à la clientèle. L'emballage doit protéger le produit, mais également le présenter de manière attrayante et séduisante ;
- de son *prix* : la fixation du prix aura des conséquences directes sur le chiffre d'affaires et le bénéfice réalisés par l'entreprise ;
- du *circuit de distribution* du produit : où sera vendu le produit ? Dans une grande surface, dans une boutique spécialisée ou par correspondance ?

** Mise en place des moyens de communication et de promotion*

Comment faire connaître le produit et inciter le public à l'acheter ? Si vous disposez de moyens financiers relativement importants, vous pouvez faire appel aux trois techniques suivantes : la publicité, la promotion des ventes et les relations publiques (voir tableau page suivante).

**ÉTAPE 6 →** LE LANCEMENT

Vous disposez maintenant de tous les éléments nécessaires au lancement ; vous pouvez donc mettre votre produit en vente.

Si vous avez encore peur de courir le risque d'une mévente, faites précéder votre lancement définitif d'un « marché-test ». Votre produit est d'abord mis en vente dans une zone géographique limitée, de façon à étudier les réactions du public au produit.

## ■ Document 1 (suite)

MOYENS DE COMMUNICATION ET DE PROMOTION

| | Objectif visé | Techniques employées |
|---|---|---|
| La publicité | Attirer le consommateur vers le produit proposé, en l'informant et en l'incitant à acheter ce produit. | Transmission d'un message :<br>• par la presse (annonce, communiqué) ;<br>• à la radio ;<br>• à la télévision (film publicitaire) ;<br>• au cinéma ;<br>• par affichage sur les murs ou sur les véhicules. |
| La promotion des ventes | Pousser le produit vers le consommateur, en présentant ce produit sur le lieu de vente dans les meilleures conditions matérielles et psychologiques possibles. | • Aménagement du magasin ;<br>• animation du local de vente ;<br>• disposition habile des marchandises en rayon ;<br>• organisation de ventes promotionnelles, de démonstrations, de concours, de jeux ;<br>• remise d'échantillons gratuits, de bons de réduction. |
| Les relations publiques | Créer une opinion favorable envers l'entreprise, en établissant un climat de confiance, de sympathie entre elle et le public (personnel, fournisseurs, clients...). | • Organisation de réunions d'information, de conférences, de journées « portes ouvertes », de voyages...<br>• Création d'un journal d'entreprise, etc. |

## 5-B2 ■ Différentes sortes de publicité. 

• **La publicité directe :** le message est transmis individuellement à chaque client potentiel auquel on remet une lettre de vente ou un autre document : prospectus, dépliant, brochure, catalogue.
• **La publicité médias[1] :** le message s'adresse à un ensemble de personnes ; il est transmis par un média (presse, radio, télévision, cinéma, affichage).
• **La P.L.V.** *(publicité sur le lieu de vente) :* le message est transmis dans le magasin même où est présenté le produit. Son objet est d'inciter à l'achat immédiat.

## 5-B3 ■ Les principaux médias.

| | |
|---|---|
| **Presse quotidienne** | *— intéressante pour la publicité des biens et services de grande consommation ;<br>— le message est lu dans des conditions de réceptivité médiocres ;<br>— éphémère, n'est pas conservée par le lecteur.* |
| **Presse périodique spécialisée** | *— la qualité du papier et la couleur permettent de réaliser des annonces attrayantes ;<br>— touche un public sélectionné ;<br>— parfois conservée par le lecteur ;<br>— lue avec plus d'attention.* |
| **Radio** | *— pénètre dans la vie du consommateur et le suit dans ses activités ;<br>— elle permet de sélectionner les auditeurs en fonction des horaires d'écoute, p. ex. les ménagères entre 9 et 11 heures du matin ;<br>— la musique et le rythme créent un état de réceptivité.* |
| **Télévision** | *— média peu sélectif : il touche un grand nombre de personnes, de formations, de revenus, de catégories socio-professionnelles différentes ;<br>— message auditif et visuel, perçu en famille. Climat de détente et de réceptivité* |
| **Affichage** | *— faible sélectivité ;<br>— la communication est impersonnelle et très brève ;<br>— sensibilise le public à un produit nouveau.* |

## 5-C1 ■ Exercice 1.

*Compléter les phrases de la colonne de gauche avec les éléments de la colonne de droite.*

**a.** Ne laissez pas
**b.** Une commande d'essai
**c.** Service après-vente
**d.** Offre valable
**e.** Cette offre est sans
**f.** 2 % d'escompte
**g.** Notre longue expérience
**h.** Retournez-nous
**i.** Sur demande nous vous enverrons
**j.** Nous espérons que ces bas prix

**1.** vous inciteront à nous passer une commande.
**2.** le bon de commande ci-joint.
**3.** pour paiement comptant.
**4.** vous garantit un service excellent.
**5.** passer cette occasion unique.
**6.** assuré.
**7.** vous convaincra de la qualité de nos produits.
**8.** notre documentation sur nos appareils.
**9.** jusqu'à la fin du mois.
**10.** engagement de notre part.

## 5-C2 ■ Exercice 2.

*En vous servant des deux éléments de phrase proposés, construire des phrases sur le modèle suivant :* acheter une voiture ; l'utiliser → **Si** vous achetez une voiture, **c'est pour** l'utiliser

*C'est pour / C'est avec l'intention de / C'est dans le but de / C'est afin de / C'est dans l'espoir de.*

**1.** programmer une campagne ; respecter les délais
**2.** acheter une balance ; s'en servir
**3.** faire de la publicité ; vendre plus
**4.** faire une enquête ; connaître les goûts du public
**5.** lancer une campagne publicitaire ; atteindre nos objectifs
**6.** prendre rendez-vous ; voir le responsable des ventes
**7.** vendre cet article ; satisfaire la demande
**8.** accorder des primes ; stimuler les ventes
**9.** vouloir diffuser la publicité à 20 heures ; avoir un maximum d'écoute
**10.** distribuer des prospectus ; sensibiliser la clientèle

## 5-C3 ■ Exercice 3.

*Vous trouverez dans la première colonne plusieurs types de publicité et dans la seconde colonne le lieu où on les trouve en général. Faire correspondre chaque publicité au lieu qui convient.*

| **quelle publicité ?** | **où ?** |
|---|---|
| **a.** un tract | **1.** sur le petit écran |
| **b.** une affiche | **2.** dans une maison de couture |
| **c.** une dégustation gratuite | **3.** au feu rouge |
| **d.** un catalogue | **4.** au Palais des Expositions |
| **e.** un communiqué | **5.** sur les panneaux publicitaires |
| **f.** un jeu télévisé | **6.** dans les caves |
| **g.** le Salon de l'automobile | **7.** par la poste |
| **h.** une promotion | **8.** dans le journal |
| **i.** une présentation de mode | **9.** sur le point de vente |
| **j.** une petite annonce | **10.** à la radio |

## 5-D1 ■ Comment conseiller, recommander.

**1.** Toutes ces méthodes donnent de bons résultats, **mais je vous recommande tout particulièrement la première.**

**2.** Nous, nous **vous conseillons** de lancer le produit dès le printemps.

**3. Si j'étais vous,** je m'adresserais à l'agence Publi/Azur.

**4. A votre place, je diffuserais** plus de spots à la télévision.

**5. Que diriez-vous** de commencer par une campagne d'affichage ?

**6. Ne pensez-vous pas qu'**il serait préférable de faire un sondage ?

**7. Puis-je vous recommander** notre dernier modèle ?

**8. A votre avis, il faudrait** changer de slogan ?

**9. Peut-être vaudrait-il mieux** limiter la campagne à deux semaines ?

**10. Il vaut mieux** distribuer les tracts le samedi, **n'est-ce pas ?**

## 5-D2 ■ Comment exprimer une intention.

### 1. Vous voulez atteindre un but.

INFINITIF

— Mon fils travaille beaucoup **pour** *réussir* son examen.
— Il est parti plus tard **afin de/de façon à** *terminer* son travail.
— J'écris à nos amis **en vue** *d'organiser* ce voyage.
— Je l'ai noté **exprès pour** *y penser.*

SUBJONCTIF

— Commencez maintenant **pour que** ce *soit* prêt à temps.
— Mettez-lui un mot **afin qu'**il se *souvienne* de ce rendez-vous.
— La secrétaire a posé le dossier sur le bureau **exprès pour** que nous le *remarquions.*

### 2. Vous voulez éviter...

INFINITIF

— Je ne prends pas beaucoup d'argent **pour ne pas/de peur de/de crainte de** me le *faire* voler.

SUBJONCTIF

Recomptez la monnaie { **pour qu'**il n'y *ait* pas d'erreur / **de peur qu'**il y *ait* une erreur }

## 5-D3 ■ Corrigés des exercices.

EXERCICE 1 : **a :** 5 - **b :** 7 - **c :** 6 - **d :** 9 - **e :** 10 - **f :** 3 - **g :** 4 - **h :** 2 - **i :** 8 - **j :** 1.

EXERCICE 2 : **1.** Si vous programmez une campagne, c'est pour respecter les délais. **2.** Si vous achetez une balance, c'est pour vous en servir. **3.** Si vous faites de la publicité, c'est pour vendre plus. **4.** Si vous faites une enquête, c'est afin de connaître les goûts du public. **5.** Si nous lançons une campagne publicitaire, c'est pour atteindre nos objectifs. **6.** S'il prend rendez-vous, c'est dans l'espoir de voir le responsable... **7.** Si nous vendons cet article, c'est pour satisfaire la demande. **8.** Si vous accordez des primes, c'est pour stimuler les ventes. **9.** Si nous voulons diffuser..., c'est pour avoir... **10.** S'ils distribuent..., c'est avec l'intention de sensibiliser la clientèle.

EXERCICE 3 : **a :** 3 - **b :** 5 - **c :** 6 - **d :** 7 - **e :** 10 - **f :** 1 - **g :** 4 - **h :** 9 - **i :** 2 - **j :** 8.

# CHAPITRE 6 ■ VENTE, OFFRE, COMMANDE.

**A** - DIALOGUE

**A1.** Le point des ventes.

**A2.** Remarques.

**B** - DOCUMENTS

**B1.** Document 1 : le service des ventes.

**B2.** Document 2 : bon de commande.

**B3.** Document 3 : les différentes phases de la vente.

**C** - EXERCICES

**C1.** Exercice 1 (A et B).

**C2.** Exercice 2.

**D** - LANGUE

**D1.** Comment exprimer la déduction.

**D2.** Comment exprimer la conséquence.

**D3.** Corrigés des exercices.

SCÉNARIO

La nouvelle balance est maintenant lancée depuis quelques mois. La production répond rapidement à la demande et la force de vente reste très attentive aux réactions des distributeurs et des clients.

## ■ Le point des ventes.

*Le directeur des ventes de la société, Michel Dumont, reçoit le responsable de la campagne de lancement[1] du nouveau produit, Lionel Arcis. Ils font ensemble le point[2].*

**M.D.** - Bonjour, je vous ai fait venir pour étudier avec vous l'état des ventes de notre nouvelle balance. Est-il nécessaire d'apporter des modifications[3] à notre plan ?

**L.A.** - Non, les courbes[4] de ventes continuent à grimper, comme prévu.

**M.D.** - Heureusement, il serait un peu trop tôt pour observer un ralentissement[5]. Où en sont nos commandes[6] ?

**L.A.** - Les représentants qui sont actuellement chargés de la diffusion[7] ont enregistré de nombreuses commandes, surtout de nos clients les plus fidèles...

**M.D.** - Et qu'est-ce que nos efforts ont donné pour étendre[8] le marché ?

**L.A.** - Notre percée[9] est satisfaisante dans les grandes surfaces[10], mais nous avons pris un léger retard par rapport à nos objectifs dans la vente par correspondance[11].

**M.D.** - Et comment se fait sentir la concurrence ?

**L.A.** - Elle est légèrement plus vive que ne le laissaient prévoir nos sondages. Il nous a fallu diminuer un peu notre marge[12]. Voyez-vous, nos concurrents ont réagi très vite ; ils ont accordé des ristournes[13] élevées à leurs clients et il a fallu nous aligner[14] sur eux.

**M.D.** - Enfin, nous respectons nos objectifs, n'est-ce pas ?

**L.A.** - Nous les dépassons même un peu. Il faut dire que notre implantation[15] sur le marché allemand a dépassé toutes nos espérances ; nous y avons placé plus de marchandises que prévu dans nos estimations.

**M.D.** - Quels sont les atouts de notre nouveau produit selon les représentants ?

**L.A.** - Il jouit d'une bonne réputation. Ce qui semble plaire le plus, c'est sa forme et son fonctionnement très simple. Et nous récoltons aussi les fruits de notre politique d'amélioration du service après-vente.

**M.D.** - Bien, je crois que nous avons fait le tour de la question. J'ai vu que la production arrive à tenir des délais[16] de livraison[17] assez courts. Je dois dire que je suis assez satisfait du lancement de ce produit sur un marché qui ne nous était pas vraiment familier. La force de vente a fait du bon travail.

## ■ Remarques.



1. **lancement** (n.m.) : **lancer** un produit, mettre un nouveau produit sur le marché.
2. **point** (n.m.) : faire le point de la question : *étudier la situation.*
3. **modification** (n.f.) (v. **modifier**) : *changement.*
4. **courbe** (n.f.) (des ventes) : *la représentation des ventes par une ligne sur un graphique ;* **grimper** : *augmenter.*
5. **ralentissement** (n.m.) (v. **ralentir**) : le fait d'aller moins vite. CONTRAIRE : *accélération, accélérer.*
6. **commande** (n.f.) : faire une commande ; passer commande ; enregistrer une commande ; exécuter une commande ; un *ordre d'achat.*
7. **diffusion** (n.f.) : (v. **diffuser**) : le fait de placer le produit chez le plus grand nombre possible de vendeurs ; **diffuser un produit.**
8. **étendre** (*subs.* **extension**) : agrandir, augmenter sa part de marché.
9. **percée** (n.f.) (v. **percer**) : conquérir, avoir du succès sur un nouveau marché.
10. **grande surface** (n.f.) : *magasins à grande surface :* supermarchés et hypermarchés.
11. **maison** (n.f.) **de vente par correspondance :** maison de vente sur catalogue.
12. **marge** (n.f.) : différence entre le prix de vente et le prix d'achat d'une marchandise ; la **marge** du commerçant représente son **bénéfice brut** avant déduction de ses charges propres.
13. **ristourne** (n.f.) : une réduction de prix accordée en fin d'année.
14. **aligner** (v.) (subs. ligne) : faire la même chose que, **imiter.**
15. **implantation** (n.f.) (v. **implanter, installer**) : *ici* la percée.
16. **délai** (n.m.) : le temps dont on dispose ; **tenir les délais :** respecter la date indiquée au client pour lui envoyer sa marchandise.
17. **livraison** (n.f.) (v. **livrer,** n.m. **le livreur**) ; faire parvenir une marchandise à son client, la lui remettre dans son magasin.

## 6-B1 ■ Le service des ventes.

*Le responsable du service des ventes de la société nous accueille et nous parle de son service.*

« Notre rôle, ici, est essentiellement d'assurer la vente des produit Pulvérix dans les meilleures conditions. Notre devise est simple : **« Des clients qui reviennent pour des articles qui ne reviennent pas. »**

Pour cela nous disposons d'une petite équipe de V.R.P. très dynamiques, pour visiter les clients à domicile, recueillir leurs commandes et nous les transmettre. Ils doivent également établir chaque semaine un rapport détaillé sur les visites effectuées, les réactions de la clientèle, les efforts des concurrents, les difficultés rencontrées, etc.

De notre côté, nous aidons au maximum nos V.R.P. dans leur travail en organisant leurs tournées de visites, en leur remettant la documentation nécessaire : échantillons, catalogues, tarifs, argumentaire... Nous pouvons dire qu'aujourd'hui ce service fonctionne bien ; nos représentants sont fortement motivés ; il est vrai que leur **rémunération** — comme c'est généralement le cas dans cette profession — dépend du chiffre d'affaires réalisé : ils perçoivent un **fixe** plus une **commission** calculée en proportion des ventes.

Bien sûr, notre rôle ne s'arrête pas là. Il nous reste, une fois les commandes reçues, à les exécuter et à assurer la livraison au mieux..., sans oublier le **service après-vente** attaché à la garantie que nous accordons aux acheteurs de nos appareils. »

## 6-B2 ■ Document 2 - Bon de commande.

Veuillez me faire parvenir votre balance (référence 00325) au prix promotionnel de **345 F** + **24 F** de frais d'expédition.
Je joins mon règlement de **369 F** à l'ordre de Pulvérix S.A. sous forme de ☐ **mandat-lettre** ☐ **chèque bancaire** ☐ **chèque postal.**

NOM :

ADRESSE : Date et signature obligatoires

## 6-B3 ■ Document 3 - Les différentes phases de la vente.



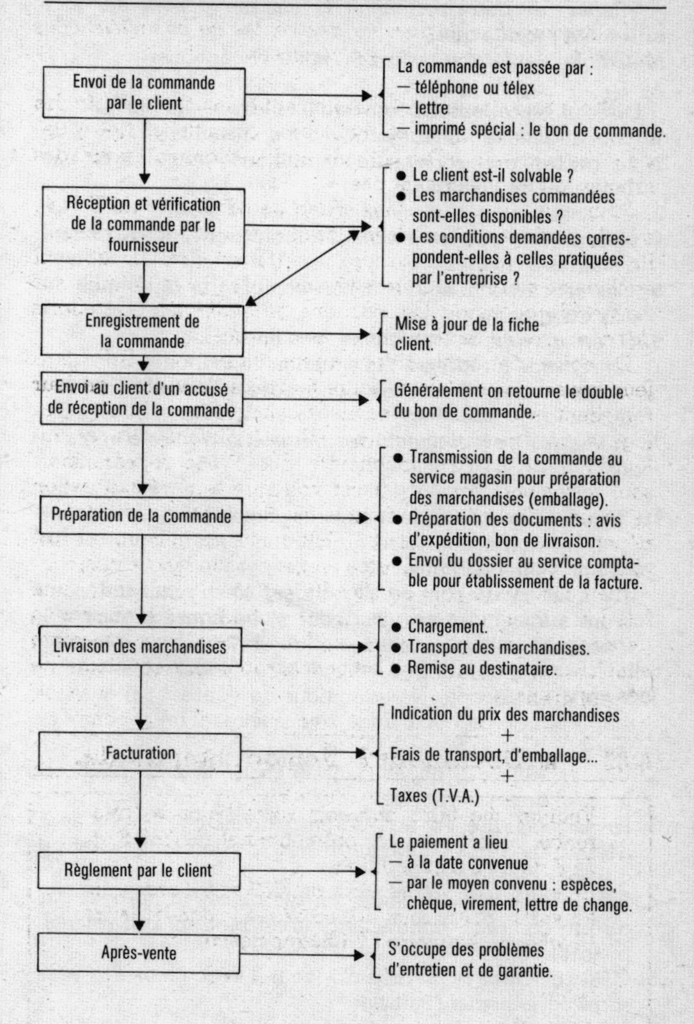

## ■ Exercice 1.

*A. Relier les deux éléments de chaque phrase par* **si / tellement / tant... que.**

MODÈLE : Le délai est court ; il faudra téléphoner.

Le délai est **tellement** court **qu'**il faudra téléphoner.

**1.** Tout augmente ; il faut publier un nouveau tarif.
**2.** Le contrat précise bien les conditions ; vous n'avez pas de souci à vous faire.
**3.** Cet article est vieux ; nous ne le faisons plus.
**4.** Nos ventes ont augmenté l'an dernier ; notre chiffre d'affaires a doublé.
**5.** Ces articles sont soldés à bon compte ; la différence de prix est énorme.
**6.** Ils en ont vendu ; ils n'en ont plus en stock.
**7.** Notre vente a régressé ; la situation est critique.
**8.** On reçoit des offres exceptionnelles ; on ne les remarque plus.

*B. Relier les trois éléments des phrases suivantes d'après le modèle.*

MODÈLE : Il y avait beaucoup de demandes / nous avons augmenté notre production / nos clients ont pu être satisfaits.

Il y avait beaucoup de demandes, **c'est pourquoi** nous avons augmenté notre production ; **en conséquence** nos clients ont pu être satisfaits.

**1.** Vous avez accepté les conditions de l'offre / j'ai aussitôt établi le bon de commande / vous serez livré prochainement.
**2.** Une erreur s'est glissée dans le tarif / le prix établi est faux / il doit être rectifié.
**3.** La marchandise est arrivée en mauvais état / vous avez déposé une réclamation auprès du transporteur / c'est lui qui vous dédommagera.
**4.** Il a accepté votre réclamation sur place / il ne peut pas dire le contraire maintenant / c'est bien lui qui est responsable.
**5.** Cette machine vous a plu / vous l'avez choisie / vous serez certainement satisfait.

## 6-C2 ■ Exercice 2.

*Relier les éléments des phrases suivantes selon les modèles indiqués.*

Vouloir vendre/faire de la publicité.

(a) **Si vous voulez** vendre, **il faut** faire de la publicité.

(b) **Qui veut** vendre, **doit** faire de la publicité.

(c) **On veut** vendre, **par conséquent on doit** faire de la publicité.

*Le modèle à suivre* (a, b ou c) *est indiqué après chaque phrase.*

**1.** lancer un produit / organiser une campagne. *(c)*
**2.** baisser le prix de vente / réduire les coûts de production. *(a)*
**3.** augmenter la production / innover. *(b)*
**4.** motiver la force de vente / savoir lui parler. *(b)*
**5.** se faire connaître / participer à l'exposition. *(c)*
**6.** éviter une erreur / bien remplir le bulletin de livraison. *(a)*
**7.** recevoir un cadeau / renvoyer le bon ci-joint. *(a)*
**8.** bénéficier de la garantie / utiliser l'appareil normalement. *(b)*
**9.** satisfaire la clientèle / offrir un service après-vente. *(c)*
**10.** aider les représentants / fournir une documentation. *(c)*

## 6-D1 ■ Comment exprimer la déduction.

1. — Nous avons beaucoup de commandes.
— **J'en déduis que** le produit est un succès.
2. — Nos clients sont très satisfaits.
— **C'est donc** que vos efforts ne sont pas inutiles.
3. — Vous voulez qu'on vous livre rapidement.
— **J'en conclus que** vos stocks sont très bas.
4. — Je vais à la réunion mercredi prochain.
— **Donc** vous rencontrerez M. Lombard.
5. — Il travaille chez Pulvérix.
— Il connaît **peut-être** M. Cotreau.
6. — **D'après ce que vous dites,** nous dépassons nos prévisions.
7. — Je cherche une balance moderne et pratique.
— **Alors,** achetez celle-ci ; vous m'en direz des nouvelles.
8. — Nous connaissons bien vos produits.
— **Dans ce** cas, vous savez qu'ils sont beaux et solides.

## 6-D2 ■ Comment exprimer la conséquence.

*Il dépense tout,* **de sorte** *qu'il ne lui reste rien.*
*Tu as parlé trop vite,* **si bien que** *nous n'avons rien compris.*
*Vous avez* **tellement / tant** *insisté* **que** *j'ai donné mon accord.*
*Il fait* **si** *chaud* **que** *je n'ai pas envie de travailler.*
*Il a* **tellement / tant** *de travail* **qu'***il ne pourra pas venir.*
*Elle a une* **telle** *fortune* **qu'***elle paiera sans difficulté.*
*Il est handicapé,* **c'est pourquoi** *son rendement est faible.*
*J'ai fini mon travail,* **donc** *je rentre chez moi.*
*Il est en vacances ?* **Alors,** *contactez-le plus tard.*
*Ce produit est plus efficace,* **par conséquent** *nous l'achèterons.*
*Le projet est risqué,* **aussi** *faut-***il** *rester prudent* (avec inversion).
*Cette méthode est la meilleure : nous l'adopterons.*
**Il suffit** *d'une erreur* **pour que** *nos calculs soient faux.*
*Son départ* **a entraîné** *une réorganisation du service.*
*Ce discours* **a provoqué** *de vives réactions.*
*Il a gagné au loto ;* **ce qui** *lui a fait perdre la tête.*

## 6-D3 ■ Corrigés des exercices.

EXERCICE 1- **A : 1.** Tout augmente tellement (tant) que... **2.** Le contrat précise si bien les conditions que... **3.** Cet article est si (tellement) vieux que... **4.** Nos ventes ont tant (tellement) augmenté que... **5.** Ces articles sont soldés à si bon compte que... **6.** Ils en ont tellement (tant) vendu que... **7.** Notre vente a tellement (tant) régressé que... **8.** On reçoit des offres si exceptionnelles que...
**B :** Il suffit d'ajouter *c'est pourquoi* entre le 1er et le 2e élément, *en conséquence* entre le 2e et le 3e élément.
EXERCICE 2 : **1.** On veut lancer un produit, par conséquent on doit organiser... **2.** Si vous voulez baisser..., il faut réduire... **3.** Qui veut augmenter... doit innover. **4.** Qui veut motiver... doit savoir... **5.** On veut se faire connaître, par conséquent on doit participer... **6.** Si vous voulez... il faut bien... **7.** Si vous voulez recevoir..., il faut renvoyer... **8.** Qui veut bénéficier de... doit utiliser... **9.** On veut satisfaire..., par conséquent on doit... **10.** On veut aider..., par conséquent on doit ...

# CHAPITRE 7 ■ VENTE, LIVRAISON, FACTURATION.

**A** - DIALOGUE

**A1.** Une erreur de facturation.

**A2.** Remarques.

**B** - DOCUMENTS

**B1.** Document 1 : conditions de livraison.

**B2.** Document 2 : conditions de règlement.

**B3.** Document 3 : certificat de garantie.

**B4.** Document 4 : conditions générales de vente.

**C** - EXERCICES

**C1.** Exercice 1.

**C2.** Exercice 2.

**C3.** Exercice 3.

**D** - LANGUE

**D1.** Corrigés des exercices.

**D2.** Comment mettre en garde.

**D3.** Comment exprimer la quantité.

SCÉNARIO

Quand l'entreprise vend ses produits ou achète des fournitures, chaque transaction est accompagnée de nombreux documents : bon de commande, facture... qu'il faut recevoir, enregistrer ou émettre et envoyer. Cela permet à tous les responsables de connaître la situation de leur service et d'organiser le travail. Quelquefois une erreur se glisse dans l'un des documents.

# ■ Une erreur de facturation.

*Le téléphone sonne dans le bureau ; on décroche*[1]. *Voici la conversation téléphonique qui s'ensuit*[2] *entre la secrétaire* **(S)** et le client **(C)**.

**S** - Pulvérix, bonjour.
**C** - Bonjour Madame. Je vous téléphone au sujet d'une commande que j'ai passée chez vous dernièrement[3].
**S** - Oui, à quelle date, s'il vous plaît ?
**C** - Il y a exactement un mois, jour pour jour[4].
**S** - Et c'est à quel nom ?
**C** - Marcher, M.A.R.C.H.E.R., M comme moulin ! Si je vous téléphone aujourd'hui, c'est que j'ai été livré[5] comme prévu, la semaine dernière.
**S** - C'est cela, on vous avait prévenu[6] qu'il ne fallait pas compter[7] être livré avant trois semaines, je suppose ?
**C** - Tout à fait. Il n'y a pas de problèmes de ce côté-là. Simplement, sur la facture[8] correspondante, vous m'avez facturé[8] quarante-cinq unités (articles) alors que je n'en avais commandé que trente-cinq.
**S** - Donc nous vous en aurions livré dix de trop ?
**C** - Non, je ne les ai pas, ces 10 articles que vous me comptez. Je ne sais pas si vous avez bien saisi la situation[9] ?
**S** - Oui, je comprends bien, on vous a livré conformément[10] à l'ordre que vous avez passé pour 35, mais la facture aurait été établie[11] pour dix de plus, c'est cela ?
**C** - Exactement. Et à ce prix-là, je ne peux pas me permettre d'en stocker[12] plus.
**S** - Écoutez, le mieux, c'est que j'aille chercher votre dossier [13]. Ne quittez pas ; le classeur[14] se trouve dans la pièce à côté[15].

*(Quelques instants plus tard.)*

**S** - Voilà ; je l'ai sous les yeux. En effet, c'est une erreur de notre part ; sur votre bon de commande, vous avez bien indiqué 35, tandis que, sur la facture, je lis 45. Je ne sais pas pourquoi... Vous savez, nous avons tellement de commandes en ce moment. Cet article marche bien. Nous avons envoyé tellement de factures qu'une erreur a pu se glisser. Nous allons arranger [16] cela. Je vous envoie ce soir-même une nouvelle facture qui annule[17] la précédente et c'est la deuxième que vous réglerez[18].
**C** - D'accord, pour 35 cette fois-ci ? Je vous remercie.
**S** - De rien, Monsieur, et excusez-nous encore.

1. **décrocher** (v.) (le téléphone) : *prendre l'appareil pour répondre.*
2. **s'ensuivre** (v.) : **venir après.**
3. **dernièrement** (adv.) : **il y a peu de temps, récemment.**
4. **jour pour jour : exactement à la même date.**
5. **« j'ai été livré » :** forme personnelle fréquente pour **« les marchandises m'ont été livrées ».**
6. **prévenir :** (v.) annoncer, faire savoir à l'avance.
7. **compter** ( + *inf.*) (v) : ici, espérer.
8. **facture** (n.f.) : document indiquant le prix à payer pour les marchandises livrées.
9. **bien saisir la situation :** bien comprendre ce qui est arrivé.
10. **conformément à** (adv.) : **selon ; CONTRAIRE : contrairement à.**
11. **établir** (v.) (une facture) : *rédiger, écrire,* (*subst. :* **l'établissement).**
12. **stocker** (v.) : faire une réserve, un stock de marchandises . (*subst. :* **le stockage)** ; il s'occupe du stockage.
13. **dossier** (n.m.) : ensemble de documents se rapportant à un même sujet.
14. **classeur** (n.m.) : chemise de carton qui sert à classer les papiers, les documents.
15. **la pièce** (n.f) : **à côté :** la salle voisine.
16. **arranger** (v.) : trouver une solution (*subst. :* **l'arrangement).**
17. **annuler** (v.) : rendre nul, sans valeur. (*n.f :* **l'annulation).**
18. **régler** (v.) : payer - (*n.m. :* **le règlement).**

## 7-B1 ■ Document 1 - Conditions de livraison.

Les marchandises vous seront **livrées / expédiées / envoyées.**
**La livraison des marchandises se fera...**
**Nous procéderons à la livraison des marchandises...**

**comment ?**
— par route (par camion).
— par chemin de fer (par voie ferrée, par fer).
— par voie maritime (par mer).
— par voie fluviale.

**où ?**
— à votre domicile.
— à votre entrepôt de... } indication du lieu
— à votre atelier de...
— à votre magasin de...

**quand ?**
— le 25 mars.
— fin novembre (début avril) (mi-mai).
— dans trois semaines.
— sous huitaine (sous quinzaine).
— dans le courant de la semaine prochaine.
— un mois après réception de la commande.
— dans un délai maximum de... jours.

**qui a la charge du transport ?**
— à vos frais.
— franco de port et d'emballage.
— franco usine (franco domicile - franco gare d'arrivée...).
— port dû (contraire : port payé).

## 7-B2 ■ Document 2 - Conditions de règlement.

Le **règlement / paiement** s'effectuera / sera effectué...
**Nos conditions de règlement** sont les suivantes :
Nos marchandises sont **payables...**
**Le règlement** pourra s'effectuer...
Pour **le règlement,** vous avez le choix entre... et...

**quand ?**
- (au) comptant.
- à la livraison.
- en fin de mois de livraison.
- à 60 jours fin de mois.
- 30 % à la commande (à la livraison), le reste (le solde) à 2 mois.

**comment ?**
- par chèque / virement bancaire / postal.
- en espèces (en liquide).
- par traite (par lettre de change).
- par lettre de change acceptée et domiciliée.

**conditions particulières**
- avec escompte de ... % pour paiement comptant.
- avec remise de ... % pour toute commande supérieure à / de plus de ... francs.

## 7-B3 ■ Document 3 - Certificat de garantie.

*Cet appareil a été fabriqué avec le souci de vous donner entière satisfaction. Son fonctionnement est garanti par la Société Pulvérix dans les conditions suivantes :*

**Durée :** un an à compter de la date d'achat indiquée par le vendeur.

**Étendue :** la garantie vous protège contre tous les défauts de matière et de fabrication. Elle donne droit à l'échange gratuit des pièces défectueuses, ainsi qu'à la remise en état gratuite par un atelier de notre réseau commercial ; les frais de transport restent à la charge de l'utilisateur.

**Limites :** la garantie s'applique à condition :
— que l'appareil n'ait pas été modifié ou transformé ;
— que les pièces d'origine n'aient pas été remplacées par d'autres non agréées par le constructeur ;
— que les détériorations ne soient pas dues à un choc, à une négligence ou à une utilisation anormale.

*En aucun cas, la garantie ne donne droit au versement de dommages et intérêts.*

## 7-B4 ■ Document 4 - CONDITIONS GÉNÉRALES DE VENTE

(Extrait du catalogue M.B.A.)

### Commande

Vous pouvez commander :
— par **CORRESPONDANCE** : en remplissant les bons de commande joints à ce catalogue et en les renvoyant sans tarder à M.B.A. - B.P. 61. 35200 Rennes Cedex.
— par **TÉLÉPHONE** : en appelant M.B.A. (99) 72.22.22 de 8 h 30 à 17 h 30, du lundi au vendredi.
— par **TÉLEX** : en télexant votre commande à M.B.A. FAR 850.789.

### Attention

Si vous confirmez par écrit une commande passée par téléphone, précisez bien qu'il s'agit d'une confirmation, pour éviter de recevoir une double livraison.

### Prix

• Les prix appliqués sont ceux en vigueur à la date d'acceptation de la commande par M.B.A.
• Les prix indiqués dans ce catalogue s'entendent hors taxes (H.T.).

### N'oubliez pas

Vous pouvez bénéficier d'un taux de réduction de prix en fonction de la quantité commandée :
— 5 % pour l'achat de 2 à 5 machines.
— 8 % pour l'achat de 5 à 12 machines.
— 12 % pour l'achat de 12 à 20 machines.
— 15 % pour l'achat de plus de 20 machines.

### Livraison

• Toutes vos livraisons sont effectuées franco[1] de port et d'emballage (France métropolitaine).

(1) Franco : sans frais pour l'acheteur.

## Règlement

- **Paiement à la livraison**
  Les factures sont envoyées avec chaque livraison et sont payables à la réception, sans escompte.
- **Paiement en crédit-bail**
  Si vous désirez une formule de crédit-bail, indiquez-le nous et nous vous ferons parvenir un dossier de financement.

## Attention

- **Paiement à la commande**
  Les commandes inférieures à 900 F H.T. doivent être accompagnées de leur règlement.

## Offre spéciale

- **Remise de 4 %**
  Si vous joignez le règlement à votre commande de machine à écrire, vous bénéficiez d'une remise supplémentaire de 4 % (offre limitée au 31 juillet 19..).

## Service après-vente

- Garantie
  Les machines à écrire M.B.A sont garanties 120 jours pièces et main-d'œuvre.

## N'oubliez pas

Le service après-vente M.B.A est prêt à répondre à vos besoins sur simple appel téléphonique.

## Généralités

- Contestation
  En cas de contestation sur l'interprétation ou l'exécution du présent contrat, le tribunal de commerce de Rennes sera seul compétent.
- **Modifications**
  Les prix et conditions générales du catalogue peuvent être modifiées par M.B.A. à tout moment, sans préavis.

## 7-C1 ■ Exercice 1.

*Choisir dans la deuxième colonne la réponse qui correspond à chacune des questions de la première colonne.*

MODÈLE : — Combien voulez-vous de balances ?
— J'en veux 100.

**1.** Vous en voulez plus ?
**2.** Combien vous en faut-il ?
**3.** Vous en prendrez combien ?
**4.** Quelle quantité exactement ?
**5.** Ça suffit ?
**6.** Qu'est-ce que vous avez commandé ?
**7.** C'est quel montant ? 2 150 F ?
**8.** Quelles sont les mesures de la caisse ?
**9.** En voulez-vous de différents modèles ?
**10.** Ça pèse combien ?

**a.** J'en prendrai beaucoup.
**b.** Oui, c'est assez.
**c.** Il m'en faut pas mal.
**d.** 35 cm par 50, et 20 de haut.
**e.** Un peu plus.
**f.** A peu près 50 kilos.
**g.** Je ne sais pas... une vingtaine.
**h.** J'ai réservé 25 caisses.
**i.** C'est exact.
**j.** Ah non, il m'en faut douze pareils.

## 7-C2 ■ Exercice 2.

*Voici deux listes d'expressions exprimant la quantité. Relier entre elles celles qui ont le même sens.*

**1.** 25 %
**2.** 50 %
**3.** 1,5 (un virgule cinq)
**4.** deux fois plus
**5.** trois fois moins
**6.** 100 %
**7.** deux
**8.** 51 %
**9.** 20/20 (vingt sur vingt)
**10.** de 95 à 105
**11.** 6
**12.** trois fois plus

**a.** le double
**b.** le tiers
**c.** la totalité
**d.** une demi-douzaine
**e.** le triple
**f.** le quart
**g.** un et demi
**h.** une centaine
**i.** une paire
**j.** la moitié
**k.** la majorité
**l.** le maximum

## 7-C3 ■ Exercice 3.

*Exprimer le contraire des phrases suivantes :*
MODÈLE : — **Quelqu'un** est venu ?
— Non, **personne** n'est venu.
**1.** — **Tous** étaient là ? — ...
**2.** — Tu veux **quelque chose ?** — ...
**3.** — **Rien** n'est clair. — ...
**4.** — Nous avons eu **de nombreuses** réclamations. — ...
**5.** — **Aucun** article n'est vendu. — ...

## 7-D1 ■ Corrigés des exercices.

EX. 1 : **1 :** e. **2 :** c. **3 :** a. **4 :** g. **5 :** b. **6 :** h. **7 :** i. **8 :** d. **9 :** j. **10 :** f.
EX. 2 : **1 :** f. **2 :** j. **3 :** g. **4 :** a. **5 :** b. **6 :** c. **7 :** i. **8 :** k. **9 :** l. **10 :** h. **11 :** d. **12 :** e.
EX. 3 : **1.** Aucun n'était là. **2.** Je ne veux rien. **3.** Si, tout est clair. **4.** Nous n'avons reçu aucune réclamation. **5.** Tous les articles sont vendus.

## 7-D2 ■ Comment mettre en garde.

**1.** — Il faudrait que ces livraisons soient prêtes pour le 16.
— **Je vous signale** que nous avons d'autres commandes à honorer ce jour-là.
**2.** — Donc, vous êtes d'accord ; vous diffuserez nos produits.
— C'est exact ; mais **je tiens à vous prévenir** que c'est uniquement à titre d'essai.
**3.** — Notre chiffre d'affaires a augmenté de 9 %.
— **Attention !** en francs oui, mais pas en volume !
**4.** — Cette campagne nous permettra d'étendre notre marché.
— Oui, mais **au cas où** la concurrence serait forte, je crois que **vous risquez gros.**
**5.** — Si nous vendons dans les grands magasins, nous sommes sûrs de toucher une large clientèle.
— **Permettez-moi de vous mettre en garde** contre un optimisme excessif ; tout n'est pas joué.
**6.** — Pouvons-nous vous payer après le 15 juin ?
— D'accord pour cette fois, **mais je vous avertis que** c'est la dernière fois que nous vous accordons ce délai.

## ■ Comment exprimer la quantité.

| | |
|---|---|
| **0** | — Je n'ai rencontré *personne.*<br>— Tu *n'as rien* vu d'intéressant ?<br>— Je *ne* l'apprécie *pas du tout / absolument pas / nullement.*<br>— *Aucun* concurrent *n'a* encore lancé un produit identique.<br>— *Nul n'est* censé ignorer la loi (forme peu employée). |
| **2** ou **plus** | — *Certains / divers / différents* clients nous ont adressé une lettre de réclamation.<br>— *Quelques* personnes ne sont pas d'accord.<br>— *Plusieurs* cadres ont fait une grande école d'ingénieurs. |
| **peu** | — Il y a eu *très peu / un petit nombre* de visiteurs.<br>— Ce livre ne se vend *guère / pas beaucoup* parce qu'il { est *assez / très peu /* intéressant, n'est pas *très / tellement* intéressant. |
| **beaucoup** | — Nous recevons *beaucoup de / de nombreuses / un grand nombre de / énormément de* commandes.<br>— *Bien des* gens ont été séduits par ce produit.<br>— *La plupart des* clients paient à la livraison.<br>— Nous sommes *tout à fait / entièrement* convaincus. |
| **assez** | — Nous disposons d'un stock *suffisant.*<br>— Avez-vous *assez / suffisamment de* vacances ? |
| **pas assez** | — Non { je *n'ai* pas *assez / suffisamment de* vacances. j'ai *trop peu* de vacances.<br>— Leur société *n'*est *pas assez* compétitive pour nous inquiéter. |
| **trop** | — Leurs prix sont *excessifs / exagérés.*<br>— Ils le vendent *trop* cher pour en vendre beaucoup.<br>— Votre catalogue présente *trop* d'articles différents. |

# CHAPITRE 8 ■ LE CONSEIL D'ADMINISTRATION SE RÉUNIT.

**A** - DIALOGUE

**A1.** La séance est ouverte.

**A2.** Remarques.

**B** - DOCUMENTS

**B1.** Document 1 : lettre de convocation.

**B2.** Document 2 : lettre d'excuse.

**B3.** Document 3 : l'ordre du jour.

**B4.** Document 4 : réunion du comité d'entreprise.

**C** - EXERCICES

**C1.** Exercice 1.

**C2.** Exercice 2.

**C3.** Exercice 3.

**D** - LANGUE

**D1.** Comment exposer vos idées.

**D2.** Comment exprimer le lieu.

**D3.** Corrigés des exercices.

SCÉNARIO

Une partie de la vie de l'entreprise se passe en réunions qui sont destinées soit à décider ce qu'il convient de faire, soit à informer les parties intéressées des décisions prises, soit encore à provoquer un débat sur une question importante.

Ce chapitre présente une réunion du conseil d'administration (dialogue), où sont prises plusieurs décisions, et une réunion du comité d'entreprise (document 4) dans laquelle les travailleurs veulent obtenir de meilleures conditions de travail.

*Louis Favier, P.-D.G. de la Société Pulvérix, préside une réunion du conseil[1] d'administration de la société. Sont présents Nicolas Cotreau, Simon Derry, Bernard Pons, Pascal Favier.*

**P.-D.G.** - Messieurs, je vous remercie d'être venus. Je déclare la séance ouverte. Toutes les personnes convoquées[2] sont présentes à l'exception, toutefois, de M. Lagarde qui a demandé à être excusé. Il a demandé à être remplacé par vous, Monsieur Derry, je crois.

**S.D.** - Oui, il a eu un empêchement[3] de dernière minute[4] et il m'a donné son pouvoir.

**P.-D.G.** - C'est parfait. Vous avez tous reçu l'ordre du jour[5] ; je n'y reviens pas. Nous commencerons par le premier point à discuter, c'est-à-dire le remplacement de trois de nos camions. Le responsable des achats m'a soumis[6], à cet effet[7], un rapport[8] que vous avez en annexe[9]. La deuxième solution envisagée[10] semble être la plus favorable, non ?

**N.C.** - Effectivement, l'offre faite par R.V.I.* paraît correspondre le mieux à nos besoins spécifiques[11], mais le coût[12] est légèrement supérieur à celui des concurrents.

**P.-D.G.** - C'est exact, mais ce qui prime[13], c'est d'avoir un matériel parfaitement adapté. D'autre part, le service après-vente que R.V.I. offre est nettement plus avantageux[14]. Y a-t-il des objections[15] ? Non... je propose que nous passions au vote à main levée. Que ceux qui sont favorables à la solution n° 2 lèvent la main... Je crois que tous les votants adoptent cette formule. La secrétaire enregistrera[16] donc cette décision dans le compte rendu[17] de notre réunion.

Nous pouvons maintenant passer à notre deuxième point, bien plus délicat[18], à savoir notre projet d'implantation commerciale aux États-Unis. La secrétaire a fait parvenir à tous l'étude préliminaire[19] effectuée par Pascal Favier. Je vous invite à formuler vos commentaires[20] et questions.

* R.V.I. : Renault Véhicules Industriels.

**B.P.** - Permettez-moi de m'élever[21] contre ce projet. Je trouve tout à fait prématuré[22] et dangereux de nous lancer actuellement sur un marché dont nous n'avons aucune expérience. Nous connaissons tous l'ampleur[23] de ce marché.
Il faudrait investir massivement[24] et nous risquons de grosses pertes[25]. La concurrence y est tellement forte, et comment trouver un réseau de distribution[26] ?

**P.-D.G.** - Je comprends vos objections. Vous savez cependant que les appareils électro-ménagers français, en particulier les robots pour la cuisine, rencontrent un succès considérable.

**N.C.** - Personnellement, je suis tout à fait favorable à cette implantation. Bien sûr, cela nous posera bien des problèmes, mais c'est un défi[27] que nous devons relever. Et le rapport de Pascal me paraît solide. Il ne me semble pas que nous nous engagions[28] dans une quelconque aventure[28]. D'ailleurs, si je ne me trompe pas, tout ce qu'il nous demande à présent c'est notre accord pour entreprendre un voyage exploratoire[29].

**P.F.** - Exactement, nous ne sommes pas encore au point où[30] nous devons prendre une décision qui engage financièrement notre société. Je tiens cependant à connaître votre sentiment sur ce projet. J'ai déjà pris contact avec des distributeurs américains et il me semble que leurs premières réactions doivent nous inciter[31] à un optimisme[32] prudent, comme vous pouvez le constater dans mon rapport.

**S.D.** - Je crois que nous ne pouvons pas négliger[33] ce marché. Et il nous faut profiter de la vogue[34] actuelle des appareils électro-ménagers français. Je propose à Louis que nous procédions tout de suite à un vote, non pas vraiment pour ou contre une implantation commerciale ou industrielle, mais pour donner le feu vert[35] à Pascal.

**P.-D.G.** - Merci Simon ; qui est favorable à ce que Pascal puisse avancer son étude du marché américain ?... Tous sauf Bernard... Je crois donc que nous demanderons à Pascal de nous tenir au courant[36] de ses recherches et je propose que nous ne nous décidions vraiment qu'à son retour des États-Unis.
Maintenant si vous voulez, passons au troisième point de notre ordre du jour.

## ■ Remarques.

1. Le **conseil** (n.m.) **d'administration :** réunion périodique des administrateurs (représentants des associés) d'une société anonyme.
2. **convoquer** (v.) : faire venir, inviter à se présenter. subst. : la convocation (n.f.).
3. **empêchement** (n.m.) : le fait de ne pas pouvoir faire une chose (v. **empêcher**).
4. **de dernière minute :** de dernier moment.
5. **ordre du jour** (n.m.) : sujets qui doivent être examinés, discutés dans une assemblée, ou en réunion.
6. **soumettre** (v.) (un problème) : le présenter pour être examiné.
7. **à cet effet :** en vue de cela.
8. **rapport** (n.m.) : document écrit dans lequel on rend compte.
9. **en annexe :** qui est joint à un document, à un dossier.
10. **envisager** (v.) : étudier, prendre en compte.
11. **spécifique** (adj.) : particulier, propre.
12. **coût** (n.m.) : (ici) le prix - v. : **coûter**.
13. **primer** (v.) : être le plus important.
14. **avantageux (euse) :** (adj.) qui présente un avantage, une supériorité.
15. **objection** (n.f.) : argument que l'on oppose à une affirmation, à une proposition.
16. **enregistrer (v.) :** prendre note, mentionner.
17. **compte rendu** (n.m.) : document dans lequel le secrétaire inscrit tout ce qui s'est dit et décidé d'important au cours d'une réunion.
18. **délicat(e)** (adj.) : ici, difficile, complexe, embarrassant.
19. **préliminaire** (adj.) : qui précède et prépare une chose jugée importante.
20. **commentaire** (n.m.) : explication, remarque sur un sujet.

21. **s'élever contre** (v.) : s'opposer à.
22. **prématuré(e)** (adj.) : qui arrive trop tôt.
23. **ampleur** (n.f.) : la grandeur, l'importance.
24. **massivement** (adv.) : de manière massive, en grande quantité.
25. **perte** (n.f.) : action de perdre (de l'argent). Ce qu'on a perdu. CONTRAIRE : **le gain** (du v. gagner), **le bénéfice, le profit.**
26. **réseau** (n.m.) **de distribution :** ensemble de personnes qui participent à la vente d'un produit.
27. **défi** (n.m.) Relever un défi : accepter l'épreuve, la lutte ; refuser de se soumettre.
28. **s'engager dans une aventure :** prendre des risques.
29. **exploratoire** (adj.) : qui vise simplement à s'informer. syn. : **préliminaire** ; v. : explorer ; subst. : exploration (f.).
30. **être au point où :** être arrivé au point où.
31. **inciter à** (v.) : pousser à, inviter à.
    subst. : l'incitation (f.).
32. **optimisme** (n.m.) : la satisfaction, la confiance dans l'avenir.
    CONTRAIRE : **le pessimisme ; pessimiste** (adj.).
33. **négliger :** ne pas s'occuper sérieusement, s'en désintéresser.
    subst. : **la négligence.** Adj. : **négligent(e).**
34. **vogue** (n.f.) : état de ce qui est apprécié momentanément par le public.
    syn. : la **popularité**, la **faveur**, la **mode.**
35. **donner le feu vert :** autoriser officiellement.
36. **tenir au courant :** informer. **Être au courant :** être informé, connaître.

## 8-B1 ■ Document 1 - Lettre de convocation.

Monsieur,

Nous avons l'honneur de vous informer que la réunion mensuelle ordinaire du conseil d'administration de Pulvérix S.A. se tiendra au siège de la société, salle 25, à 10 h le 15 mars 19..

Au cas où vous ne pourriez pas assister à cette réunion, nous vous prions de bien vouloir en informer le secrétaire général.

## 8-B2 ■ Document 2 - Lettre d'excuse.

Monsieur le Président,

Une négociation, plus longue que prévu avec l'un de nos fournisseurs brésiliens, m'empêchera d'être à Paris pour la réunion du Conseil d'administration du 15 mars 19.. Vous voudrez bien m'en excuser auprès des autres administrateurs.

Je me suis permis de demander à M. Simon Derry, mon collaborateur le plus proche, de me représenter à cette réunion. A mon retour, il me fera part des réactions du Conseil, sur les différents points inscrits à l'ordre du jour.

Croyez, Monsieur le Président, à mon amicale considération.

Roger LAGARDE
Secrétaire général
S.I.M.A.D.E.

## 8-B3 ■ Document 3 - L'ordre du jour.

ORDRE DU JOUR
Réunion du conseil d'administration le 15 mars 19..

1. Remplacement de trois véhicules de livraison.
2. Projet d'implantation commerciale aux États-Unis.
3. Étude des problèmes posés par les nouvelles normes de sécurité.
4. Restructuration des ateliers.
5. Nouvelles embauches pour l'atelier B.
6. Questions diverses.

## ■ Document 4 - Réunion du comité d'entreprise.



*Deux accidents assez graves ont eu lieu dans l'atelier B la semaine dernière, un autre la semaine précédente. Le comité d'entreprise est réuni en assemblée extraordinaire. Le directeur général explique que cette série d'accidents est due, selon lui, à un regrettable concours de circonstances. Bernard Tino, délégué syndical, exprime son désaccord.*

« **Vous me permettrez de ne pas être d'accord avec votre point de vue. Je souhaiterais développer quelques arguments** qui me paraissent importants.

**Tout d'abord, vous nous dites que** l'atelier de montage applique les règles de sécurité avec autant de rigueur maintenant qu'autrefois. **Mais vous semblez oublier que** les conditions de travail ont changé depuis quelques années. L'atelier B dispose de machines de plus en plus nombreuses et abrite aujourd'hui 50 travailleurs au lieu de 35, il y a encore quatre ans, et, de plus, **je tiens à le souligner,** avec des cadences de travail bien plus rapides.

**Ensuite, vous affirmez** que toutes les mesures ont été prises pour éviter que de tels malheurs ne se renouvellent. **Or, il est évident que** l'une des causes fondamentales de ces accidents vient du mauvais état des locaux de travail : planches abîmées, escaliers défectueux... **Pourtant, à notre connaissance,** aucune mesure n'a encore été prise pour y remédier.

Enfin, j'ai la conviction que la prévention des accidents passe par une meilleure formation et information des travailleurs. **Si,** par exemple, ces derniers recevaient régulièrement un rappel des consignes de sécurité, **il est bien évident que** les risques seraient mieux connus des intéressés **et que** les ouvriers, bien que pressés par le travail quotidien, feraient davantage attention.

**En résumé, il est clair que** la lutte pour la sécurité dépend avant tout de la direction et que les travailleurs ne doivent en aucun cas être tenus pour responsables des ennuis dont ils sont victimes dans leur travail. »

## 8-C1 ■ Exercice 1.

*Voici des phrases prononcées sur un ton interrogatif. Pour insister, reposer la question en plaçant en début de phrase l'une des expressions de lieu proposées.*

MODÈLE : La banque est juste après la poste ? / Où ?
Où est-elle ?

1. Vous m'emmenez jusqu'au bureau du directeur ?
2. Le secrétaire vient par ici ?
3. Le siège de Pulvérix se trouve dans cette rue ?
4. Je peux trouver le service des ventes à cet étage ?
5. Il faut chercher les chiffres dans ce rapport-ci ou dans ce rapport-là ?
6. Cette lettre vient de New York ?
7. Cette livraison est à destination de Madrid ?
8. Votre bureau se trouve du côté des Champs-Élysées ?
9. La réunion se passe à la salle du conseil ?
10. La convocation se trouve sur le bureau ou sur la machine à écrire ?

**a.** Dans quelle
**b.** Dans quel
**c.** A quel
**d.** De quel côté
**e.** Jusqu'où
**f.** Où
**g.** Sur quoi
**h.** Par où
**i.** A quelle
**j.** D'où

## 8-C2 ■ Exercice 2.

*Faire correspondre les éléments de la première colonne avec ceux de la seconde pour reconstituer un texte.*

1. Ils sont sortis...
2. puis sont montés...
3. qui les a conduits...
4. Il s'est arrêté...
5. Les deux hommes sont descendus...
6. et sont alors entrés...
7. Ils sont montés...
8. Ils ont frappé...
9. et sont passés...
10. qui les a fait asseoir...
11. Cinq minutes plus tard, elle les a emmenés.
12. Où ils ont pris place.

**a.** jusqu'au siège social.
**b.** devant l'entrée.
**c.** dans l'immeuble.
**d.** au 3e étage.
**e.** de l'hôtel.
**f.** à la salle de conférences.
**g.** du taxi.
**h.** dans un taxi.
**i.** par le bureau de la secrétaire.
**j.** autour de la table.
**k.** dans des fauteuils.
**l.** à la 4e porte à gauche.

*Le directeur parle à ses collaborateurs (phrases 1 à 6). Un observateur commente ce qu'il a fait (phrases a à f). Indiquer le commentaire qui convient à chaque phrase.*

**1.** Vous trouverez ce compte rendu à la page 25.
**2.** Alors, vous avez dû traverser la Seine au Pont-Neuf.
**3.** C'est au fond, ils viennent de commencer.
**4.** Il faudrait que vous y alliez pour en discuter.
**5.** On se retrouve tout à l'heure, près de la sortie.
**6.** Ne bougez pas, je reviens tout de suite.

**a.** Il lui indique la salle de réunion.
**b.** Il leur explique où se trouve le document.
**c.** Il lui demande de partir en mission à l'étranger.
**d.** Il nous a donné un rendez-vous à un endroit précis.
**e.** Il lui explique par où il est passé.
**f.** Il nous conseille de rester là et d'attendre.

## 8-D1 ■ Comment exposer vos idées.

POUR COMMENCER

**Commençons par** analyser les causes de ces accidents.
**En premier lieu,** il convient de s'interroger sur...
**La première étape** est d'en examiner les circonstances.
**Il faut (tout) d'abord** rappeler les faits.
**Signalons pour commencer** les risques courus par les salariés.

POUR CONTINUER

**D'autre part / de plus / en outre,** il semble que l'accident est dû au désordre de l'atelier.

On peut **aussi / également / encore** considérer un autre aspect. **Passons** à la question **suivante.**

**Puis / ensuite** il faut envisager un contrôle rigoureux.

**En second lieu,** il faut prévoir une réorganisation de l'atelier.

**Par ailleurs,** une amélioration des locaux serait très coûteuse.

**A cela s'ajoute le fait que** les contremaîtres eux-mêmes ne respectent pas les consignes.

**Il faut maintenant** examiner **un second point.**

**Cela nous amène à notre seconde observation.**

## 8-D2 ■ Comment exprimer le lieu.

| LIEU OÙ ON EST<br>LIEU OÙ ON VA | | LIEU D'OÙ ON VIENT | |
|---|---|---|---|
| Je suis | **à** Rome | Je reviens | **de** Rome |
| Je vais | **au** siège | | **du** siège |
| | **à** la banque | | **de la** banque |
| | **chez** le banquier | | **de chez** le banquier |
| | **chez lui** | | **de chez** lui |
| | **dans** le bureau | | **du** bureau |
| | **sur** ce projet | | |
| | **ici, là** | | **d'ici, de là** |
| | **en** Belgique | | **de** Belgique |
| | **en** Iran | | **d'**Iran |
| | **au** Maroc | | **du** Maroc |
| — Allez-vous **à la** banque ? | | — Vous revenez **du** Brésil ? | |
| — Oui, j'**y** vais | | — Oui, j'**en** viens. | |

• Où allez-vous ? — Je vais **quelque part.**
— Je ne vais **nulle part.**
— Je vais **autre part** (ailleurs).
— Je vais **n'importe** où.
— Je vais **ailleurs.**

• Le dossier est **sur** le bureau ? - Oui, il est **dessus ;** regardez, **au-dessus** de la pile de dossiers. - celui qui est **sous** le fichier ? - c'est cela, **dessous, en dessous du** fichier.

• Il part demain **pour** Rome. Il restera **là** (ou **là-bas**) 2 mois, puis il reviendra **ici,** en passant **par** la Suisse. - **Dans** sa famille ? - Oui, **auprès de** ses parents, mais **loin de** ses amis.

## 8-D3 ■ Corrigés des exercices.

EXERCICE 1 : **1 :** e ; **2 :** h ; **3 :** a ; **4 :** c ; **5 :** b ; **6 :** j ; **7 :** i ; **8 :** d ; **9 :** f ; **10 :** g.

EXERCICE 2 : **1 :** e ; **2 :** h ; **3 :** a ; **4 :** b ; **5 :** g ; **6 :** c ; **7 :** d ; **8 :** l ; **9 :** i ; **10 :** k ; **11 :** f ; **12 :** j.

EXERCICE 3 : **1 :** b ; **2 :** e ; **3 :** a ; **4 :** c ; **5 :** d ; **6 :** f.

# CHAPITRE 9 ■ MOYENS DE PAIEMENT.



SCÉNARIO

La Société Pulvérix achète des matières premières, des machines, des pièces et des services à ses fournisseurs, et vend ses produits à ses clients : des revendeurs en général. Toutes ces transactions se font grâce à divers moyens de paiement adaptés aux besoins de l'entreprise. En cas de difficulté, cependant, la bonne entente entre client et fournisseur aide...

## ■ Un report[1] d'échéance[2].

*Le comptable de la Société Pulvérix, Guy Tissot, reçoit un coup de téléphone d'un de ses clients, M. Delattre, de la société COMAS.*

**G.T.** - Allô, bonjour Monsieur Delattre, que puis-je faire pour vous ?

**M.D.** - Eh bien, j'ai un petit problème à vous soumettre ; nous avons récemment[3] commandé des balances et vous avez tiré[4] une traite sur notre société ; elle arrive à échéance le 15 de ce mois, dans cinq jours. Nous avons actuellement quelques difficultés temporaires de trésorerie [5] et je me demandais si vous pourriez nous accorder un délai[6] supplémentaire...

**G.T.** - Cela nous est impossible car nous devons, nous aussi, faire face[7] à nos échéances...

**M.D.** - Permettez-moi d'insister, nous sommes de bons clients ; nous avons toujours été ponctuels[8] et je dois dire qu'il y a quinze ans que nous entretenons les meilleures relations commerciales[9]. C'est bien la première fois que je fais appel à votre compréhension.

**G.T** - C'est vrai, vous avez toujours été ponctuels et j'aimerais vous faire plaisir...

**M.D.** - Je ne vous demande pas un report très long. Je pense qu'une dizaine de jours suffiraient. Nos difficultés ne sont que passagères[10].

**G.T.** - Je comprends, mais nous sommes également un peu à court[11] de liquidités[12] en cette période, à cause du lancement de notre nouveau produit.

**M.D.** - Je vous serais pourtant reconnaissant de consentir[13] un effort spécial et de nous accorder une facilité de paiement[14] supplémentaire pour passer le cap difficile[15].

**G.T.** - Eh bien, pouvez-vous nous régler[16] au moins une partie de cette traite à l'échéance ?

**M.D.** - Oui, probablement.

**G.T.** - Est-ce que vous pourriez verser[17], disons 50 % du montant[18] ?

**M.D.** - Ça sera un peu difficile, mais je crois que nous pourrions verser 30 % sans trop de problème.

**G.T.** - D'accord comme cela, payez-nous 30 % à l'échéance et le solde[19] quinze jours plus tard.

**M.D.** - Vous n'avez pas de souci à vous faire. Nous vous rembourserons à la date convenue. Il me reste à vous remercier infiniment. Au revoir.

## ■ Remarques.



1. **report** (n.m.) : du v. *reporter :* remettre à plus tard.
2. **échéance** (n.f.) : la date convenue pour payer une dette, du v. *échoir.*
3. **récemment** (adj. : *récent*) : il n'y a pas longtemps.
4. **tirer** (v.) (une traite) : demander à un client de payer sa dette.
   Le client est le **tiré,** le fournisseur le **tireur ;** subst. : **la traite.**
5. **trésorerie** (n.f.) : l'argent disponible de l'entreprise ; le **trésorier.**
6. **délai** (n.m.) : la période de temps dont on dispose, par exemple pour payer la traite ; ATTENTION ne pas confondre avec un **retard.**
7. **faire face : respecter, honorer.**
8. **ponctuel** (adj.) : *être ponctuel,* faire les choses en temps voulu, au moment où elles doivent être faites ; subst. : **la ponctualité.**
9. **entretenir** (v.) **des relations commerciales :** avoir des rapports commerciaux.
10. **passagères** (adj.) : des difficultés passagères, temporaires : *courtes,* qui durent peu de temps.
11. **être à court :** *ne pas avoir assez, manquer de.*
12. **liquidités** (n.f.) : de l'argent disponible ; **payer en liquide** : payer avec des billets de banque (par opposition au paiement par chèque ou avec une carte de crédit).
13. **consentir** (v.) : *accorder, donner ;* consentir un prêt MAIS **consentir à** = *être d'accord, accepter ;* exemple : *je consens à vous attendre ;* subst. : **le consentement.**
14. **facilités de paiement :** conditions de paiement avantageuses (délais, intérêt...).
15. **cap difficile** (n.m.) : *une difficulté à surmonter.*
16. **régler** (v.) : *verser, payer ;* subst. : **le règlement.**
17. **verser** (v.) : *payer, régler ;* subst. : *le versement.*
18. **montant** (n.m.) : *la somme d'argent* indiquée ; exemple : le **montant** du chèque, le **montant** de la facture.
19. **solde** (n.m.) : le reste, la somme d'argent qui reste après une opération ; verbe : **solder.**
    AUSSI : le solde : les articles qui restent en magasin à la fin de la saison et qu'on vend à bas prix.
    La solde (f.) : salaire versé aux militaires (soldats).

## QUAND DOIT-ON PAYER ?

*Les règlements peuvent se faire :*
— **au comptant :** le paiement est immédiat.
— **à crédit :** (ou : **à terme**) ; le règlement intervient un certain temps (1, 2 ou 3 mois) après la livraison.
— **à tempérament :** le paiement est réparti (échelonné) sur une durée donnée (plusieurs mois).

## AVEC QUOI PAYER ?

• **Paiement en espèces** (ou **en liquide**)
Rarement utilisé par les entreprises, sauf pour des sommes peu importantes. Quand vous payez en espèces, vous pouvez demander un **reçu** au vendeur.

• Si vous êtes titulaire d'un **compte bancaire** ou **postal,** vous pouvez régler vos dettes
— par **chèque,**
— par **virement** (transfert d'un compte à un autre),
— par **prélèvement automatique** (pour les dépenses régulières : loyer, électricité, téléphone),
— par **carte de crédit.**

• Règlement par **effet de commerce.**
L'entreprise qui vend ses produits à crédit demande généralement à être réglée soit :
— par **lettre de change :** elle envoie ce document à son client (le **tiré**) pour lui demander de payer la somme due à une date ultérieure fixée à l'avance (**l'échéance**),
— ou par **billet à ordre :** le client envoie à son fournisseur ce document promettant le paiement à l'échéance.

## La lettre de change (ou traite).

La lettre de change est un moyen de paiement très utilisé par les entreprises. Quand un fournisseur envoie de la marchandise à son client, il lui fait également parvenir une lettre de change pour acceptation. En acceptant la lettre de change (en la signant), le client — le tiré — s'engage à payer la somme due au fournisseur — le tireur — à l'échéance.

**PRÉSENTATION D'UNE LETTRE DE CHANGE**

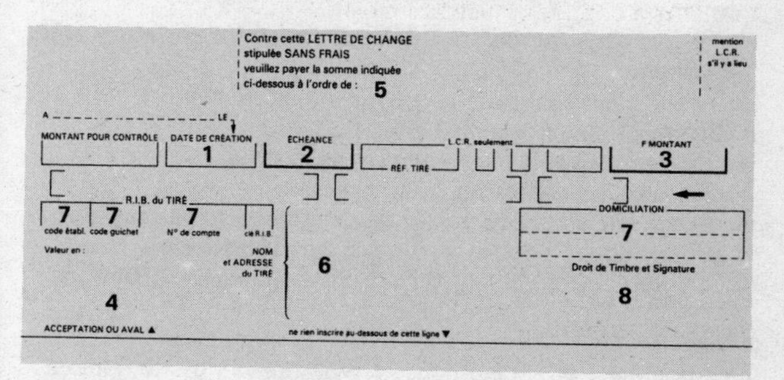
Contre cette LETTRE DE CHANGE
stipulée SANS FRAIS
veuillez payer la somme indiquée
ci-dessous à l'ordre de : 5
mention
L.C.R.
s'il y a lieu
A ................ LE
MONTANT POUR CONTRÔLE
DATE DE CRÉATION 1
ÉCHÉANCE 2
L.C.R. seulement
RÉF. TIRÉ
F MONTANT 3
R.I.B. du TIRÉ
7 code établ.
7 code guichet
7 N° de compte
clé R.I.B.
DOMICILIATION
7
Valeur en :
NOM et ADRESSE du TIRÉ 6
Droit de Timbre et Signature
8
4
ACCEPTATION OU AVAL ▲
ne rien inscrire au-dessous de cette ligne ▼

**1.** Lieu et date de création de la traite. **2.** Date d'échéance (date à laquelle sera payée la traite : 30, 60 ou 90 jours - de date ou fin de mois. **3.** Montant de la traite en chiffres. **4.** En acceptant la traite, le tiré — débiteur — reconnaît sa dette et s'engage à la régler. **5.** Nom du bénéficiaire. **6.** Nom et adresse du tiré. **7.** Le tiré indique le lieu où devra être présentée la traite à échéance pour être payée (Banque du tiré). **8.** Signature du tireur = le créancier.

**A l'échéance,** le fournisseur présente la traite à la banque du tiré (banque de domiciliation) et touche le montant indiqué. Par contre, s'il désire toucher son argent **avant** la date d'échéance, il peut la négocier auprès de sa banque, qui lui verse alors le montant de la traite moins un intérêt et les frais (l'*agio*). Cette opération s'appelle l'*escompte bancaire.*

## 9-C1 ■ Exercice 1.

*Voici ce que le comptable de la société dit à ses collaborateurs. Dans chaque phrase, remplacer la partie soulignée par l'un des adverbes proposés.*

1. Il a donné son accord **sans attendre.**
2. Vous lui expliquerez **sans vous énerver** qu'il doit régler cette facture tout de suite.
3. Pouvez-vous remplir ce formulaire **sans erreur** et le renvoyer.
4. Si le client demande un délai, répondez-lui **sans vous engager.**
5. et s'il vous demande de payer à 3 mois, refusez **sans lui céder.**
6. Envoyez les relevés **toutes les semaines.**
7. Expliquez-lui **bien,** qu'il comprenne.
8. Nous leur avons accordé ces conditions **sans protester.**
9. Ils ont accepté la traite **il n'y a pas longtemps.**
10. Le client peut verser 30 % du montant **sans difficulté.**

**a.** exactement - **b.** clairement - **c.** prudemment - **d.** catégoriquement - **e.** récemment - **f.** volontiers - **g.** facilement - **h.** calmement - **i.** rapidement - **j.** régulièrement.

## 9-C2 ■ Exercice 2.

Transformer les phrases suivant le modèle (attention au temps).

| CE QU'IL DIT | CE QU'IL A FAIT |
|---|---|
| « Ce n'est pas possible » <br> *Il m'a fait admettre que ça n'***était** *pas possible.* | Faire admettre |
| **1.** « Vous n'avez pas honoré notre traite » | Faire constater |
| **2.** « Vous avez oublié d'accepter la lettre de change » | Faire remarquer |
| **3.** « Ce n'est pas facile d'obtenir un délai » | Faire comprendre |
| **4.** « Vous devriez placer cet argent » | Faire admettre, |
| **5.** « Il vaut mieux payer à l'échéance » | Expliquer, |
| **6.** « Il faut payer en liquide » | Persuader |

## ■ Exercice 3.

*Dans les petits dialogues suivants, souligner les expressions qui marquent l'insistance.*

MODÈLE **N'oublions pas** que l'échéance est demain.

**1.** — Le directeur a affirmé que nous avions envoyé le chèque.
— Mais je vous assure que nous ne l'avons pas reçu.

**2.** — Il n'a pas souligné, à mon avis, l'importance de ce contrat.
— Mais si, il en a parlé à la dernière réunion.

**3.** — Je tiens à vous dire combien ce client est honnête.
— Oui, je suis persuadé que nous pourrons continuer nos relations.

**4.** — Il est évident que vous devez régler le 15.
— N'oubliez pas que c'est la première fois que nous avons du retard.

**5.** — Pourquoi ne pas mettre l'accent sur la situation critique de leur trésorerie.
— Tout à fait, vous touchez là un point essentiel.

## 9-D1 ■ Comment insister.

**1.** — Faut-il répondre rapidement ?
— Oui, **je tiens à souligner** l'urgence de la réponse.

**2.** — Merci de nous avoir accordé ce délai.
— **J'insiste** cependant pour que vous respectiez cette nouvelle échéance.

**3.** — Vous pourriez me faire crédit sur trois mois.
— **N'oubliez pas,** Monsieur Lambert, que nous aussi nous devons faire face à nos échéances.

**4.** — Nous n'avons pas reçu cette lettre de change.
— **Je vous assure** que nous l'avons envoyée le 23 mai.

**5.** — Peux-tu me prêter 200 F ?
— **Je te signale** que tu me dois déjà 300 F.

**6.** — Vous n'acceptez pas les paiements en espèces...
— **Mais si,** je vous accorderai même une petite réduction.

**7.** — Quel est l'avantage de la carte de crédit ?
— **Il est évident** qu'en cas de vol ou de perte vous êtes couvert.

## 9-D2 ■ Comment exprimer la manière.

| | |
|---|---|
| UNE PRÉPOSITION (**avec** ≠ **sans, à, en, de, par**) + UN NOM | La vendeuse répond **avec** amabilité.<br>Il agit **sans** ambition.<br>Il est arrivé **à** toute vitesse.<br>Le bureau est **en** désordre.<br>Elle a accepté **de** bon cœur.<br>Il l'a eu **par** ruse. |
| UN ADVERBE | **Ensemble,** ils travaillent **vite** et **bien** |
| UN ADVERBE FORMÉ AVEC UN ADJECTIF FÉMININ + **-ment** | Il a obtenu ce costume **gratuitement.**<br>Elle avance **lentement** mais **sûrement**<br>ATTENTION<br>const**ant** -- nous travaillons **constamment.**<br>différ**ent** -- nous travaillons **différemment.** |
| UN ADJECTIF (NEUTRE).... | Nous les avons achetés **cher** (≠ **bon marché**).<br>Cet avion vole **bas.** |
| UN VERBE<br>— le gérondif<br>— **sans**+infinitif | <br>Elle a accepté **en souriant.**<br>Il est parti **sans** payer. |
| **sans que** + le subjonctif | Il est sorti **sans qu'**on le voie. |

## 9-D3 ■ Corrigés des exercices.

EXERCICE 1 : **1 :** i ; **2 :** h ; **3 :** a ; **4 :** c ; **5 :** d ; **6 :** j ; **7 :** b ; **8 :** f ; **9 :** e ; **10 :** g.

EXERCICE 2 : **1.** Il m'a fait constater que je n'avais pas honoré... **2.** Il m'a fait remarquer que j'avais oublié... **3.** Il m'a fait comprendre qu'il n'était pas facile... **4.** Il m'a fait admettre que je devais... **5.** Il m'a expliqué qu'il valait mieux... **6.** Il m'a persuadé qu'il fallait payer...

EXERCICE 3 : **1.** Il a affirmé - Je vous assure - **2.** Il n'a pas souligné - Mais si - **3.** Je tiens à - je suis persuadé - **4.** Il est évident - N'oubliez pas - **5.** Ne pas mettre l'accent - Tout à fait.

# CHAPITRE 10 ■ L'ENTREPRISE ET LA BANQUE.

**A** - DIALOGUE

**A1.** Un découvert imprévu.

**A2.** Remarques.

**B** - DOCUMENTS

**B1.** Document 1 : les opérations bancaires.

**B2.** Document 2 : les crédits à l'entreprise.

**B3.** Document 3 : le chèque.

**B4.** Document 4 : les Français et leur banque.

**B5.** Document 5 : les Français et l'argent.

**C** - EXERCICES

**C1.** Exercice 1.

**C2.** Exercice 2.

**C3.** Exercice 3.

**D** - LANGUE

**D1.** Comment protester.

**D2.** Comment marquer l'opposition dans une phrase.

**D3.** Corrigés des exercices.

SCÉNARIO

La banque est un partenaire essentiel de l'entreprise. Elle lui offre toute une gamme de services. Le banquier et le comptable de la société ont de très fréquents contacts pour régler les problèmes de trésorerie, par exemple. Et, si parfois l'entreprise doit se montrer compréhensive envers ses clients, elle doit aussi pouvoir compter sur la compréhension de sa banque.

# ■ Un découvert[1] imprévu.

*Le comptable de la Société Pulvérix, Guy Tissot, appelle Pierre Laurent, son banquier, au sujet d'un découvert imprévu qui apparaît sur le dernier relevé[2] de compte[3].*

**G.T.** - Bonjour, Monsieur Laurent, je vous appelle au sujet du dernier relevé que nous avons reçu de votre siège[4].

**P.L.** - Très bien, permettez que je fasse apparaître le détail des mouvements[5] de votre compte sur mon écran de visualisation[6]. Voilà... Je vous écoute.

**G.T.** - J'avais fait mon plan de trésorerie pour le mois de septembre en fonction des rentrées et des sorties[7] que je prévoyais.

**P.L.** - Votre compte a été crédité[8] de 237 320 F le 19 IX.

**G.T.** - Oui, justement j'avais présenté un paquet d'effets[9] qui arrivaient à échéance pour couvrir nos dépenses, en particulier le transfert de devises[10] pour le paiement d'une machine américaine.

**P.L.** - Est-ce le débit qui apparaît le 23 septembre ?

**G.T.** - Probablement, mais le chiffre ne correspond pas à mes prévisions pour l'achat de dollars. C'est là que j'aurais besoin d'explications. Je vous ai fait parvenir l'ordre de transfert[11] avec les documents douaniers le 18 septembre pour une date de valeur[12] le 20 septembre ; or le débit est passé le 23 sur le relevé.

**P.L.** - C'est exact. C'est probablement de là que vient votre trou[13] de trésorerie. Le dollar a augmenté de 10 % durant ces trois jours. Cela a alourdi la facture.

**G.T.** - Soit, mais comment se fait-il que l'opération[14] ait été réalisée avec 72 heures de retard ?

**P.L.** - La banque n'agit que comme intermédiaire[15] et sa responsabilité n'est pas engagée dans le change. Le risque de change[16] est toujours supporté par le client. Croyez que notre correspondant[17] aux États-Unis a tout fait pour passer l'opération à la date voulue, mais il suffit d'un week-end ou d'un jour férié[18]...

**G.T.** - Bien, mais je risque d'avoir en fin de mois un découvert supérieur à celui que la banque m'autorise...

**P.L.** - Ne vous inquiétez pas ; continuez à réaliser les opérations bancaires que vous avez prévues et si la société dépasse légèrement la limite de découvert, rassurez-vous, vos chèques ne seront pas sans provisions[19]. Nous connaissons votre société depuis longtemps et personne ne doute de sa solvabilité[20]...

1. **découvert** (n.m.) : être à découvert, **mon compte est à découvert :** le montant des chèques que j'ai tirés est supérieur à la somme d'argent sur mon compte.
2. **relevé** (n.m.) : document bancaire périodique, détaillant les opérations de chaque compte.
3. **compte** (n.m.) : un compte bancaire ; un compte chèque. Les comptes postaux sont gérés par les Postes.
4. **siège** (n.m.) : agence centrale de la banque.
5. **mouvement** (n.m.) : une opération sur un compte bancaire : un **débit** quand de l'argent est *retiré,* un **crédit** quand de l'argent est *déposé* et un **virement** quand de l'argent est directement transféré d'un compte à un autre.
6. **écran** (n.m.) **de visualisation :** sorte d'écran de télévision relié à un ordinateur.
7. **rentrées** et **sorties** (n.f.) : l'argent qui rentre et sort de la caisse.
8. **crédité** (v. **créditer**) : votre compte est crédité si vous faites un dépôt. CONTRAIRE : **débiter.**
9. **effets** (n.m.) **de commerce :** des traites, des lettres de change par exemple.
10. **devises** (n.f.) : monnaies étrangères.
11. **ordre** (de transfert) (n.m.) : ordre qu'on donne à son banquier pour qu'il effectue une opération.
12. **date de valeur** (n.f.) : date à laquelle une opération est effectivement inscrite sur un compte.
13. **trou** (n.m.) : la société n'a pas assez de liquidités pour faire face aux dépenses courantes.
14. **opération** (n.f.) : mouvement ; **effectuer** une opération, un mouvement.
15. **intermédiaire** (n.m.) : ici, personne ou entreprise qui agit pour le compte d'une autre. La banque sert d'**intermédiaire** entre le fournisseur et son client.
16. **risque** (n.m.) **de change :** si une entreprise doit régler une facture en dollars dans 1 mois, et que, à ce moment-là, le *taux de change* du dollar soit moins avantageux, parce qu'il est plus élevé.
17. **correspondant** (n.m.) : banque américaine qui agit pour la banque française aux États-Unis.
18. **jour férié :** où l'entreprise ferme à cause d'une fête.
19. **provision** (n.f.) : argent disponible sur un compte bancaire ; *chèque sans provision ; approvisionner un compte :* déposer de l'argent sur le compte.
20. **solvabilité** (n.f.) : faculté de payer. Une entreprise est **solvable** quand elle peut payer ses dettes.

## 10-B1 ■ Les opérations bancaires.

*Avec votre compte bancaire, il est possible de payer et d'être payé, il est possible de faire :*

DES OPÉRATIONS DE DÉBIT
(elles diminuent la provision de votre compte)

| **Les règlements** | **Les retraits** |
|---|---|
| *Vous payez un tiers* | *Vous retirez de l'argent liquide* |
| par chèque | par chèque |
| par virement | par carte de paiement |
| par domiciliation | |
| par carte de paiement | |

DES OPÉRATIONS DE CRÉDIT
(elles augmentent la provision de votre compte)
Ce sont des **encaissements**

**chèques** **virements** **effets commerce**

établis à votre bénéfice / portés au crédit de votre compte

**Information sur le compte.** Le banquier vous envoie périodiquement un **relevé de compte**.

## 10-B2 ■ Les crédits à l'entreprise.

*La banque aide l'entreprise, en lui accordant :*

— **Des crédits à court terme**

*Le découvert :* la banque accorde à l'entreprise un découvert sur son compte. Le montant est fixé par le banquier. L'entreprise doit payer un intérêt : ce sont les *agios*.

*L'escompte :* l'entreprise présente des traites à la banque avant leur échéance. La banque crédite alors son compte du montant des traites moins un agio (intérêt + frais).

— **Des crédits à moyen et long terme,** pour assurer le financement de ses investissements mobiliers et immobiliers (machines, bâtiments...). Dans ce cas, la banque prend en général une garantie.

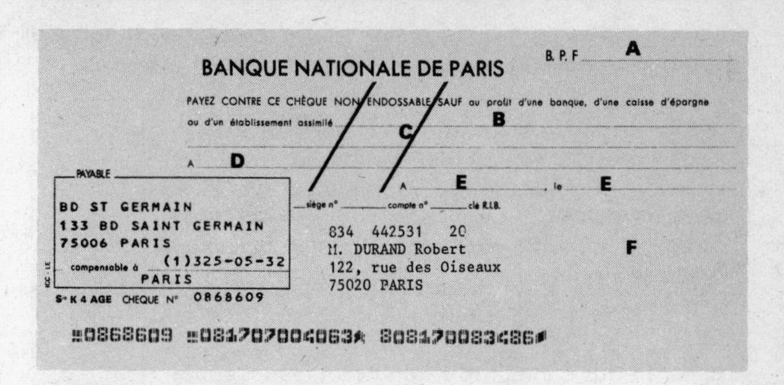


(A) **B.P.F.** = Bon pour Francs : somme en chiffres.
(B) **Payer contre ce chèque... :** somme en lettres.
(C) **Chèque barré :** c'est une garantie contre une utilisation frauduleuse en cas de perte ou de vol.
(D) **Nom ou raison sociale** (si le bénéficiaire est une entreprise) de la personne à qui vous destinez le chèque : un tiers ou vous-même.
(E) **Lieu et date d'émission du chèque.** Il est interdit de faire des chèques postdatés ou antidatés.
(F) **Signature :** Elle doit être conforme à celle que vous avez déposée lors de l'ouverture de votre compte.

## QUELQUES DÉFINITIONS

- **Chèque barré :** Personne ne peut le toucher directement ; il doit être réglé par l'intermédiaire d'une banque qui en versera le montant au crédit du compte du bénéficiaire. Les chèques émis en France sont pré-barrés par la banque.
- **Chèque certifié :** La banque garantit le paiement du chèque en bloquant sur le compte la somme correspondante. C'est une garantie pour le bénéficiaire.
- **Chèque au porteur :** Le nom du bénéficiaire n'est pas indiqué sur le chèque.
- **Chèque en blanc :** Le chèque est daté et signé, mais le montant à payer n'est pas indiqué.

## ■ Les Français et leur banque.

Quand on demande aux Français dans quel type de banque ils préféreraient être clients, voici ce qu'ils répondent :

| | |
|---|---|
| • Un organisme traditionnel, sérieux et prudent que l'on connaît depuis toujours, qui sait recevoir et conseiller sa clientèle sur ses affaires ; gère avec mesure et bon sens son patrimoine et surveille strictement la marche de ses propres affaires .......................... | 28,3 % |
| • Un organisme financier, proche de ses clients, présent sur le terrain où l'on en a besoin ; qui connaît et soutient toutes les initiatives locales ; où l'on se sent chez soi grâce à un personnel stable et originaire de la région ... | 28,3 % |
| • Un organisme financier moderne, efficace et rapide qui, grâce à un équipement technique sophistiqué, peut délivrer à sa clientèle des services nombreux et variés et auprès duquel on n'aura bientôt plus besoin de se déranger, puisque toutes les opérations se feront grâce à la télématique .................... | 12,8 % |
| • Une institution administrative et familière qui fait bien son métier, où il faut remplir des formulaires et attendre son tour ; où tout le monde est traité de la même manière .......... | 10,8 % |
| • Un organisme financier efficace et accueillant, présent partout grâce à un grand nombre de guichets automatiques ; où ses clients peuvent effectuer eux-mêmes toutes les opérations courantes et dont les agences, en nombre restreint, sont exclusivement destinées à conseiller la clientèle ........................... | 10,1 % |
| • Un organisme financier possédant un réseau international, rompu aux affaires, capable de donner des conseils efficaces pour des placements fructueux au service des particuliers aussi bien qu'à celui des entreprises .......... | 4,2 % |

Enquête « Styles de vie » C.C.A., 1980, parue in « L'Image de marque », n° 1, mars 1984.

## 10-B4 ■ Les Français et leur banque (suite).



Comment qualifieriez-vous votre principal établissement bancaire ?

| | |
|---|---|
| • J'y suis bien accueilli | 42,3 % |
| • Il y a un bon réseau en France | 30,9 % |
| • Le personnel me connaît | 29,7 % |
| • On me tient bien au courant de l'état de mon compte | 26,1 % |
| • Il n'y a jamais d'erreur | 20,0 % |
| • Le personnel est serviable | 18,3 % |
| • On est servi rapidement | 17,2 % |
| • Le personnel est compétent | 16,0 % |
| • On m'y autorise facilement un découvert | 9,2 % |
| • Le personnel est stable | 8,2 % |
| • On me tient bien au courant de toutes les opportunités dont je peux profiter | 7,5 % |
| • L'agence est confortable et agréable | 6,0 % |
| • Ils délivrent une carte de crédit | 5,2 % |
| • On m'y offre facilement du crédit | 4,5 % |
| • On m'y offre des crédits avantageux | 3,5 % |
| • Ils peuvent prendre eux-mêmes des décisions rapides sur les dossiers de crédit d'investissement | 2,6 % |
| • Il y a un bon réseau à l'étranger | 2,0 % |
| • J'y trouve des services complémentaires (voyages, assurances, etc.) | 1,8 % |

Enquête « Styles de vie », C.C.A., 1980.

## 10-B5 ■ Les Français et l'argent.

Quelle est l'image de l'argent que vous préférez ?

| | |
|---|---|
| • L'argent qui fructifie | 37,3 % |
| • L'argent qui travaille | 29,2 % |
| • L'argent qui roule | 18,8 % |
| • L'argent qui s'envole | 3,6 % |
| • L'argent qui n'a pas d'odeur | 2,5 % |
| • L'argent qu'on jette par les fenêtres | 2,3 % |
| • L'argent qu'on empile | 2,2 % |
| • L'argent qui flambe | 1,8 % |
| • L'argent qui salit les mains | 1,4 % |
| • L'argent qui dort | 0,7 % |

## 10-C1 ■ Exercice 1.

*Le comptable, Guy Tissot, parle au banquier de la société. Dire si ce dernier semble* **d'accord** *ou* **pas d'accord** *lorsqu'il lui répond :*

**1.** Je suis défavorable à ce projet, vous entendez.
**2.** Pas question que je vous accorde un délai supplémentaire.
**3.** Je ne suis pas contre ce découvert, vous savez.
**4.** C'est sûr, on peut reporter cette échéance.
**5.** Ce n'est pas inintéressant.
**6.** C'est à notre désavantage complet, voyons.
**7.** Nous y voilà. Vous voudriez que nous financions cette opération.
**8.** Si vous convainquez votre client, je serai ravi de cette solution.
**9.** Écoutez, nous avons assez de problèmes pour l'instant.
**10.** Je n'y vois aucun inconvénient majeur.

## 10-C2 ■ Exercice 2.

*Compléter les phrases suivantes avec les formules :* avoir beau, bien que, malgré, pourtant, au lieu, cependant *ou* tandis que.

**1.** J'..... avoir un compte chez vous, je ne reçois pas de relevé.
**2.** ..... mon salaire soit versé régulièrement, mon compte n'est pas approvisionné.
**3.** Je suis un client fidèle, ..... vous ne me faites pas confiance.
**4.** Votre découvert est élevé, ..... nous acceptons de l'augmenter.
**5.** ..... nos bons résultats cette année, notre société est encore en difficulté.
**6.** ..... emprunter, vous feriez mieux d'augmenter le capital.
**7.** Nous avons parié que le dollar augmenterait, ..... nos concurrents, eux, ont parié sur la baisse.
**8.** ..... l'augmentation du franc suisse, nous n'avons pas de problème de trésorerie.
**9.** Je ne peux rien pour vous, ..... par ailleurs, je comprenne votre situation.

## ■ Exercice 3.

*Pour marquer la protestation, compléter les phrases suivantes* (chiffres) *avec les éléments proposés* (lettres).

1. Il ne fallait
2. Je vous reproche
3. Il n'est pas d'accord pour que
4. Vous n'auriez pas
5. Je proteste
6. Comment se fait-il que
7. Il n'est pas normal de
8. Mais pourquoi donc

a. tirer des chèques sans provision.
b. quand on crédite mon compte avec du retard.
c. dû émettre cette traite.
d. pas déposer l'argent aujourd'hui sur le compte.
e. nous empruntions.
f. de ne pas avoir encaissé le chèque.
g. ouvririons-nous l'agence jusqu'à 18 heures ?
h. vous ayez débité mon compte ?

## 10-D1 ■ Comment protester.

1. — Nous n'avons pas reçu votre ordre d'achat.
   — **Je proteste énergiquement,** mes livres montrent que nous l'avons envoyé le 6.
2. — Votre compte est insuffisamment approvisionné.
   — **Je regrette,** mais il suffit à faire face à nos besoins immédiats.
3. — Ce débit ? Ce sont les agios pour décembre.
   — **Il n'est pas normal que** je paie des agios si ce découvert est de votre faute.
4. — **Comment se fait-il que** je n'aie pas de relevé ?
   — Désolé, notre ordinateur est tombé en panne.
5. — La banque doit aider notre entreprise.
   — **Je ne vois pas pourquoi** elle devrait le faire une fois de plus.
6. — Désolé, le magasin n'accepte pas les cartes de crédit.
   — **Mais pourquoi donc devrais-je** vous payer en liquide ou par chèque ?
7. — La situation de votre société n'est pas bonne du tout.
   — **Ah ! mais je ne suis pas d'accord,** nos ventes ont augmenté de 13 %.
8. — Notre découvert ne s'élève qu'à 31 545 F.
   — **Je conteste** ce chiffre, Monsieur.

## 10-D2 ■ Comment marquer l'opposition.

| | |
|---|---|
| **mais** | — Notre « trou » de trésorerie vient de la grève des transports.<br>— Je comprends, **mais** qu'y puis-je ? |
| **au lieu de** + INF. | — **Au lieu de** faire escompter ses traites, il peut demander un découvert. |
| **tandis que alors que** | — Vous empruntez aux banques **tandis que** nous, nous finançons nos investissements nous-mêmes. |
| **bien que** + SUBJ. | — **Bien que** j'aie un compte chez vous, je ne reçois pas de relevé. |
| **... quand même** | — Il est interdit de postdater des chèques.<br>— Je le ferai **quand même.** |
| **pourtant cependant** | — Empruntons, ça ne coûte pas trop cher.<br>— **Pourtant,** il faudra bien rembourser. |
| **malgré** | — Notre entreprise est un bon client.<br>— **Malgré** cela, nous ne pouvons pas honorer ce chèque. |
| **avoir beau** + INF. | — Ont-ils réglé leur dernière facture ?<br>— Nous **avons beau** leur rappeler, ils ne l'ont toujours pas réglée. |
| **même si** + IND. | — **Même si** c'était interdit, nous le ferions. |
| **par contre en revanche** | — Les locaux de la banque sont vastes, **par contre** ils sont mal situés. |

## 10-D3 ■ Corrigé des exercices.

EXERCICE 1 : **D'accord :** 3, 4, 5, 8, 10. **Pas d'accord :** 1, 2, 6, 7, 9.

EXERCICE 2 : **1.** J'ai beau. **2.** Bien que. **3.** pourtant ou cependant. **4.** pourtant ou cependant. **5.** Malgré. **6.** Au lieu de. **7.** tandis que. **8.** Malgré. **9.** bien que.

EXERCICE 3 : **1 :** d. **2 :** f. **3 :** e. **4 :** c. **5 :** b. **6 :** h. **7 :** a. **8 :** g.

# CHAPITRE 11 ■ LE FINANCEMENT DE L'ENTREPRISE.



SCÉNARIO :

Pour faire face à ses investissements, la Société Pulvérix doit trouver de l'argent. Elle peut soit emprunter aux banques soit trouver de nouveaux associés disposés à apporter des fonds.

Comme cette entreprise est bien gérée, une troisième solution peut être envisagée : des entreprises plus puissantes ou plus dynamiques peuvent lui proposer des fonds contre une prise de contrôle partielle ou totale.

## ■ Une offre intéressante.

*Louis Favier a réuni chez lui ses deux frères, Jean et Michel, ainsi que Pascal. A eux quatre, ils détiennent[1] la majorité du capital[2] de Pulvérix. Un groupe[3] spécialisé dans l'électroménager, vient de faire une proposition.*

**L.F.** - Voilà... le groupe Maxirex m'a fait savoir qu'il serait intéressé par un rachat[4] de notre entreprise.

**J.F.** - Ce n'est pas étonnant ; elle est bien gérée, c'est une acquisition tentante. Est-ce que Maxirex veut nous absorber[5] ou seulement prendre une participation[6] pour que nous devenions une de ses filiales[7] ?

**L.F.** - La proposition parle d'une absorption. Ils proposent l'échange d'une action[8] Maxirex contre deux actions Pulvérix pour les 2/3 du capital et le reste en liquide.

**J.F.** - Si nous acceptons cela, notre société disparaît...

**L.F.** - C'est exact, nous ne serions plus qu'un établissement de Maxirex, mais nous continuerions de vendre sous la marque Pulvérix.

**M.F.** - Et ce serait la fin de notre indépendance.

**L.F.** - J'en conviens ; mais il faut étudier l'offre.

**J.F.** - Quels avantages pouvons-nous en retirer ?

**L.F.** - Pour vous deux, qui ne participez pas à la gestion, l'échange est favorable. Vous obtiendrez des titres[9] négociables[10] car l'action Maxirex est cotée[11] en Bourse[12] et Maxirex verse des dividendes[13] élevés.

**M.F.** - Oui, mais dans cette prise de contrôle[14], que deviendrez-vous, toi et Pascal ?

**L.F.** - Tu sais, moi je n'ai plus beaucoup d'avenir. Par contre, ils accepteraient que Pascal me succède. Ils savent qu'il a fait le succès de la balance. Pour Pascal qui est ambitieux, il y aurait la possibilité d'accéder à un poste de direction chez Maxirex, car n'oublie pas qu'à nous quatre, nous aurions assez d'actions Maxirex pour avoir de l'influence au conseil d'administration[15].

**P.F.** - Et quel est l'avantage pour la société ?

**L.F.** - Une meilleure situation financière... moins précaire[16]. Cela nous donnerait accès au marché financier[17]. Nous pourrions alors financer nos investissements par l'émission[18] de nouvelles actions.

**J.F.** - A t'entendre, ce rachat est une façon élégante de se retirer d'une moyenne société familiale pour fusionner[19] avec un groupe dynamique.

**L.F.** - C'est un peu cela. Mais ce n'est pas fait. Pourtant je t'avoue que je suis tenté.

1. **détenir** (v.) : posséder ; **le détenteur** : le propriétaire d'un capital ou d'un titre (diplôme, ou action).
2. **capital** (n.m.) social : sommes d'argent que les associés ou les actionnaires ont apportées à leur société.
3. **groupe** (n.m.) : ensemble de sociétés, unies par des liens financiers.
4. **rachat** (n.m.) (du v. **racheter**) acheter, dans le cas où une société achète le capital d'une autre société.
5. **absorber** (v.) : racheter tout le capital d'une société. Subst. : **absorption** (n.f.)
6. **participation** (n.f.) : rachat d'une partie (par exemple 20 %) du capital d'une société ; **prendre une participation** ; subst. : **la prise de participation.**
7. **filiale** (n.f.) : société contrôlée par une autre société qui détient une part de son capital. Exemple : une filiale à 60 % = la société A possède 60 % du capital de la société B.
8. **action** (n.f.) : titre (document) représentant une fraction du capital d'une société. Les actions *se négocient* (s'échangent) à la Bourse. Les personnes qui détiennent des actions d'une société en sont les **actionnaires.**
9. **titre** (n.m.) : ici, certificat représentant une part du capital d'une société, par exemple : une action.
10. **négociable** (adj.) : qui peut être acheté ou vendu à la Bourse ; négocier une action.
11. **cotée** (adj.) : du v. **coter** : inscrite à la Bourse. Subst. : la **cote** : liste des sociétés dont les actions sont *négociées* à la Bourse de Paris, par exemple.
12. **la Bourse** (n.f.) : marché où s'échangent les titres des sociétés cotées.
13. **dividende** (n.m.) : part du bénéfice d'une société distribué à ses actionnaires.
14. **prise** (de contrôle) (n.f.) : prendre le contrôle : prendre une **participation majoritaire** ( + de 50 % du capital).
15. **Conseil d'administration :** voir chapitre 8.
16. **précaire** (adj.) : situation précaire : situation incertaine, instable.
17. **marché financier** (n.m.) : marché où sont négociés les capitaux à long terme. La Bourse des valeurs.
18. **émission** (n.f.) (du v. **émettre**) mettre en vente (des actions, par exemple).
19. **fusionner** (v.) : quand deux sociétés A et B s'unissent pour former une nouvelle société C qui possède le capital des anciennes sociétés A et B. Subst. : **fusion**.

## 11-B1. ■ Où trouver les capitaux ?

Toute entreprise a besoin de capitaux pour faire face à :
— des besoins **à court terme.** Il faut régler les opérations courantes, c'est-à-dire assurer **la trésorerie ;**
— des besoins **à moyen** et **long terme.** Il faut financer les **investissements :** terrains, bâtiments, machines...

LE FINANCEMENT A MOYEN (1 à 5 ANS)
ET A LONG TERME (JUSQU'A 15 ANS)

1. Le financement **interne.** L'entreprise fait appel à des capitaux propres qu'elle n'aura pas à rembourser.
   a) l'**augmentation de capital.** Les capitaux sont apportés par l'entrepreneur pour une entreprise individuelle, par les associés dans le cas d'une société ;
   b) l'**autofinancement.** La partie des bénéfices non distribuée est réinvestie dans l'entreprise.
2. Le financement **externe.** L'entreprise fait appel à des capitaux extérieurs qu'elle devra un jour rembourser.
   a) l'**emprunt obligataire.** L'entreprise émet des obligations sur le marché boursier (voir document 3) ;
   b) **le crédit bancaire** accordé par une banque ou un organisme spécialisé ;
   c) **le crédit public** ou la **subvention.** L'État accorde, sous certaines conditions, des prêts ou des subventions.

LE CRÉDIT-BAIL OU LE LEASING

Le crédit-bail est une forme moderne de financement. L'entreprise *loue* à un organisme spécialisé des biens d'équipement (machines, véhicules...) ou des locaux (bureaux, bâtiments...) qu'elle a la possibilité d'acheter à la fin du contrat de location, en versant une somme convenue.

## 11-B2 ■ Le mode de financement idéal ?

Une augmentation de capital est toujours aléatoire et parfois dangereuse : on ne sait jamais si les actionnaires répondront favorablement à l'appel à souscrire et on peut redouter qu'un groupe concurrent n'en profite pour prendre le contrôle de la société ; s'endetter pose, d'ailleurs, d'autres problèmes : il s'agit d'être sûr d'avoir la possibilité de rembourser une fois l'échéance arrivée.
Reste l'autofinancement qui constitue de nos jours la plus grande part du financement des entreprises. Mais si les dirigeants de la firme distribuent peu de dividendes aux actionnaires, ces derniers seront tentés de vendre les actions de la société pour en acheter de plus rentables.

*Un dicton allemand dit que si on veut bien manger, il faut acheter des actions, mais que si on veut bien dormir, il faut acheter des obligations.*
Si ces deux **titres** permettent de financer les investissements des grandes entreprises, il existe en effet entre eux des différences fondamentales.

En échange de son apport en argent, **l'actionnaire** reçoit un titre de propriété, **l'action.** En tant qu'associé de l'entreprise, il participe à sa gestion, mais aussi à ses risques. Aussi reçoit-il, chaque année, un revenu appelé **le dividende** qui dépend des résultats de l'entreprise.

Par contre, **l'obligataire** (le porteur d'obligations) ne fait que prêter une certaine somme d'argent à l'entreprise. Simple créancier, il ne court que peu de risques, puisqu'il sera remboursé au bout d'un certain temps et qu'il a droit chaque année à un revenu fixe, **l'intérêt.**

## 11-B4 ■ La bourse[1] des valeurs.

Les propriétaires des actions et des obligations peuvent les revendre sur un marché spécialisé, appelé **la bourse des valeurs.** Cette revente se fait à un **cours** (prix) qui dépend des offres et des demandes des titres concernés.

Pour que ces transactions se fassent dans de bonnes conditions, l'organisation et le fonctionnement de ce marché ont été confiés à des intermédiaires officiels et spécialisés, les **agents de change.** Seuls ces agents de change ont le droit de négocier les valeurs mobilières, pour le compte de leurs clients. Ils prélèvent une **commission** sur chaque transaction.

1. Il existe également des *bourses de commerce* (appelées aussi bourses de marchandises). Ce sont des marchés spécialisés et réglementés sur lesquels sont négociées les matières premières (métaux, denrées agricoles : café, coton, cacao...).

## ■ L'épargne et ses emplois.

Lorsqu'on dispose d'une somme d'argent, on a le choix entre plusieurs usages. On peut la dépenser tout de suite, par exemple, en achetant des vêtements, en allant au cinéma, en louant une maison pour les vacances... ou **l'économiser** (= **épargner**).
Autrefois on gardait ses économies dans une armoire ou dans un « bas de laine ». Cette forme de **thésaurisation** existe très peu aujourd'hui. Les épargnants ne veulent plus laisser leur argent dormir ; ils cherchent avant tout à faire fructifier leur épargne.

QUE FAIRE DE SON ÉPARGNE

*Voici les conseils d'un spécialiste*
**La pierre** (ou les placements immobiliers).
C'est le placement favori des Français. Ils y consacrent la moitié de leurs disponibilités. Pourtant le rendement n'est guère intéressant et des lois récentes offrent des perspectives peu favorables aux propriétaires qui désirent louer. L'achat d'un local à usage commercial reste le meilleur placement immobilier à l'heure actuelle.

**La terre**
C'est un placement dont le rendement est faible, mais qui faisait autrefois une *plus-value*[1] supérieure à la hausse des prix. Pourtant depuis quelques années les plus-values réalisées sont inférieures à l'inflation et elles devraient le rester dans un proche avenir.

**Les valeurs mobilières** (actions et obligations)
Dans toutes les bourses, il y a des titres qui augmentent fortement. Il faut savoir les choisir. Ce qui n'est pas facile ; et il est préférable que le petit épargnant se fasse conseiller par un spécialiste.

Autre question : faut-il acheter des actions ou des obligations ? Avec une obligation, il y a moins de risques, mais en général on gagne moins. Avec une action, il y a toujours un peu d'aventure, mais ça peut rapporter plus. Le mieux est de faire un *cocktail*[2] des deux.

1. *Plus-value* (n.f.) : Augmentation de la valeur d'une chose qui n'a subi aucune transformation. 2. *Cocktail* (n.m.) : mélange d'éléments divers.

**Les placements refuges**

On pense tout de suite à **l'or.** La chute de ses cours sur un an a été impressionnante. Pourtant à notre avis, c'est le moment d'acheter un lingot[3]. La baisse semble avoir atteint son niveau plancher. D'autre part, les Japonais commencent à s'intéresser à l'or. Tout laisse penser à une remontée.

Attention aux placements en **diamants.** Ils peuvent offrir une bonne protection contre l'inflation. Mais le diamant, comme toutes les pierres précieuses, n'est pas un produit de qualité constante. Cela veut dire qu'il ne faut pas en acheter n'importe où ni n'importe comment, car il est bien difficile d'en connaître exactement la valeur de revente.

Quant aux **tableaux,** aux **objets d'art,** aux **collections** (timbres), ils ont été d'excellents placements pour les connaisseurs. Mais le profane[4] doit se tenir sur ses gardes[5]. Il peut se tromper dans ses choix.

**Les placements monétaires** (ou **bancaires**).

Ils rapportent peu et en ce moment aucun de ces placements ne compense l'inflation. Mais, parfois, avec le livret des Caisses d'épargne par exemple, l'argent est disponible et le revenu est net d'impôt.

**Pour choisir le meilleur emploi de son épargne, l'épargnant doit savoir ce qu'il veut.** Mais s'il veut tout à la fois un placement sûr, disponible à tout moment, rapportant un intérêt confortable, assuré d'une bonne plus-value, tout en étant sans risque et bien sûr, sans impôt, il perd son temps. Une seule chose est sûre dans ce domaine : le mouton à cinq pattes n'existe pas. On ne fait pas fortune, par exemple, en étant prudent. La rentabilité est toujours proportionnelle au risque. Rappelez-vous le proverbe : « Qui ne risque rien n'a rien ».

Un dernier point — mais essentiel — qui devrait être la règle d'or de tout épargnant : ne pas *« mettre tous ses œufs dans le même panier ».* Il faut diversifier ses placements pour répartir les risques.

**3.** *Lingot* (n.m.) : morceau d'or de 1 kg. **4.** *Profane* (n.m.) : celui qui n'est pas spécialiste. **5.** *Se tenir sur ses gardes :* faire attention, se méfier.

## 11-C1 ■ Exercice 1.

*Relever et souligner les expressions exprimant la condition ou l'hypothèse dans les phrases suivantes.*

**1.** Notre entreprise n'a plus beaucoup d'avenir à moins que le fils ne succède à son père.
**2.** Nous sommes prêts à accepter l'échange pourvu que la société en retire un profit.
**3.** En admettant que de nouvelles actions soient émises, les derniers investissements seraient alors financés.
**4.** La situation financière serait moins précaire en cas de rachat par un groupe dynamique.
**5.** Soit qu'ils nous rachètent, soit que nous restions indépendants, nous garderons notre emploi.
**6.** Au cas où cela pourrait t'intéresser, j'ai une proposition à te faire.
**7.** Qu'on lui fasse une offre ou une autre, de toute façon il refuse.
**8.** Votre offre sera rejetée sauf si nous pouvons réaliser une plus-value substantielle.

## 11-C2 ■ Exercice 2.

*Compléter les phrases suivantes avec les éléments proposés.*

**1.** Si ce marché vous intéresse,
**2.** Au cas où nous aurions prévu une telle montée des cours,
**3.** En admettant que cet investissement soit rentable,
**4.** Une entreprise ne peut pas s'autofinancer à 100 %,
**5.** Notre entreprise engagera des capitaux,
**6.** Cette société est à racheter,
**7.** Je vous apporterai le contrat demain,
**8.** Si vous vendez ces actions avec bénéfice,

**a.** sous réserve de l'accord de son conseil d'administration.
**b.** nous aurions acheté plus d'actions de cette société.
**c.** à condition que l'intérêt proposé soit suffisant.
**d.** sauf empêchement.
**e.** nous pouvons signer un accord immédiatement.
**f.** à moins qu'elle fasse des bénéfices énormes.
**g.** il faudrait encore que je dispose de l'argent nécessaire.
**h.** vous devrez payer un impôt.

## ■ Exercice 3.

**A.** *Donner le contraire des adjectifs suivants :*

**1.** prévu ........................................
**2.** possible ........................................
**3.** adéquat ........................................
**4.** mobile ........................................
**5.** intéressant ........................................

**B.** *Faire correspondre les adjectifs obtenus avec les définitions suivantes :*

**a.** qui ne se déplace pas ........................................
**b.** surprenant ........................................
**c.** ennuyeux ........................................
**d.** qui ne risque pas d'arriver ........................................
**e.** qui ne convient pas ........................................

## 11-D1 ■ Comment faire une concession.

*Louis Favier négocie avec M. Lucas, représentant de Maxirex, les conditions d'un éventuel rachat de Pulvérix. Un accord passe nécessairement par des concessions.*

**1.** — Ce rachat signifie la perte de notre indépendance.
— **Je vous concède que** vous seriez un peu plus dépendant, mais il y a des avantages.

**2.** — Maxirex peut vous offrir 820 francs pour chaque action Pulvérix.
— **Je reconnais (j'admets)** que c'est une offre intéressante.

**3.** — Maxirex veut racheter la totalité des actions Pulvérix.
— **J'accepterais, à la rigueur, que** vous en achetiez 80 % mais pas la totalité.

**4.** — En cas de rachat, que devient la direction actuelle ?
— **Je vous accorde que** c'est une question importante.

**5.** — Accepteriez-vous que nous ayons 5 représentants au conseil d'administration ?
— **A la limite** ceci me satisferait, pourvu que Pulvérix en garde autant.

**6.** — Vous ne pourrez pas financer vos investissements, si notre groupe ne vous rachète pas.
— **Vous avez partiellement raison,** mais la situation n'est pas aussi simple.

**7.** — Est-ce que vous êtes maintenant convaincu ?
— **Oui, j'accepte** cet argument, **avec quelques réserves** toutefois.

## 11-D2 ■ Comment exprimer l'hypothèse, la condition.

**En cas de** découvert, téléphonez-moi.
**Sans** les conseils de mon agent de change, je perdais tout.
**Sauf / à moins d'un** contrordre, vous vendez mes 50 actions Michelin.

---

Il peut gagner gros, **à condition** d'avoir un peu de chance.
Il perdra de l'argent, **à moins** d'avoir beaucoup de chance.

---

**Si** je réussis, je vous donne / donnerai 10 % du montant de la transaction.
**Si** je réussissais, je vous donnerais 10 % du montant de la transaction.
**Si** j'avais réussi, je vous aurais donné 10 % du montant de la transaction.

---

**Au cas où** vous voudriez spéculer, vous pourriez vous adresser à ce spécialiste.

---

Nous engagerons des fonds dans cette affaire, **à condition que** les risques soient limités.

---

Il réalisera une plus-value, **à moins qu'**il y ait une récession économique d'ici là.
Il réalisera une plus-value, **sauf s' / excepté s'**il y a une récession d'ici là.

---

**En admettant que / En supposant que / A supposer que** vous achetiez maintenant, vous ne pourriez pas payer.

## 11-D3 ■ Corrigés des exercices.

EXERCICE 1 : 1. à moins que. 2. pourvu que. 3. En admettant que. 4. en cas de. 5. Soit qu'..., soit que. 6. Au cas où. 7. Qu'... ou. 8. sauf si.

EXERCICE 2 : 1 : e ; 2 : b ; 3 : g ; 4 : f ; 5 : c ; 6 : a ; 7 : d ; 8 : h.

EXERCICE 3 : 1. imprévu (b) ; 2. impossible (d) ; 3. inadéquat (e) ; 4. immobile (a) ; 5 : inintéressant (c).

# CHAPITRE 12 ■ COMPTABILITÉ.

**A** - DIALOGUE
- **A1.** Avec ou sans factures ?
- **A2.** Remarques.

**B** - DOCUMENTS
- **B1.** Document 1 : le service de la comptabilité.
- **B2.** Document 2 : le bilan.

**C** - EXERCICES
- **C1.** Exercice 1.
- **C2.** Exercice 2.
- **C3.** Exercice 3.

**D** - LANGUE
- **D1.** Comment exprimer le refus.
- **D2.** Comment exprimer la négation.
- **D3.** Corrigés des exercices.

SCÉNARIO

Pour bien gérer son entreprise, le directeur général doit connaître sa situation financière exacte à tout moment. C'est pourquoi le service de la comptabilité doit enregistrer toutes les opérations, tous les échanges financiers de l'entreprise avec l'extérieur (clients, fournisseurs, État...).

Pourtant, la tentation existe parfois de ne pas enregistrer certains mouvements...

*Le comptable[1], Guy Tissot, travaille avec son assistant Marc Schmidt. Ils voient arriver dans le couloir du bâtiment administratif M. R. Alain, un commerçant qui se fournit chez Pulvérix.*

**G.T.** - Aïe[2], voilà M. Alain, je me demande bien ce qu'il va nous demander cette fois.

**M.S.** - Ah ! oui, c'est ce monsieur qui ne comprend rien à la comptabilité. Il ne sait toujours pas la différence entre l'actif et le passif[3]. Et en plus, il aime prendre des libertés avec les comptes. La dernière fois, il m'a demandé un reçu[4] pour une somme qu'il n'avait pas encore versée.

**R.A.** - Bonjour Messieurs, comment vont les affaires ? Je vois que vous êtes dans votre bilan[5]... Est-ce que je peux vous demander un petit service ?

**G.T.** - Bien sûr, mais en fin d'exercice[6], il ne faut pas nous en demander trop.

**R.A.** - J'aimerais acheter quelques-unes de vos balances.

**G.T.** - Quel est le problème ? Vous avez rempli un bon de commande ? Allez au magasin[7] et on vous établira une facture[8].

**R.A.** - J'ai déjà fait tout cela. Mais j'aimerais en avoir quelques-unes hors taxes[9] et sans facture[10]. C'est pour faire des cadeaux à quelques-uns de mes bons clients.

**G.T.** - Je regrette mais ça n'est guère facile à faire.

**R.A.** - Oh ! je n'en veux que 4 ou 5, pas plus...

**G.T.** - Voyez-vous, je ne peux pas faire de faux[11]. Pour toute marchandise sortant de chez nous il faut établir des pièces comptables[12], des justificatifs[13].

**R.A.** - Personne ne le verra, pour 3 ou 4 articles...

**G.T.** - Le problème n'est pas vraiment là. Mais nos comptes sont contrôlés par un expert-comptable[14] qui n'aimerait pas voir que j'ai « oublié » d'entrer une opération[15] sur mes livres[16] ; il faut les enregistrer toutes.

**R.A.** - Oh ! ce n'est pas pour une petite écriture[17] que vous ne passez pas.

**G.T.** - J'ai bien peur que si. Imaginez que nous ayons un contrôle fiscal[18]. Pour toute rentrée d'argent — car il faudra que j'enregistre votre paiement — l'inspecteur veut voir une contrepartie.

**R.A.** - Bon, alors, vous ne pouvez pas.

**G.T** - J'aimerais vous faire plaisir, mais je ne peux pas faire ce que vous me demandez... Au revoir, M. Alain.

## ■ Remarques.



1. **comptable** (n.m.) : personne qui s'occupe de la **comptabilité** d'une société. **Faire** (tenir) la comptabilité.
2. **aïe !** Interjection exprimant une surprise désagréable.
3. **actif** (n.m.) : ensemble des biens et droits possédés par une société. **passif** (n.m.) : ensemble des dettes et charges d'une société (voir note 5 **bilan**).
4. **reçu** (n.m.) (du v. *recevoir*) document écrit par lequel une personne déclare avoir reçu de l'argent d'une autre personne.
5. **bilan** (n.m.) : document comptable qui donne la situation financière d'une entreprise à un moment donné (le 31 décembre par exemple). **Faire le bilan.**
6. **exercice** (n.m.) : période comprise entre deux bilans, généralement une année. **Un bilan de fin d'exercice.**
7. **magasin** (n.m.) : ici, synonyme d'*entrepôt ;* avoir en magasin = avoir en stock ; **emmagasiner.**
8. **facture** (n.f.) : document comptable indiquant la nature, la quantité et le prix des marchandises ou des services vendus. **Établir une facture, payer, régler** une facture. **Facturer** une marchandise.
9. **hors taxes :** prix hors taxes *(prix H.T.) :* = prix qui ne tient pas compte des taxes à payer sur un produit ou un service. Prix toutes taxes comprises *(prix T.T.C.).*
10. **sans facture :** *travailler sans facture :* moyen illégal utilisé par certaines entreprises pour éviter de payer des impôts.
11. **faux** (n.m.) : document qu'on falsifie intentionnellement pour tromper quelqu'un. **Faire un faux.**
12. **pièce comptable** (n.f.) : document servant à établir la comptabilité d'une entreprise : chèque, traite, facture...
13. **justificatif** (n.m.) : pièce comptable qui apporte la preuve d'une transaction : un reçu, une facture, une note de frais...
14. **expert-comptable** (n.m.) : comptable qui a passé le diplôme d'expertise comptable.
15. **opération** (n.f.) : transaction, mouvement.
16. **livre** (n.m.) : ici, livres dans lesquels le comptable enregistre toutes les transactions que fait l'entreprise. Le **livre journal.**
17. **écriture** (n.f.) : une inscription sur le livre journal correspondant à une opération. **Passer** une écriture.
18. **contrôle fiscal** (n.m.) : contrôle exercé sur une entreprise par l'administration fiscale (le service des impôts). Le **contrôleur** vérifie les livres, le bilan...

# 12-B1 ■ Document 1 - Le service de la comptabilité.

*Guy Tissot, responsable de la comptabilité, nous reçoit dans son bureau et nous présente son service.*

« Vous avez déjà vu avec notre responsable financier que, pour Pulvérix, comme pour toute entreprise, l'argent est essentiel. De grosses sommes sortent régulièrement de nos caisses pour payer les salariés, les fournisseurs, pour régler les impôts... D'autres sommes rentrent et tout spécialement le montant des ventes, versé par nos clients. Toutes ces sorties et ces rentrées de fonds, tous ces mouvements de capitaux sont enregistrés par notre service.

Vous devez vous demander pourquoi nous inscrivons tous ces chiffres.
Tout d'abord, parce que c'est une obligation légale : l'État oblige toute entreprise, pour des raisons de contrôle fiscal, à établir une comptabilité.
Mais surtout la comptabilité est, pour les dirigeants d'une entreprise, un instrument de gestion indispensable. Monsieur Favier, notre P.D.G., qui doit prendre des décisions importantes et faire des prévisions, veut savoir exactement ce que la société gagne, ce qu'elle possède et ce qu'elle doit.
La comptabilité, grâce à des documents de synthèse, lui fournit tous les éléments pour connaître son affaire et en suivre l'évolution. En un mot, la comptabilité est l'appareil qui sert à « photographier » la situation de l'entreprise.

Deux « photographies » apparaissent :

- **le compte de résultat** décrit les dépenses (le *débit*) et les recettes (le *crédit*) de l'entreprise et indique le *résultat* (différence entre les recettes et les dépenses) qui peut être un *bénéfice* ou une *perte*. Il traduit l'activité de l'entreprise pendant un an (l'*exercice*) ;

- **le bilan** donne une image fidèle de la situation financière, du patrimoine de l'entreprise à un moment donné. »

Le **bilan** se présente sous la forme d'un tableau à deux colonnes matérialisant la situation financière de l'entreprise. A gauche, l'**actif** indique l'utilisation que l'entreprise a faite des fonds qu'elle a reçus. A droite, le **passif** indique de quelles ressources financières dispose l'entreprise, en précisant l'origine de ces ressources.

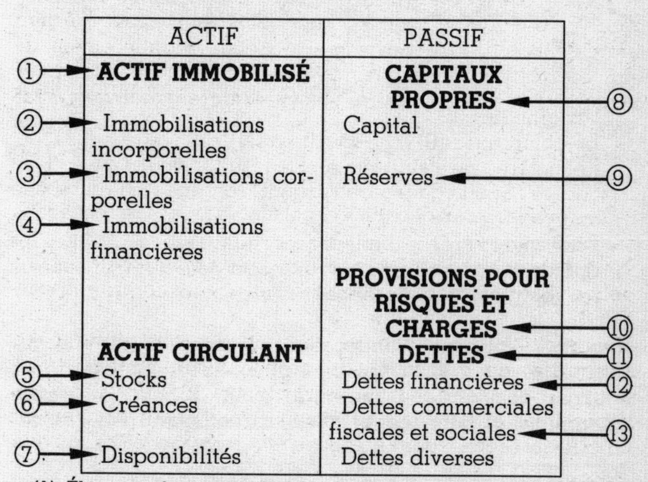


- (1) Éléments du patrimoine qui servent durablement l'activité de l'entreprise, par exemple (2) le fonds de commerce et les brevets, ou (3) les terrains, bâtiments et machines et encore (4) les titres de participation dans d'autres entreprises.
- (5) Il s'agit des stocks de matières premières et de produits finis. Les créances (6) sont des sommes dues par des tiers (les clients) à l'entreprise. Les disponibilités (7) sont les sommes que l'entreprise a en caisse et à la banque.
- (8) Les apports en capital effectués par le propriétaire ou les associés (9), les réserves sont constituées par des bénéfices non distribués qui sont réinvestis dans l'entreprise.
  (10) Sommes mises de côté en prévision de certains risques.
- (11) Ressources empruntées, qui devront être remboursées.
  (12) Intérêts dus par l'entreprise pour les emprunts contractés.
  (13) Sommes dues aux fournisseurs, à l'État (impôts) et aux organismes sociaux (sécurité sociale...).

Le bilan est, par définition, toujours équilibré. En effet, chaque emploi doit être financé par une ressource d'un montant égal.

| TOTAL DE L'ACTIF = TOTAL DU PASSIF |
|---|

## 12-C1 ■ Exercice 1.

*Remplir les blancs du texte suivant, numérotés de* **1** *à* **17**, *à l'aide des termes proposés dans la liste des mots classés de* **a** *à* **q**.

— Chaque année, le (1) ... de l'entreprise doit établir un (2) ....
Ce document sert au (3) ... à mieux (4) ... son entreprise.
A gauche, on trouve l' (5) ... dans lequel sont indiqués tous les (6) ... et, à droite, le (7) ... qui indique l'origine des (8) ....

— Le compte de (9) ... décrit les (10) ... et les (11) ... financières de l'entreprise. Le résultat peut être soit un (12) ... si elle gagne de l'argent, soit une (13) ... si elle en perd.

— Pour que la (14) ... soit exacte, il faut (15) ... toutes les opérations. A la fin de l' (16) ..., l' (17) ....... vérifie les comptes de l'entreprise.

**a)** sorties. **b)** chef d'entreprise. **c)** exercice. **d)** enregistrer. **e)** résultat. **f)** comptable. **g)** rentrées. **h)** ressources. **i)** expert-comptable. **j)** gérer. **k)** bilan. **l)** actif. **m)** passif. **n)** emplois. **o)** bénéfice. **p)** perte. **q)** comptabilité.

## 12-C2 ■ Exercice 2.

*Trouver dans la colonne de droite le* **contraire** *des termes de la colonne de gauche.*

| | |
|---|---|
| **1.** partout | **a.** rien |
| **2.** pas encore | **b.** peu |
| **3.** tout | **c.** déjà |
| **4.** beaucoup | **d.** si peu |
| **5.** tous | **e.** personne |
| **6.** tant | **f.** jamais |
| **7.** tout le monde | **g.** nulle part |
| **8.** toujours | **h.** pas assez |
| **9.** trop | **i.** aucun |
| **10.** bien sûr | **j.** sûrement pas |

## 12-C3 ■ Exercice 3. 

*Compléter ces phrases avec la négation appropriée.*

**1.** Avez-vous déjà fait de la comptabilité ? Non, je ... en ai ... fait.
**2.** Qui a envoyé la facture ? ...... l'a fait.
**3.** Y a-t-il une erreur dans le bilan ? Non, je ... en vois ...
**4.** Est-il encore comptable chez vous ? Non, il ... travaille ... ici depuis longtemps.
**5.** Connaissez-vous la différence entre l'actif et le passif ? Non, franchement, je ... y comprends ...
**6.** Cette pratique est contraire à la loi. Oh, ... y verra d'objection.
**7.** Désolé, nous ... pouvons ... vous vendre cette marchandise hors-taxes ... éviter d'établir une facture.
**8.** Vous avez fait une perte ? Oui, mais elle ... s'élève ... à 14 390 F.
**9.** Où avez-vous mis le document A 345 ? ..., je ne l'ai pas encore tapé.
**10.** A-t-il a révisé le bilan ? Non, il est parti ... le faire.

## 12-D1 ■ Comment exprimer le refus.

*M. Alain, client de Pulvérix, veut à tout prix acheter de la marchandise sans facture. Le comptable lui dit que c'est impossible.*

**1.** – Pourriez-vous nous vendre cette marchandise sans facture ? — **Je refuse catégoriquement.**
**2.** – J'aimerais être livré dans deux jours. — **Vous n'y pensez pas.** Nous avons d'autres clients à livrer.
**3.** – Accordez-moi une réduction. — **Il n'en est pas question.** Réglez d'abord vos dernières factures.
**4.** – Accordez-moi un délai de paiement. — **Ne comptez pas sur moi.** Pascal Favier acceptera peut-être.
**5.** – Vous n'avez qu'à ne pas enregistrer cette sortie. — **C'est impossible,** vous le savez bien.
**6.** – Pouvez-vous m'établir une facture, alors ? — **Pas maintenant.**
**7.** – Vous ne voulez vraiment pas me faire plaisir ? — **Je suis désolé (je regrette).** Ce n'est pas l'habitude de la société.

## 12-D2 ■ Comment exprimer la négation.

Il a fini ? Non, il **n'**a **pas** fini. Prière de **ne pas** fumer.
A-t-il **une** voiture ? Non, il **n'**a **pas** de voiture.

---

Je **n'**ai rencontré **personne** et **personne ne** m'a vu.

---

Il **n'**a **rien** compris à ce rapport. **Rien n'**a encore été livré.

---

Je **ne** vais **jamais** à la banque. **Jamais** je **ne** vais à la banque.

---

Nous **n'**avons trouvé **aucun** comptable.
Nous **n'**avons **nul** besoin de vous.
**Aucun** employé **n'**acceptera un tel travail.
Où travaille-t-il ? **Nulle part.**

---

Tu es encore / toujours au chômage ? Non, depuis une semaine je **n'**y suis **plus.**
Je **ne** lui téléphonerai **plus jamais.**
**Plus personne** (ou **rien**) **ne** l'intéresse.
Elle **n'**est **pas** venue, et lui **non plus.**

---

Il **ne** sait **pas** parler **ni** écrire cette langue.
Il **ne** sait **ni** parler **ni** écrire cette langue.

---

Elle est partie **sans** terminer.
Il est parti { **sans rien** dire. / **sans** regarder personne. / **sans** faire **aucun** geste. }
Il est resté **sans** boire **ni** manger.

---

**Ils n'**emploient **que** 7 ouvriers.
Ils **ne** font **pas que** produire.
Elle **ne** travaille **plus qu'**avec trois vendeuses.

---

Les résultats **ne** sont **guère** satisfaisants.

---

Nous ne faisons **pas du tout / absolument pas** de bénéfice.

---

## 12-D3 ■ Corrigés des exercices.

EXERCICE 1 : **1 :** f. **2.** k. **3.** b. **4.** j. **5.** l. **6 :** n. **7 :** m. **8 :** h. **9 :** e. **10 :** g. **11 :** a. **12 :** o. **13 :** p. **14 :** q. **15 :** d. **16 :** c. **17 :** i.
EXERCICE 2 : **1 :** g. **2 :** c. **3 :** a. **4 :** b. **5 :** i. **6 :** d. **7 :** e. **8 :** f. **9 :** h. **10 :** j.
EXERCICE 3 : **1 :** n'... jamais. **2 :** Personne ne ... **3 :** n'... aucune. **4 :** ne ... plus. **5 :** n'... rien. **6 :** Personne n'... **7 :** ne ... ni ... ni. **8 :** ne ... que. **9 :** Nulle part. **10 :** sans.

# CHAPITRE 13 ■ COMMUNICATIONS.

**A** - DIALOGUE

**A1.** Un coup de téléphone à l'étranger.

**A2.** Remarques.

**B** - DOCUMENTS

**B1.** Document 1 : le passeport des P.T.T. français.

**B2.** Document 2 : codes.

**C** - EXERCICES

**C1.** Exercice 1.

**C2.** Exercice 2.

**D** - LANGUE

**D1.** Comment présenter vos idées dans un exposé (suite).

**D2.** Comment exprimer l'avenir.

**D3.** Corrigés des exercices.

SCÉNARIO

Les employés d'une entreprise doivent se mettre en contact avec de nombreuses personnes dans l'entreprise même ou à l'extérieur pour donner ou prendre des renseignements. Pour cela, ils utilisent plusieurs systèmes de communication qui ont chacun leurs caractéristiques propres.
Un client important doit venir en France et rendre visite à Pulvérix. Pascal Favier doit lui communiquer de façon urgente les détails de son séjour.

## 13-A1 ■ Un coup de téléphone à l'étranger.

*Pascal Favier appelle au téléphone M. Glen Teater, directeur des magasins Teatway, qui doit lui rendre visite prochainement pour voir les nouveaux modèles des appareils Pulvérix. D'abord il appelle sa secrétaire Michèle à l'interphone*[1].

**P.F.** - Allô, Michèle, appelez-moi[2] s'il vous plaît le (312) 885.99.41 aux États-Unis. Je crois que l'indicatif[3] à composer[4] est le 1.

**M.** - Oui, Monsieur, veuillez raccrocher[5], je vous rappelle dans un instant...

**M.** - Allô, Monsieur Favier, la ligne[6] de votre correspondant[7] sonne « occupé »[8] ; je vais essayer de nouveau.

...

Allô, votre correspondant est en ligne[9].

**T.** - Allô, magasins Teatway, je vous écoute[10].

**P.F.** - Bonjour, j'aimerais parler à M. Teater, poste 3451.

**T.** - Un instant, ne quittez pas[11]... Monsieur Teater, on vous appelle de France sur la ligne numéro 3... C'est de la part de qui[12] ?

**P.F.** - M. Pascal Favier, de la société Pulvérix.

**G.T.** - Ah, c'est vous, Pascal. Bonjour, comment allez-vous ? Je suis content de vous entendre.

**P.F.** - Bonjour, Glen. Je vous appelle pour vous confirmer vos réservations. L'hôtel Rex vous réservera une chambre à partir de lundi en 8[13].

**G.T.** - Comment ? Vous n'avez pas reçu notre télex ? Je vous annonçais que je ne pourrais pas venir le 21 comme prévu mais probablement le 23 ou le 24 car il me faudra d'abord régler une affaire urgente à Francfort.

**P.F.** - Ce n'est rien, nous annulerons[14] vos réservations du 21 et du 22...

**G.T.** - Allô, nous avons été coupés[15]... Ah ! la communication[16] est mauvaise. Que disiez-vous ?

**P.F.** - Je disais que j'annulerais vos réservations pour le 21 et le 22... Le mieux, c'est que vous téléphoniez en PCV[17] de Francfort dès que vous serez sûr de la date de votre arrivée.

**G.T.** - O.K. Comment épelez-vous le nom de l'hôtel ?

**P.F.** - R.E.X. Rex.

**G.T.** - Merci, pendant que je vous tiens au bout du fil[18], je voudrais vous remercier de nous avoir expédié notre dernière commande si vite.

1. **interphone** (n.m.) : téléphone interne, entre plusieurs bureaux d'une même société dans le même bâtiment.
2. **appeler :** appeler (au téléphone) : faire un **appel** téléphonique ; **rappeler** : *appeler de nouveau*.
3. **indicatif** (n.m.) : série de chiffres représentant le pays, la ville ou le quartier. **Indicatif téléphonique ; code** postal.
4. **composer :** composer un numéro téléphonique sur le **cadran** ou le **clavier** du téléphone.
5. **raccrocher** (du verbe *accrocher*) : après avoir téléphoné on **raccroche** le **récepteur.** Quand le téléphone sonne, on **décroche** le récepteur.
6. **ligne** (n.f.) : la ligne de téléphone.
7. **correspondant** (n.m.) (du verbe *correspondre*) : la personne avec qui vous parlez au téléphone. Également, une personne avec qui vous échangez des lettres (le **destinataire**).
8. **occupé :** la ligne est occupée. Votre correspondant utilise son téléphone ; il **est en ligne avec** quelqu'un.
9. **être en ligne** *(avec)* : le contact téléphonique est établi.
10. **je vous écoute :** façon habituelle de demander ce que veut le correspondant.
11. **ne quittez pas :** façon habituelle de demander au correspondant de **rester en ligne** quand on cherche une personne, un document... et qu'on ne peut pas pour l'instant lui parler.
12. **c'est de la part de qui ? :** façon habituelle de demander le nom de la personne qui appelle. RÉPONSE : c'est de la part de Pascal Favier. ATTENTION ne pas confondre avec : je vous appelle **de la part** de M. Favier : **c'est lui qui m'a demandé** (ou dit) de vous appeler.
13. **lundi en 8 :** pas le lundi qui vient, celui d'après.
14. **annuler** (*adj. :* nul) : *rendre nul,* rendre sans effet. Subst. : **annulation** (n.f.).
15. **coupé :** quand la communication a été coupée par accident et qu'il faut rappeler son correspondant.
16. **communication** (n.f.) : ici, la qualité du son sur la ligne téléphonique n'est pas bonne.
17. **P.C.V.** : le coût de la communication est payé par le destinataire...
18. **fil** (n.m.) : la ligne téléphonique. Avoir quelqu'un au bout du fil : être en communication téléphonique avec cette personne. **Donner un coup de fil :** *téléphoner*.

## 13-B1 ■ Le passeport des P.T.T. français[1].

LES P.T.T. DE FRANCE VOUS SOUHAITENT LA BIENVENUE

Ils sont à votre disposition pour contribuer, en ce qui les concerne, à l'agrément de votre séjour. Voici quelques conseils destinés à vous aider dans vos démarches avec leurs services.

**Vous désirez**

TÉLÉPHONER

Utilisez l'une des très nombreuses cabines publiques existant dans les bureaux de poste, la rue et les lieux publics.

Si vous appelez de votre hôtel, d'un café ou d'un restaurant, votre facturation risque d'être supérieure à la taxe officielle (maximum 40 %).

Pour trouver le numéro de votre correspondant, consultez l'annuaire.

*Communications spéciales* (avec surtaxe)

**Avec préavis** *(personnelle)*

La communication ne sera taxée qu'à partir du moment où vous aurez été mis en relation avec le correspondant demandé.

**En P.C.V.**

Le prix de la communication est réglé, après accord, par le destinataire.

*Tarifs réduits*

Si vous appelez vos correspondants la nuit, et les dimanches et jours fériés français toute la journée, vous bénéficierez, pour beaucoup de pays, d'un tarif réduit.

*Pendant vos absences*

Vous pouvez faire installer un répondeur-enregistreur qui permet à votre correspondant de vous laisser un message.

TÉLÉGRAPHIER

Pour joindre rapidement quelqu'un à qui vous ne pouvez téléphoner, déposez ou téléphonez votre texte au bureau de poste. La taxe varie suivant la destination et le nombre de mots, avec un minimum de perception de 10 mots (France) et de 7 mots (autres pays).

1. Document inspiré d'une brochure de l'administration des Postes, Télécommunications et Télédiffusions.

RECEVOIR VOTRE COURRIER

N'oubliez pas que votre adresse en France comporte un code postal de 5 chiffres, placé devant le nom de la ville. Votre courrier peut être adressé en POSTE RESTANTE. Le retrait donne lieu au paiement d'une taxe.

Pour toute opération de guichet, on vous demandera une pièce d'identité. Pensez-y !

EFFECTUER DES ENVOIS

*L'achat des timbres* est possible dans les bureaux de poste, dans les bureaux de tabac et dans les distributeurs automatiques jaunes des P.T.T.

*Les boîtes de dépôt des lettres* se trouvent à l'intérieur et à l'extérieur des bureaux de poste et sur la voie publique.

*Les paquets*

Poids maximum accepté : 5 kg pour la France, 1 kg (ou parfois 2 kg) pour les autres pays.

Au-delà de ces limites, les « colis postaux » peuvent être confiés à la S.N.C.F.

Si vous faites un envoi de valeur, il est plus prudent de le RECOMMANDER. Et n'oubliez pas que les paquets à destination de l'étranger doivent porter extérieurement une étiquette verte pour la douane.

ENVOYER OU RECEVOIR DE L'ARGENT

Pour le paiement ou l'émission de MANDATS ou l'échange de POSTCHÈQUES (les chèques de voyage des P.T.T.), adressez-vous directement au bureau de poste de votre choix. Dans tous les cas, n'oubliez pas de vous munir d'une pièce d'identité.

## 13-B2 ■ Codes.

Le **code postal :** 5 chiffres, les deux premiers désignant le département et les trois derniers le bureau postal distributeur.

Le **code téléphonique : 8 chiffres.**

Pour appeler la province, composer le 16, attendre la tonalité, puis composer l'indicatif de la ville (différent du code postal) et le numéro de votre correspondant. Pour appeler l'étranger en automatique, composer le 19.

## ■ Exercice 1.

*Choisir le meilleur moyen de communiquer (lettres) pour chacune des situations suivantes (chiffres).*

**1.** Vous voulez faire venir votre secrétaire dans votre bureau.
**2.** Vous désirez rencontrer quelqu'un d'une entreprise pour régler un problème.
**3.** Vous voulez dire à l'un de vos employés que son travail n'est pas satisfaisant.
**4.** Vous voulez obtenir un renseignement de quelqu'un qui travaille dans un bureau se trouvant deux étages plus haut.
**5.** Vous désirez parler assez brièvement à quelqu'un d'une autre société.
**6.** Vous avez été témoin d'un accident du travail. Vous devez relater cet accident tel qu'il s'est produit.
**7.** Il vous faut contacter d'urgence quelqu'un d'une autre ville qui n'a ni le téléphone ni le télex.
**8.** Il vous faut transmettre à votre supérieur des informations reçues par téléphone.
**9.** L'absentéisme des ouvriers augmente. Vous devez présenter au directeur général une analyse complète de la situation et lui soumettre des propositions.
**10.** Vous devez discuter d'une question importante avec cinq autres personnes.
**11.** Vous voulez informer les membres de votre entreprise d'une modification des horaires de déjeuner.
**12.** Vous devez obtenir de toute urgence une confirmation écrite de la commande d'un de vos clients.
**13.** Vous voulez donner une information écrite à quelqu'un de l'extérieur.

**a.** lui envoyer un télex.
**b.** lui téléphoner.
**c.** le lui dire lors d'un entretien individuel.
**d.** arranger un rendez-vous.

**e.** lui adresser un télégramme.
**f.** tenir une réunion.
**g.** faire un rapport.
**h.** faire une note de service.
**i.** l'appeler à son poste.

**j.** utiliser l'interphone.
**k.** lui adresser une lettre.
**l.** faire un compte rendu.
**m.** laisser un message téléphoné.

*Relier les éléments de phrase de la colonne de gauche à ceux de la colonne de droite pour composer les phrases que vous dites au téléphone.*

A) Allô ! bonjour Madame...

| | |
|---|---|
| **1.** Passez-moi | **a.** à Monsieur Blondel. |
| **2.** Je voudrais parler | **b.** est là ? |
| **3.** Est-ce que M. Fouchet | **c.** au 350.02.76 ? |
| **4.** Je suis bien | **d.** un message, S.V.P. |
| **5.** Je voudrais laisser | **e.** le poste 319. |

B) Allô ! oui, j'écoute...

| | |
|---|---|
| **1.** Ne quittez pas, | **a.** vous rappeler ? |
| **2.** Ce n'est pas possible | **b.** il est absent aujourd'hui. |
| **3.** Pardon qui | **c.** rappeler plus tard. |
| **4.** Vous vous trompez de numéro | **d.** je vais voir s'il est là. |
| **5.** Est-ce que vous pourriez | **e.** il n'y a pas de Monsieur Blanc ici. |
| **6.** Peut-il | **f.** demandez-vous ? |

## 13-D1 ■ Comment présenter vos idées dans un exposé (suite de la section 8-D1).

**Enfin / finalement**
**En définitive**
} cette enquête prouve que les responsabilités sont partagées.

**Pour conclure**
**En conclusion**
} on peut considérer que le projet est approuvé par la majorité.

**On peut conclure en disant**
**La conclusion de tout cela est**
**Nous pouvons tirer la conclusion**
} qu'une meilleure information est indispensable.

**En résumé / Bref**
**En un mot**
**En somme**
} rien ne pourra être fait sans l'accord des intéressés.

**Il résulte de ce qui précède**
**On voit bien par ce qui précède**
} qu'une modernisation est indispensable

**Cela montre / On s'aperçoit donc**
**On comprend bien ainsi**
**Ce qu'il faut retenir de tout cela c'est**
} que l'entreprise doit améliorer sa sécurité.

**Pour terminer,** nous devons souligner le rôle fondamental des cadres dans cette affaire.

## 13-D2 ■ Comment exprimer l'avenir.

EXPRESSION DU FUTUR PAR RAPPORT AU PRÉSENT

| | |
|---|---|
| **Le présent de l'indicatif** | — Je **pars demain** pour Paris<br>— Si nous ne **sommes** pas **payés,** nous engagerons des poursuites judiciaires<br>— Viens quand tu **veux** (ou voudras) |
| **futur imminent** | Ils **sont sur le point de** partir. |
| **futur proche**<br>Le présent de *aller* + infinitif | — Nous **allons examiner** le bilan ce soir. |
| **le futur indicatif**<br>*(peut parfois exprimer un ordre)* | — J'espère que tout **s'arrangera.**<br>— Vous **finirez** ce travail dans trois heures. |

EXPRESSION D'UNE ACTION FUTURE QUI A LIEU AVANT UNE AUTRE ACTION FUTURE

| | |
|---|---|
| **le futur antérieur** | — Nous vendrons les articles que nous **aurons** nous-mêmes **fabriqués.**<br>Il **sera parti** quand nous arriverons.<br>Elle pense qu'il **sera parti** avant elle. |

EXPRESSION DU FUTUR DU PASSÉ

| | |
|---|---|
| **le conditionnel présent** | — Il a répondu qu'il **reviendrait** le lendemain.<br>— J'espérais que tout **s'arrangerait.** |

EXPRESSION DU FUTUR ANTÉRIEUR DU PASSÉ

| | |
|---|---|
| **le conditionnel Passé** | — Elle pensait qu'il **serait parti** avant elle. |

## 13-D3 ■ Corrigés des exercices.

EXERCICE 1. — **1 :** j. **2 :** d. **3 :** c. **4 :** i. **5 :** b. **6 :** l. **7 :** e. **8 :** m. **9 :** g. **10 :** f. **11 :** h. **12 :** a. **13 :** k.

EXERCICE 2. — A) **1 :** e. **2 :** a. **3 :** b. **4 :** c. **5 :** d. B) **1 :** d. **2 :** b. **3 :** f. **4 :** e. **5 :** c. **6 :** a.

# CHAPITRE 14 ■ TRANSPORTS.



SCÉNARIO

Un problème important à régler dans la vente tient aux conditions d'expédition. Quel moyen de transport utiliser, quelle sorte d'emballage pour protéger la marchandise ? Est-ce que le prix du transport est inclus dans le prix de vente ? Qui assure la marchandise pendant son transport ? Qui est responsable en cas de dégâts ?

Pour satisfaire le client, il faut régler ces questions avant l'expédition.

## 14-A1 ■ Une expédition pour l'Autriche.

*Michèle Dumont, directeur des ventes, règle avec Jürgen Hoch, acheteur d'une chaîne de magasins autrichiens, les détails d'une expédition de marchandises.*

**M.D.** - Le montant que j'ai indiqué sur la facture *pro forma*[1] comprend le prix de la marchandise et tous les frais de transport, d'assurances et de passage en douane[2]. Mais si vous préférez régler vous-même ces formalités[3], je peux vous établir une facture en port dû[4].

**J.H.** - Non, vous avez l'habitude de ces transports... Quand est-ce que la marchandise pourrait être livrée ?

**M.D.** - Pour l'Autriche, les délais[5] ne sont pas trop longs entre le chargement[6] ici et le déchargement à votre entrepôt. Comptez trois jours en express[7].

**J.H.** - Quelle sorte d'emballage[8] utilisez-vous ?

**M.D.** - Ne vous inquiétez pas, le conditionnement[9] prévu pour ces produits les met à l'abri[10] de tout dommage dû aux chocs ou aux intempéries[11]. Nous mettons les cartons dans de grandes caisses en bois[12] pour les expéditions[13] internationales.

**J.H.** - L'envoi[14] se fera par train ou par camion ?

**M.D.** - Par camion. Le fret[15] par chemin de fer est un peu moins cher mais il est plus lent. Vous savez, par camion, on embarque[16] les caisses ici et on les décharge chez vous, c'est plus simple.

**J.H.** - Vous disposez de votre propre flotte[17] de camions ?

**M.D.** - Pour les envois à moins de 200 km, mais pour les expéditions, plus lointaines, nous faisons appel à un transporteur[18].

**J.H.** - S'occupe-t-il des formalités de dédouanement ?

**M.D.** - Oui, nous lui confions tous les documents : facture, lettre de voiture[19]...

**J.H.** - Et pour l'assurance ?

**M.D.** - Nous souscrivons un contrat d'assurance jusqu'à l'entrepôt du destinataire[20]. Si la marchandise arrive endommagée[21] à votre entrepôt, faites évaluer les dégâts par un expert et remplissez un formulaire de déclaration de dommages que vous enverrez à notre assureur. Il fera le nécessaire.

**J.H.** - Bien, il me semble que tout me convient. Je vais vous quitter maintenant car mon vol[22] pour Francfort part dans deux heures. C'est ma seule chance de trouver une correspondance[23] pour Vienne ce soir. Merci et au revoir.

1. **pro forma :** facture envoyée au client uniquement pour lui indiquer le prix de la marchandise plus les frais (transport, assurance, taxe, dédouanement). **Elle ne constitue donc pas une demande de paiement.**
2. **douane** (n.f.) : administration chargée de contrôler l'entrée et la sortie des marchandises à la frontière.
3. **formalités** (n.f.) : ici, opérations qu'il faut faire pour envoyer des marchandises dans un autre pays.
4. **port dû :** contraire de **port payé.** Dans le premier cas le port n'est pas inclus dans la facture.
5. **délai** (n.m.) : le temps nécessaire.
6. **chargement (n.m.) :** (v. *charger*) opération de charger un camion, un bateau, un avion. CONTRAIRE : **décharger, déchargement.**
7. **en express :** service le plus rapide.
8. **emballage** (n.m.) : caisse ou carton qui protège la marchandise pendant le transport. **Emballer, déballer.**
9. **conditionnement** (n.m.) : emballage ou la façon de présenter la marchandise pour la vente. **Conditionner.**
10. **abri** (n.m.) : endroit sûr ; **mettre à l'abri** : protéger.
11. **intempéries** (n.f. pl.) : le mauvais temps.
12. **caisse** en bois (n.f.) : emballage fait en bois.
13. **expédition** (n.f.) : le fait d'envoyer, d'**expédier** de la marchandise ; **un expéditeur, une expéditrice.**
14. **envoi** (n.m.) : **(v. envoyer) :** une expédition.
15. **fret** (n.m.) : le transport de marchandises, ou l'ensemble des marchandises transportées (syn. : cargaison, n.f.), ou le prix du transport.
16. **embarquer** (v.) : mettre sur un bateau, un camion, un wagon de chemin de fer, syn. : charger. **Embarquement** (n.m.). CONTRAIRE : **Débarquer, débarquement** (n.m.).
17. **flotte** (n.f.) : ensemble des camions, des bateaux possédés par une entreprise ou un pays.
18. **transporteur** (n.m.) : personne ou entreprise spécialisée dans le transport des marchandises ou des voyageurs.
19. **lettre de voiture :** document qui accompagne la marchandise durant son transport par route.
20. **destinataire** (n.m.) : personne à qui la marchandise est expédiée ; la **destination.** CONTRAIRE : l'expéditeur.
21. **endommagée (**de **dommage**) : la marchandise n'est pas en bon état ; elle est détériorée, abîmée.
22. **vol** (n.m.) (du v. *voler*) : voyage en avion.
23. **correspondance** (n.f.) : un autre avion, qui va de Francfort à Vienne.

## 14-B1 ■ Document 1 - Sauriez-vous conduire en France ?

Pour le savoir, faites le test suivant :

A - **En France, vous devez toujours**

1. ☐ rouler à moins de 80 km/heure sur une route
2. ☐ rouler à moins de 130 km/heure sur une autoroute
3. ☐ laisser la priorité aux usagers venant de droite

B - **il vous est toujours interdit**

1. ☐ de dépasser les poids lourds
2. ☐ de tourner à gauche
3. ☐ de klaxonner en ville
4. ☐ de passer au feu orange
5. ☐ de franchir une ligne blanche continue
6. ☐ de rouler sans ceinture de sécurité
7. ☐ de rouler sans assurance automobile
8. ☐ de conduire une voiture à 19 ans

C - **vous roulez à 90 km/h. Vous devez réduire votre vitesse...**

1. ☐ si vous arrivez dans une agglomération
2. ☐ si la pluie se met à tomber
3. ☐ si vous voyez des policiers
4. ☐ si vous rentrez dans une courbe dangereuse
5. ☐ si un panneau annonce une école
6. ☐ si la visibilité est insuffisante
7. ☐ si un panneau indique des travaux sur la chaussée

D - **quand vous tournez à gauche vous devez...**

1. ☐ regarder dans votre rétroviseur
2. ☐ klaxonner
3. ☐ tendre votre bras gauche hors de la portière
4. ☐ mettre votre clignotant
5. ☐ allumer vos phares

E - **à quoi correspondent ces panneaux ?**

50

1. 2. 3. 4. 5.

**a.** sens interdit
**b.** circulation à double sens
**c.** vitesse limitée
**d.** vous roulez sur une route prioritaire
**e.** vous allez croiser une route prioritaire

Voir votre résultat p. 125 (corrigés).

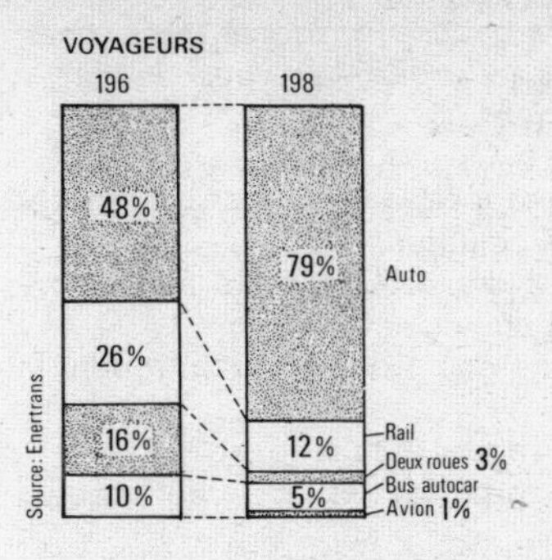


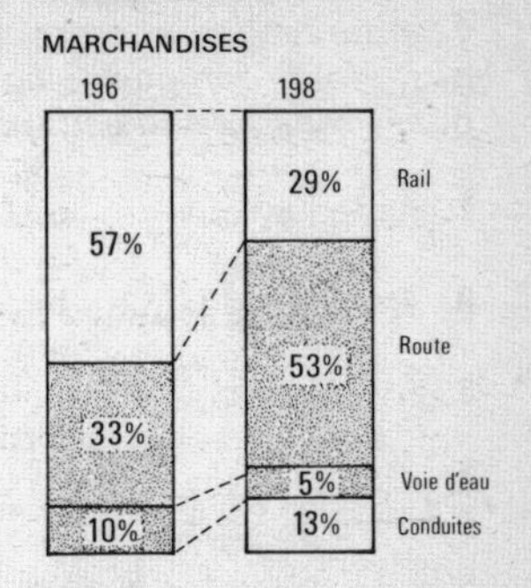


Evolution de la part de chaque mode de transport depuis 196

## 14-C1 ■ Exercice 1.

*Michèle Dumont raconte sa journée d'hier...*
*Mettre les verbes entre parenthèses à la forme correcte du passé.*

1. Hier je *(rencontrer)* Jürgen Hoch, un client autrichien.
2. Je *(aller)* le chercher à l'aéroport.
3. Comme son avion *(avoir)* du retard, je *(s'asseoir)* à la terrasse pour regarder les avions qui *(décoller)* et *(atterrir).*
4. La veille, il *(téléphoner)* pour confirmer l'heure à laquelle il *(arriver).*
5. Quand il *(arriver),* nous *(aller)* tout de suite à l'entrepôt pour voir la marchandise qu'il *(commander).*
6. Je lui *(demander)* s'il *(être)* satisfait. Il me *(répondre)* que oui et qu'il *(vouloir)* régler les détails de la livraison.
7. Nous *(se mettre)* d'accord sur tout très rapidement.
8. Je *(être)* surprise par la qualité de son français. Il me *(dire)* que ce *(être)* parce qu'il *(étudier)* le français longtemps à Vienne.
9. Ensuite, nous *(manger)* avec Pascal Favier qui le *(rencontrer)* à Münich, il y a quelques mois.
10. A 15 heures je le *(emmener)* à l'aéroport et nous *(se quitter).* Alors, je *(retourner)* au bureau pour finir mon travail.

## ■ Exercice 2.

*Chaque mode de transport (à gauche) présente des avantages. Voici quelques slogans (à droite). A vous de dire à quels transports ils se rapportent.*

| | |
|---|---|
| **1.** Avec l'avion | **a.** On apprend des tas de choses avec le chauffeur |
| **2.** Avec le vélo | **b.** C'est confortable et on arrive toujours à l'heure |
| **3.** Avec le taxi | **c.** Ça ne coûte rien et ça entretient la forme |
| **4.** Avec le train | **d.** On va vite et loin |
| **5.** Avec le paquebot | **e.** On va partout et on s'arrête quand on veut |
| **6.** A pied | **f.** Ça ne pollue pas et ça fait les muscles |
| **7.** Avec l'auto | **g.** On a au moins le temps de se faire bronzer sur le pont |

## 14-D1 ■ Comment exprimer le regret, la déception.

*Le client se plaint à son fournisseur car la marchandise qu'il a reçue est endommagée. Il écrit ensuite une lettre au transporteur, puis discute avec un collaborateur.*

1. Nous vous tenons pour responsable de ces avaries
   — **Je regrette,** notre responsabilité n'est pas engagée en cas de retard de la livraison, relisez le contrat.
2. Je l'ai relu justement, **malheureusement pour vous,** il est écrit que vous pouvez être tenu pour responsable.
   — **Je suis désolé,** Monsieur, mais vous devez vous adresser au transporteur, pas à nous.
3. « Nous **avons le regret** de vous annoncer que... »
   — **Mais non,** il ne fallait pas commencer votre lettre comme ça.
   — **C'est dommage,** je viens de la taper. Je **n'ai plus qu'à** recommencer, **alors ?**
   — **Et moi qui** espérais l'envoyer ce soir !
4. Contactez Transazur.
   — Ah ! **c'est regrettable,** mais j'ai déjà fait appel à cette société et je n'ai pas été satisfait de ses services.
5. — **Mais enfin,** vous m'aviez promis de me parler avant de changer de transporteur !
   — **Hélas !** c'est (je crains que ce ne soit) trop tard.

## ■ Corrigé du test.



DOCUMENT 1 : A : **1 :** *Non,* la vitesse est limitée à 90 km/h sur les routes et 130 km/h sur les autoroutes. **2 :** *Oui.* **3 :** *Oui,* sauf si vous roulez sur une route prioritaire. B : **1 :** *Non.* **2 :** *Non.* **3 :** *Oui.* **4 :** *Non,* mais au feu rouge oui. **5 :** *Oui.* **6 :** *Oui.* **7 :** *Oui.* **8 :** *Non,* l'âge légal est 18 ans. C : **1 :** *Oui.* **2 :** *Oui,* c'est plus prudent. **3 :** *Non.* **4 :** *Oui.* **5 :** *Oui.* **6 :** *Oui.* **7 :** *Oui.* D : **1 :** *Oui.* **2 :** *Non,* sauf en cas de nécessité. **3 :** *Non,* le clignotant suffit. **4 :** *Oui.* **5 :** *Non,* sauf si la nuit tombe. E : **1 :** d. **2 :** a. **3 :** e. **4 :** c. **5 :** b.

14-D3

## ■ Corrigés des exercices.

EXERCICE 1 : **1.** j'ai rencontré. **2.** je suis allée. **3.** avait... je me suis assise... décollaient... atterrissaient. **4.** avait téléphoné... arrivait. **5.** est arrivé... sommes allés... avait commandée. **6.** ai demandé... était... m'a répondu... voulait. **7.** nous sommes mis d'accord. **8.** j'ai été... m'a dit... c'était... avait étudié. **9.** avons mangé... l'avait rencontré. **10.** l'ai emmené... nous sommes quittés... suis retournée.

EXERCICE 2 : **1 :** d. **2 :** f. **3 :** a. **4 :** b. **5 :** g. **6 :** c. **7 :** e.

| LE PASSÉ RÉCENT | — Je **viens** de lui envoyer un télex |
|---|---|
| L'IMPARFAIT<br>Présente une action en train de s'accomplir à un moment du passé<br>• Une description au passé<br>• L'habitude, la répétition<br>• Une condition<br>• Un souhait, un regret<br>• Une suggestion<br>• La politesse | — Hier, elle se **trouvait** au bureau.<br>— Les entrepôts **étaient** mal éclairés.<br>— Tous les mois, il **payait** son loyer en liquide.<br>— Si vous **tapiez** à la machine, je vous engagerais.<br>— Ah ! si je **savais** parler plusieurs langues !<br>— Et, si nous nous **mettions** au travail ?<br>— Je **voulais** vous demander un service. |
| LE PASSÉ COMPOSÉ<br>• Action complètement achevée au moment où l'on parle | — Hier, j'**ai travaillé** pendant 2 heures.<br>— Il sort quand il **a fini** son travail. |
| LE PASSÉ SIMPLE<br>• Employé presque uniquement à l'écrit, à la seule 3e personne<br>• Il est fréquent dans les récits historiques. | — L'homme **entra, sortit** un revolver et **demanda** l'argent de la caisse. |
| IMPARFAIT et PASSÉ COMPOSÉ (ou PASSÉ SIMPLE) | — Il **téléphonait** à son client quand le télégramme **est arrivé** (ou **arriva**). |
| LEPLUS-QUE-PARFAIT<br>• Exprime une action passée, antérieure à un moment du passé<br>• Une habitude<br>• Une hypothèse non réalisée dans le passé<br>• Le regret | — Quand il **avait signé** le courrier, il rentrait à la maison.<br>— Elle a répondu à la lettre qu'elle **avait reçue** la veille.<br>— Il **avait** toujours **aimé** rencontrer ses clients.<br>— S'il n'**avait** pas **raté** son avion, il serait arrivé à temps.<br>— Ah ! si j'**avais su...** |

# CHAPITRE 15 ■ **DISTRIBUTION.**

**A** - DIALOGUE

**A1.** Quel réseau faut-il privilégier ?

**A2.** Remarques.

**B** - DOCUMENTS

**B1.** Document 1 : le grand et le petit commerce.

**B2.** Document 2 : évolution et tendances : sondage.

**B3.** Document 3 : les techniques de séduction des grandes surfaces.

**B4.** Document 4 : les 10 principes de la vente visuelle.

**C** - EXERCICES

**C1.** Exercice 1.

**C2.** Exercice 2.

**C3.** Exercice 3.

**D** - LANGUE

**D1.** Comment exprimer l'indifférence et l'intérêt.

**D2.** Corrigés des exercices.

**D3.** La comparaison.

SCÉNARIO

Les petits commerçants ou les grands magasins, que préfèrent donc les clients ? C'est ce que cherche à savoir le responsable des ventes.

# Quel réseau faut-il privilégier ?

*Pasçal Favier attend Michèle Dumont, responsable des ventes, qui doit lui remettre un rapport.*

**P.F.** - Bonjour Michèle, vous m'apportez ce dossier sur les différents réseaux de distribution[1] !

**M.D.** - Oui, nous venons de le terminer. Je suis sûre qu'il nous aidera à déterminer sur quels réseaux nous devons faire porter les efforts de notre force de vente l'année prochaine.

**P.F.** - Quelle impression en avez-vous maintenant ?

**M.D.** - Eh bien ! les petits commerçants indépendants[2] assurent[3] toujours la distribution de plus de 50 % de notre production, c'est un peu moins que l'année dernière.

**P.F.** - Justement, malgré cette légère baisse, les consommateurs[4] semblent toujours préférer nettement les petits commerçants[5]. Leurs prix sont légèrement plus élevés mais ils peuvent conseiller et garantir un service après-vente[6]. Bien, et dans les grands magasins[7] ?

**M.D.** - Là, notre chiffre augmente. Nous avons vendu 5,7 % de plus que l'année dernière.

**P.F.** - Oui, je sais que vous avez fait un gros effort de promotion... Et dans la vente par correspondance[8] ?

**M.D.** - C'est encore faible. La vente sur catalogue[9] a du mal à s'imposer pour nos produits...

**P.F.** - Pourtant, vous savez que nous avons été contactés[10] récemment par les acheteurs[11] de deux de ces maisons[12]. C'est une affaire à suivre. Que donnent les magasins à succursales multiples[13] ?

**M.D.** - Nous y vendons autant que l'année dernière, mais j'espérais mieux. Nous contactons leurs centrales d'achat[14] et nous faisons une enquête, comme vous savez, auprès des consommateurs. Nous avons placé des étudiants près des caisses[15] des succursales pour interroger les clients.

**P.F.** - Et les supermarchés[16] ?

**M.D.** - Ah ! nous y vendons une proportion de plus en plus grande de notre production, ils ont une rotation de stocks[17] tellement rapide et nous avons maintenant des emplacements plus favorables dans les gondoles[18], mais notre marge[19] est faible.

**P.F.** - Bien. Laissez-moi consulter[20] ce dossier et je vais revenir pour discuter de la marche à suivre.

1. **Distribution** (n.f.) : verbe *distribuer : commercialiser,* mettre sur le marché. **Le distributeur.**
2. **Le commerçant indépendant :** ne dépend pas d'un groupe de distribution. Il travaille pour son compte.
3. **Assurer la distribution : distribuer :** mettre sur le marché.
4. **Consommateur** (n.m.) : la personne qui consomme (= *utilise*) un bien ou un service (un *utilisateur*).
5. **Petits commerçants** (n.m.) : (en général) les commerçants indépendants.
6. **Le service après-vente :** service qui assure les réparations et l'entretien des produits vendus par l'entreprise.
7. **Le grand magasin** (n.m.) : magasin qui vend une grande variété d'articles (habillement, chaussures, appareils ménagers, parfumerie, linge, meubles...) dans des **rayons** (n.m.) **spécialisés.**
8. **Vente** (n.f.) **par correspondance :** la maison de vente par correspondance envoie **un ...**
9. **catalogue** (n.m.) à ses clients qui peuvent commander par lettre et par téléphone. La marchandise est envoyée également par la poste ou par un transporteur.
10. **Contacter quelqu'un :** prendre des contacts avec lui : **se mettre (entrer) en contact avec** cette personne.
11. **Acheteur** (n.m.) : la personne responsable des **achats** pour un magasin. Verbe : *acheter.*
12. **Maison** (n.f.) : (ici) maison de vente par correspondance.
13. **Un magasin à succursales multiples :** une chaîne de magasins.
14. **Une centrale d'achat(s) :** une association de commerçants qui groupe les achats de tous ses membres pour obtenir des fournisseurs de meilleures conditions.
15. **Caisse** (n.f.) : l'endroit du magasin où le client paie la marchandise qu'il emporte. Une **caisse-enregistreuse.** Le **caissier, la caissière.**
16. **Supermarché** (n.m.) : magasin à grande surface (alimentation surtout).
17. **Rotation** (n.f.) : la rotation des stocks : le rythme auquel la marchandise doit être renouvelée pour remplacer les articles vendus.
18. **Gondole** (n.f.) : grande étagère sur laquelle la marchandise est exposée.
19. **Marge** (n.f.) : voir remarques, chapitre 7.
20. **Consulter** (ici) *regarder, étudier.* Une **consultation.**

# 15-B1 ■ Document 1 - Le grand et le petit commerce.

L'appareil commercial de la plupart des pays a subi bien des bouleversements aux XIXe et XXe siècles. Aujourd'hui, en France, la diversité des formes de commerce reflète les luttes entre le commerce traditionnel et le commerce moderne et les modifications qui en ont résulté. On y trouve encore des traces du petit commerce d'autrefois, mais également plusieurs formes du grand commerce moderne.

## LE COMMERCE TRADITIONNEL
ou le commerce non intégré

### 1. Le commerce indépendant

Ce sont les petits commerçants, généralement propriétaires de leurs boutiques spécialisées. Certains d'entre eux n'exercent pas leur commerce dans un local fixe ; ils se déplacent pour faire les marchés, les foires (marchands forains). Malgré des prix plus élevés, le petit commerce conserve encore quelques points forts : plus proche de ses clients, plus accueillant (« ici, au moins, je ne suis pas une machine à acheter »), il peut pratiquer des horaires plus souples et personnaliser les services rendus à la clientèle.

### 2. Le commerce associé

Parfois les petits commerçants indépendants ont cherché à résister à la concurrence très vive du grand commerce moderne. Pour cela, ils se sont associés afin de s'approvisionner en commun et obtenir ainsi de meilleures conditions de la part des fournisseurs.

La **franchise** (ou *franchising)* est, aujourd'hui, la forme d'association à la mode. Deux partenaires, le **franchiseur** et le **franchisé** (un commerçant détaillant) passent un accord commercial. Ce dernier apporte son magasin et des capitaux et le franchiseur l'autorise, en échange de l'approvisionnement et d'une certaine redevance, à utiliser sa marque et différents services (publicité, aménagement et animation du magasin...).

LE GRAND COMMERCE
ou le commerce intégré

**Les grands magasins**

Dans un même local, des produits très variés sont présentés dans des rayons qui constituent de véritables magasins spécialisés.

**Les magasins à succursales**

Une même société commerciale vend des produits spécialisés (alimentation ou chaussures...) dans de nombreux magasins.

**Les coopératives de consommation**

Les sociétés coopératives sont créées par des consommateurs qui veulent s'approvisionner par eux-mêmes aux meilleures conditions.

**Les grandes surfaces**

Les *supermarchés* (magasins de 400 à 2 500 m$^2$) et les *hypermarchés* (plus de 2 500 m$^2$) vendent en libre-service intégral, des produits de consommation courante à des prix « cassés ».

Une nouvelle forme de distribution semble réunir le grand et le petit commerce : les *centres commerciaux.* Autour d'une ou plusieurs grandes surfaces, on trouve des boutiques spécialisées (disques...) et un certain nombre de services (banques, cinémas, coiffeurs, restaurants...).

## 15-B2 ■ Document 2 - Évolution et tendances : sondage sur les techniques de vente et les formes de commerce.

*Selon vous, la transformation du commerce la plus utile a été...*

| En % | Ensemble |
|---|---|
| ... le développement des grandes surfaces | 31 |
| ... l'invention du libre-service | 21 |
| ... la création des centres commerciaux | 21 |
| ... la modernisation des petits commerces | 15 |
| ... le système de la franchise commerciale | 7 |
| ne savent pas | 5 |

## 15-B3 ■ Document 3 - Les techniques de séduction des grandes surfaces.

Le **marchandisage** (en anglais *merchandising*) vise à obtenir, sur le lieu de vente, le meilleur rendement commercial et financier. Pour cela, les grandes surfaces font jouer un ensemble de techniques destinées à inciter le consommateur à dépenser une somme maximale.

**L'architecture intérieure du magasin**

Supposons qu'un client vienne seulement acheter une plaquette de beurre ou un paquet de pâtes. Ces articles, dits de première nécessité, se trouvent au fond du magasin. Un circuit soigneusement étudié et organisé va l'y conduire, grâce à de longs couloirs étroits encombrés de gondoles, de présentoirs qui bloquent la circulation et qui ralentissent sa marche.

**Une astucieuse disposition des rayons**

Le distributeur a tendance à placer à hauteur des mains ou mieux à hauteur des yeux les produits sur lesquels il réalise la plus forte marge bénéficiaire.

**L'effet d'abondance**

Plus la pyramide des boîtes de conserve est haute, plus elle partira vite. Le client se dit que s'il y en a beaucoup, c'est qu'on en consomme beaucoup et si on en consomme beaucoup, c'est que c'est bon. Une telle présentation augmente les ventes de 20 à 50 %.

## 15-B4 ■ Document 4 - Les 10 principes de la vente visuelle.

1. Faites circuler le client sur toute la surface du magasin.
2. Assurez le contact direct entre client et marchandise.
3. Indiquez visiblement les prix.
4. Mettez les articles en valeur par un bon éclairage.
5. Groupez les articles par famille ou selon leur usage.
6. Veillez à ce que le client soit bien informé au sujet des articles offerts.
7. Utilisez slogans, pancartes, présentations spéciales.
8. Offrez les articles dont le conditionnement est vendeur.
9. Faites voisiner les articles de grande vente avec ceux de vente difficile.
10. Proportionnez la surface d'exposition des articles à l'importance des ventes et de la marge.

D'après *Comité belge de distribution.*

## ■ Exercice 1.



*Voici un exemple de la marge commerciale réalisée par différentes formes de distribution :*

**1.** coopératives : 29 %
**2.** magasins à succursales multiples : 29 %
**3.** commerces indépendants : 26 %
**4.** supermarchés : 24 %
**5.** magasins populaires : 23 %
**6.** grands magasins : 23 %
**7.** hypermarchés : 22 %

*Répondre aux questions suivantes :*

**1.** Quels magasins réalisent la marge la moins élevée ?
**2.** La plus forte marge est atteinte par quels magasins ?
**3.** Une marge aussi élevée que celles des coopératives ?
**4.** Les magasins populaires font :
— une marge supérieure à quels magasins ?
— une marge inférieure à quels magasins ?
— une marge égale à quels magasins ?
**5.** La différence de marge entre les commerces indépendants et les supermarchés est :
— plus importante que celle qui existe entre ... et ... ?
— la même que celle qui existe entre ... et ... ?
— plus faible que celle qui existe entre ... et ... ?

15-C2

## ■ Exercice 2.

*Relier les éléments de phrase de façon logique.*

**1.** La livraison a été effectuée
**2.** Nous utiliserons ce transporteur
**3.** Plus nous faisons de promotions
**4.** Nous touchons de plus
**5.** Faisons une enquête auprès
**6.** Notre marge est inférieure
**7.** Les petits commerçants vendent
**8.** La concurrence
**9.** Nous avons réuni la force de vente
**10.** La commission est proportionnelle

**a.** tant qu'il ne nous décevra pas.
**b.** des mêmes entreprises que l'année dernière.
**c.** à celle du 1er trimestre.
**d.** n'est pas si aiguë que prévu.
**e.** aux ventes.
**f.** plus nous vendons.
**g.** autant que les coopératives.
**h.** en plus de consommateurs.
**i.** comme prévu.
**j.** pour mieux la motiver.

## 15-C3 ■ Exercice 3.

*Trouver les mots qui se correspondent dans chaque colonne.*
MODÈLE : **bon** - *meilleur*

| | | | |
|---|---|---|---|
| **1.** bon | **6.** haut | **a.** pire | **f.** horrible |
| **2.** petit | **7.** beau | **b.** énorme | **g.** catastrophique |
| **3.** mauvais | **8.** laid | **c.** inférieur | **h.** ultra-rapide |
| **4.** grand | **9.** grave | **d.** meilleur | **i.** supérieur |
| **5.** gros | **10.** rapide | **e.** magnifique | **j.** majeur |

## 15-D1 ■ Comment exprimer l'indifférence et l'intérêt.

**1.** — Préférez-vous vendre dans les grandes surfaces ou les petits commerces ?
— **Ça m'est égal** si mon chiffre d'affaires reste élevé.

**2.** — Ils utilisent les mêmes réseaux de vente que nous.
— **Peu importe,** nous sommes mieux implantés qu'eux.

**3.** — Avez-vous parlé de cette étude au directeur des ventes ?
— **Il s'en moque,** il l'a trouvée peu sérieuse.

**4.** — Les modèles plus anciens se vendent mal.
— **Et alors, que voulez-vous que j'y fasse ?**

**5.** — Voici les derniers chiffres des ventes à l'étranger.
— 30 % de mieux aux États-Unis, **voilà qui est intéressant.**

**6.** — Que pensez-vous des efforts faits par les maisons de vente par correspondance ?
— **J'apprécie beaucoup** leur travail.

**7.** — Les grands magasins proposent de faire une promotion sur cet article.
— **C'est une occasion qu'il ne faut pas manquer** *(louper, rater).*

**8.** — Monsieur Barreaud vient de vendre les derniers articles qui restaient.
— **Je trouve que c'est formidable ; félicitez-le** de ma part.

EXERCICE 1 : **1** : 7. **2** : 1 et 2. **3** : 2. **4** : 7/1-2-3-4/6. **5** : 5 et 7, 4 et 7, 2 et 3 par exemple.

EXERCICE 2 : **1** : i. **2** : a. **3** : f. **4** : h. **5** : b. **6** : c. **7** : g. **8** : d. **9** : j. **10** : e.

EXERCICE 3 : **1** : d. **2** : c. **3** : a. **4** : j. **5** : b. **6** : i. **7** : e. **8** : f. **9** : g. **10** : h.

## 15-D3 ■ La comparaison.

### EXPRESSION DE L'ÉGALITÉ, DE LA RESSEMBLANCE

Ces deux produits ont **la même** composition.
Le comptable perçoit **le même** salaire **que** le chef des ventes.
Il sera ingénieur **comme** son père.
**Comme** je l'avais prévu, il y a des invendus.
**Ainsi qu'**il a été dit plus haut, le bilan est toujours équilibré.
La secrétaire est **aussi** compétente **que** le directeur ; elle travaille **aussi** vite et **aussi** bien **que** lui.
Il vend **autant qu'**un supermarché.
Il a **autant de** rendement **qu'**un ordinateur.
Il y a **autant d'**eau **que** de vin.
**Tel** père, **tel** fils (dicton).
Il voudrait avoir un ordinateur **identique à** celui-ci.

### EXPRESSION DE L'INFÉRIORITÉ

Il est **moins** ambitieux **que** son collègue et surtout il agit **moins** secrètement **que** lui.
Il travaille **moins que** son adjoint/vous pensez.
Les obligations présentent **moins** de risques **que** les actions.
C'est elle qui parle **le moins**.
C'est le prix **le moins** avantageux **de** la région.

## EXPRESSION DE LA SUPERIORITÉ

L'hypermarché est **plus** grand **que** le supermarché.
Il en a vendu **plus que** l'an dernier.
Il y a **plus de** choix au supermarché **que** dans une supérette.
Ce magasin est **le plus** cher **de** la région.
Leur slogan accroche **davantage que** le nôtre.
Il y a **davantage de** déficit **que** l'an dernier.

## EXPRESSION DE LA PROPORTION

**Plus** il gagne, **plus** il dépense.
**Plus** il travaille, **moins** il a envie de travailler.
**Moins** il vend cher, **plus** il vend.
Il vend **d'autant plus que** son choix est grand.
**A mesure que** les travaux avancent, nous pouvons aménager notre magasin.
Nous nous approvisionnons **au fur et à mesure de** nos besoins.

# CHAPITRE 16 ■ FOIRES ET EXPOSITIONS

**A** - DIALOGUE

**A1.** Visite au Salon des Arts Ménagers.

**A2.** Remarques.

**B** - DOCUMENTS

**B1.** Document 1 : un salon international.

**B2.** Document 2 : bilan de la participation à un salon.

**C** - EXERCICES

**C1.** Exercice 1.

**C2.** Exercice 2.

**C3.** Exercice 3.

**D** - LANGUE

**D1.** Comment exprimer la certitude.

**D2.** Quelques expressions impersonnelles et indéfinies.

**D3.** Corrigés des exercices.

SCÉNARIO

L'entreprise Pulvérix veut faire connaître ses produits à toute sa clientèle. C'est pourquoi elle a décidé d'être présente au Salon des Arts Ménagers. A cette occasion, elle nouera de nombreux contacts qui lui permettront de développer et d'adapter sa production.

# 16-A1 ■ Une visite au Salon[1] des Arts Ménagers[2].

*La société Favier présente ses produits au Salon des Arts Ménagers au Palais des Expositions[3]. Michèle Dumont, responsable des ventes, est au stand[4] de l'entreprise. Paul Thévaud, un bon client, arrive.*

**P.T.** - Tiens, bonjour Madame Dumont, je cherchais justement votre stand.

**M.D.** - Bonjour Monsieur Thévaud, je suis contente de votre visite.

**P.T.** - J'ai reçu votre carte d'invitation[5] il y a quelques jours.

**M.D.** - Oui, nous les avons envoyées un peu tard.

**P.T.** - Vraiment, votre stand est très bien aménagé[6]. Tous vos produits sont bien mis en valeur[7].

**M.D.** - Merci, nous avons changé de décorateur[8]. C'est vrai, la disposition[9] est vraiment bien pensée. Vous avez vu notre montage[10] audiovisuel ? C'est sur la fabrication de nos balances.

**P.T.** - Très bien, je le regarderai tout à l'heure. Mais dites donc, vous n'essayez pas de me vendre quelque chose. Ce n'est pas votre habitude !

**M.D.** - Oh ! vous savez, les salons... il est important d'y être présent, mais je ne crois pas qu'on y va pour le chiffre d'affaires. Vous savez que l'emplacement[11] et l'aménagement coûtent fort cher. Il est utile de maintenir de bonnes relations avec la clientèle, des relations amicales.

**P.T.** - Je vous remercie. Il est agréable d'être reçu aussi gentiment.

**M.D.** - Cependant si vous y tenez, je peux vous donner un exemplaire[12] de notre documentation, des dépliants[13], un catalogue, nos tarifs...

**P.T.** - Je les ai déjà, merci...

**M.D.** - Et notre aimable hôtesse[14] pourra vous faire la démonstration[15] de chacun de nos appareils.

**P.T.** - Mais je sais comment ils fonctionnent[16] !

**M.D.** - Alors, vous voyez, il vaut mieux rester à discuter de choses et d'autres. Mais, au fait, Monsieur Thévaud, on me dit que vous allez agrandir[17] votre magasin.

**P.T.** - Oui, c'est vrai je vais presque doubler ma surface.

**M.D.** - C'est très bien, ça, je vais pouvoir vous en vendre, de la marchandise !

**P.T.** - Ah ! si vous parlez de me vendre quelque chose, je m'en vais. Je reviendrai tout à l'heure.

1. **Salon** (n.m.) : manifestation commerciale pour présenter les nouveaux modèles.
2. **Arts Ménagers** (n.m. pluriel) : tous les appareils concernant la cuisine, et la maison, par exemple le réfrigérateur, la machine à laver, l'aspirateur, etc.
3. **Palais des Expositions** (n.m.) : bâtiments où ont lieu les expositions, les salons.
4. **Stand** (n.m.) : lieu occupé dans une exposition par une entreprise ; un emplacement. **Avoir, louer un stand.**
5. **Carte** (n.f.) **d'invitation :** carte envoyée par une entreprise à ses clients pour une entrée gratuite à l'exposition.
6. **Aménagée** (du verbe *aménager*) : disposer les meubles et les produits de façon efficace et agréable. Aménager un magasin ; un **aménagement.**
7. **Mis en valeur (**de l'expression *mettre en valeur*) : bien présenter les produits pour qu'on les voie bien.
8. **Décorateur** (n.m.) (décoratrice, f) : personne dont le métier est de décorer des maisons, des magasins, des stands... la **décoration,** le **décor.**
9. **Disposition** (n.f.) (du verbe *disposer)* placer différents meubles ou objets à des endroits qui conviennent. Ici, **disposition** = **aménagement.**
10. **Montage** (n.m.) : suite de photos (diapositives) projetées sur un écran pour présenter un produit ; l'image est accompagnée d'un texte d'explication enregistré.
11. **Emplacement** (n.m.) : un endroit loué.
12. **Exemplaire** (n.m.) : le catalogue est imprimé à plusieurs milliers d'exemplaires.
13. **Dépliant** (n.m.) (du verbe *déplier - plier*) : un document publicitaire imprimé sur une seule feuille de papier pliée en 2, 3 ou 4.
14. **Hôtesse** (n.f.) (féminin de **hôte**) : personne qui accueille et reçoit les gens dans une maison, un avion, une exposition...
15. **Démonstration** (n.f.) : du verbe *démontrer* = montrer comment marche (fonctionne) un appareil. Le **démonstrateur,** la **démonstratrice.**
16. **Fonctionnement** (n.m.) : du verbe *fonctionner* = marcher : *cet appareil-photo fonctionne bien ; il prend de bonnes photos.*
17. **Agrandir** (v.) (de grand) : rendre plus grand. CONTRAIRE **rapetisser** (petit) ; **large** donne **élargir ; long** donne **allonger ; court** donne **raccourcir... Agrandissement.**

## 16-B1 ■ Document 1 - Un salon international.

**(1)** 19.. sera l'année du Salon International du Jouet de Paris.

Pour chaque acheteur, le Salon International de Paris est désormais le moyen :
— de connaître très tôt les tendances du marché,
— de découvrir les produits nouveaux et originaux,
— de choisir en premier,
— de mieux mettre les fournisseurs en concurrence,
— de commander plus tôt pour être livré plus vite,
— de mieux planifier ses livraisons pour animer parfaitement son magasin et sa vitrine,
— d'être tout à fait prêt pour bien préparer la fin d'année.

Pour chaque visiteur, le Salon du Jouet de Paris est l'occasion de dialoguer avec les dirigeants au plus haut niveau des firmes présentes.

**(2)** Le Salon International du Jouet se tiendra désormais dans le Parc des Expositions de Paris-Nord.
Réalisé par la Chambre de Commerce de Paris, ce parc offre, par sa conception et son implantation, des avantages remarquables tant aux exposants qu'aux visiteurs :
— Accès facile et rapide : depuis Paris ; par autoroute et par métro express, parc auto illimité.
— Vie quotidienne agréable : Esplanade centrale et espaces verts, tous les halls sur un même niveau.

**(3)** Galeries d'accueil rassemblant les informations générales et les services : réservations d'hôtels et de spectacles, banque, PTT, librairie, tabacs, restauration (bars, self-services, brasseries et restauration toutes catégories, grande carte).
Pour préparer votre séjour, n'hésitez pas à questionner le Salon du Jouet.

**(4)** Le Salon International du Jouet, nouvelle formule, est une organisation moderne conçue par et pour des professionnels afin de répondre aux exigences d'un marché mondial.
— La France est le 4e producteur de jouets et exporte plus de 20 % de sa production à l'étranger.
— La totalité des fabricants français et la plus grande partie des fabricants des autres pays se trouvent au salon.
— Les suggestions et les idées nouvelles d'intérêt général seront accueillies avec la meilleure attention.

Extrait d'une publicité pour le Salon International du Jouet.

## 16-B2 ■ Document 2 - Bilan de la participation à un Salon.

*La Société Pulvérix a participé au Salon de la Restauration à la porte de Versailles. A la fin du Salon, il faut faire le bilan. En effet, un stand coûte fort cher : il faut louer un emplacement, décorer le stand, payer du personnel pour l'animer, distribuer de la documentation, faire des démonstrations pour les clients potentiels, inviter les gros clients...*

**Quel bénéfice l'entreprise en tire-t-elle ?**

L'entreprise trouve de nombreux avantages à cette participation. Cependant, à part les commandes fermes enregistrées durant le Salon, la plupart de ces avantages sont difficilement chiffrables. Il s'agit des contacts noués avec la clientèle, avec le public et la concurrence.

• Durant les **journées réservées aux professionnels** l'entreprise reçoit ses clients.
L'exposition est aussi une occasion de nouer de nouveaux contacts. Toute la clientèle potentielle est présente et passera forcément devant le stand. Il s'agit de l'attirer, de l'informer par des distributions de brochures, des démonstrations... Le responsable prendra note du nom et de l'adresse des sociétés qui ont manifesté un intérêt pour les produits de l'entreprise et demandera au service commercial de leur rendre visite après le Salon pour discuter d'éventuelles relations commerciales. Aux clients qui passent une commande durant le Salon, on accordera des prix et des conditions attrayants.

• L'action de l'entreprise **auprès du public** est purement d'information. Les consommateurs viennent se renseigner, comparer les produits ; un accueil aimable renforcera l'image de sérieux auprès des consommateurs.

• Le Salon est enfin l'**occasion** pour l'entreprise de **voir tout ce qui se fait dans son domaine.** Tous les concurrents, présents, exposent également leurs nouveautés. C'est donc le moment de faire des comparaisons, de se renseigner, de chercher à savoir quels produits ont la faveur des acheteurs. Tout cela peut contribuer à l'évolution de la stratégie et de la politique de l'entreprise.
Le succès de la participation à un salon se mesure donc à l'affluence enregistrée sur le stand et au nombre de contacts pris avec des clients.

## 16-C1 ■ Exercice 1.

*Remplacer les mots* **en gras** *dans chaque phrase par l'un des éléments proposés ci-dessous* (attention aux verbes) :

**a.** Le contrôleur
**b.** N'importe qui
**c.** Tout visiteur
**d.** Les journalistes
**e.** Les exposants
**f.** L'hôtesse
**g.** Les contribuables
**h.** L'opinion publique

1. **On** va payer plus d'impôt cette année.
2. **Ils** ont annoncé à la radio que le Salon était réservé aux professionnels.
3. Tu sais, **quelqu'un** à la porte m'a dit qu'il fallait un badge pour entrer.
4. **Chacun** peut bénéficier de cette réduction pendant la durée du Salon.
5. Je suis aussi capable que **quiconque** de tenir un stand !
6. Avec ce salon, **on** sera mieux informé sur les nouveautés.
7. **Tous les gens** sont fatigués à la fin du Salon.
8. **La personne à l'information** m'a renseigné.

## 16-C2 ■ Exercice 2.

*Souligner les expressions impersonnelles dans le dialogue suivant :*

ATTENTION : **« il »** renvoie souvent à Paul, **« il »** est alors personnel.
*Certaines phrases ne contiennent pas d'expressions impersonnelles.*

*MODÈLE :* Paul n'est pas là. Il est malade, **il faudra** le remplacer.

1. — Paul est à la Foire de Lyon, il me semble ?
2. — Oui, il m'a dit qu'il fallait qu'il reste une semaine encore.
3. — Il m'a dit aussi qu'il faisait chaud dans le grand hall.
4. — Je pensais qu'il y avait plutôt du bruit.
5. — Il paraît que non.
6. — Il travaille beaucoup. Il faut aimer son métier pour travailler autant.
7. — Tu sais, il suffit d'avoir l'habitude.
8. — En tous les cas, il semble fatigué.
9. — Il est vrai qu'il a une lourde responsabilité.
10. — Et il est important que la participation de notre société soit un succès.

## 16-C3 ■ Exercice 3.

*Compléter les phrases par les expressions proposées :*

**1.** Nous venons de visiter le ....... de Pulvérix à la ....... de Lyon.
**2.** Leur stand était bien ....... il attirait l'........
**3.** L'....... nous a bien reçus et ........
**4.** Toute la ....... des produits était ........
**5.** Nous avons été particulièrement ....... par les produits nouvellement ........
**6.** L'hôtesse nous a fait une ....... pour montrer qu'ils étaient fort ........
**7.** On nous a également ....... des ....... pour mieux nous informer.
**8.** A la fin de la foire tous les ....... et les ....... semblaient satisfaits.

**a.** informés
**b.** démonstration
**c.** stand
**d.** visiteurs
**e.** présentée
**f.** pratiques
**g.** distribué
**h.** Foire
**i.** brochures
**j.** attention
**k.** décoré
**l.** intéressés
**m.** hôtesse
**n.** exposants
**o.** lancés
**p.** gamme

## 16-D1 ■ Comment exprimer la certitude.

**1.** – Pensez-vous que cette foire soit importante ?
— **C'est certain,** nous devons être présents.
**2.** – Je me demande si notre stand aura du succès.
— **Je suis sûr** que notre participation sera un succès.
**3.** – Pourquoi participer cette année ?
— **Il est certain que** notre absence serait remarquée.
**4.** – Faut-il envoyer des cartes d'invitation ?
— **Bien sûr,** tous nos clients en attendent.
**5.** – Croyez-vous qu'un Salon serve à quelque chose ?
— **J'en suis persuadé.**
**6.** – Avons-nous eu plus de visiteurs que l'année dernière ?
— **Il n'y a aucun doute...** regardez les chiffres.
**7.** – Un bon décorateur concevra un stand plus attirant.
— **C'est évident,** c'est son métier.
**8.** – Croyez-vous que nos clients soient satisfaits ?
— **J'en ai la certitude.** Beaucoup me l'ont dit.
**9.** – Alors, nous reviendrons l'année prochaine ?
– **Je n'en doute pas, j'en suis convaincu.**

## 16-D2 ■ Quelques expressions impersonnelles et indéfinies.

— **Il paraît que** le S.M.I.C. va augmenter demain.
— C'est vrai ?
— **C'est fort probable,** en tout cas.
— **C'était indispensable,** de toute façon.
— **Qu'est-ce que ça veut dire ?**
— **Il est nécessaire de** maintenir le pouvoir d'achat, non ?
— **Il vaudrait mieux** réduire son train de vie, semble-t-il...
— **Il s'agit** plutôt de tenir compte de l'inflation.
— Certes... **il est dommage** que le franc se dévalue ainsi.
— Oh ! **il est possible** que le cours du dollar se stabilise bientôt.
— Rien n'est moins sûr !
— **Il est permis de** faire des hypothèses optimistes, au moins ?
— **C'est incontestable ;** de même, **il est indéniable** qu'**il aura fallu** du temps pour que les partenaires du système monétaire européen se concertent et...
— Et avant qu'**il ne se produise** un accord tangible, **il faudra** encore des années !
— **Il peut** arriver que les partenaires européens trouvent un jour une solution.
— **Il se dit** tant de choses à ce sujet !
— **C'est ainsi** et **il reste** encore beaucoup à dire.
— **C'est certain,** mais **il est inutile de** continuer.
— Oui, **il se fait** tard...

## 16-D3 ■ Corrigés des exercices.

EXERCICE 1. — **1 :** g. **2 :** d. **3 :** a. **4 :** c. **5 :** b. **6 :** h. **7 :** e. **8 :** f.

EXERCICE 2; — **1 :** il me semble. **2 :** il fallait que. **3 :** il faisait chaud. **4 :** il y avait. **5 :** il paraît. **6 :** il faut aimer. **7 :** il suffit. **8 :** rien. **9 :** il est vrai. **10 :** il est important.

EXERCICE 3. — **1 :** c, h. **2 :** k, j. **3 :** m, a. **4 :** p, e. **5 :** l, o. **6 :** b, f. **7 :** g, i. **8 :** d, n.

# CHAPITRE 17 ■ LE COMMERCE EXTÉRIEUR.

**A** - DIALOGUE

**A1.** Une entreprise exportatrice.

**A2.** Remarques.

**B** - DOCUMENTS

**B1.** Document 1 : la mesure des échanges extérieurs.

**B2.** Document 2 : libre-échange ou protectionnisme ?

**B3.** Document 3 : le paiement des exportations.

**C** - EXERCICES

**C1.** Exercice 1.

**C2.** Exercice 2.

**C3.** Exercice 3.

**D** - LANGUE

**D1.** Comment donner un ordre.

**D2.** Comment exprimer la durée.

**D3.** Corrigés des exercices.

SCÉNARIO

Pour pouvoir importer les produits dont il a besoin, un pays doit exporter une partie de ses propres produits. C'est pourquoi un grand nombre d'entreprises se tournent vers les marchés extérieurs. Cependant la concurrence est de plus en plus vive et il faut parfois accorder aux acheteurs extérieurs des conditions particulières.

## ■ Une entreprise exportatrice.

*Pascal Favier reçoit Michel Poiret, journaliste d'une grande revue économique hebdomadaire*[1]. *Ce dernier écrit une série d'articles sur les moyennes entreprises fortement exportatrices. Tous deux discutent des réalisations et des projets de Pulvérix dans le domaine de l'exportation.*

**P.F.** - Il y a trois ans maintenant que nous dépassons les 30 % à l'exportation[2].

**M.P.** - Justement, j'aurais aimé connaître votre position, marché par marché, vos succès, vos difficultés.

**P.F.** - Je reviens précisément de Munich où j'ai eu des contacts avec des représentants[3] de sociétés et des ministères du commerce extérieur[4] de plusieurs pays de l'Est.

**M.P.** - Ah ! vous avez déjà conquis[5] ces marchés ?

**P.F.** - Pas encore, mais vous savez que leur marché de biens de consommation[6] se développe. Ces pays cherchent à augmenter leurs échanges[7] internationaux ; ils veulent en particulier acquérir[8] la technologie occidentale.

**M.P.** - Vous voulez leur vendre des licences[9] de fabrication ?

**P.F.** - C'est une possibilité, mais ils seraient plus intéressés par une usine clé en main[10].

**M.P.** - Cela pourrait être un débouché[11] intéressant.

**P.F.** - Il nous faut étudier la question. Nos partenaires[12] aimeraient nous payer soit avec de la marchandise produite chez eux...

**M.P.** - Ils veulent faire du troc[13], en quelque sorte.

**P.F.** - Exactement... soit avec des articles produits dans l'usine que nous leur livrerions...

**M.P.** - Et il vous faudrait écouler[14] cette marchandise sur vos marchés traditionnels.

**P.F.** - C'est cela. Nous avons d'autres projets encore ; au Mexique, par exemple.

**M.P.** - J'ai vu que vous étiez déjà bien implantés[15] dans ce pays. Une société mexicaine a signé un gros contrat d'importation avec vous, il y a quelques années, je crois.

**P.F.** - Oui, nous avons réussi une belle percée[16], mais le gouvernement désire créer une industrie légère[17] locale. Il impose donc quelques mesures de protection[18], des droits de douane en particulier.

**M.P.** - Pourrez-vous avoir une filiale à 100 % ?

**P.F.** - Non, la législation l'interdit. Nous devons créer une « joint venture »[19] dans laquelle des hommes d'affaires mexicains détiendraient la majorité du capital et nous engager à transférer[20] une partie de notre technologie.

1. **hebdomadaire** (adj.) : qui paraît chaque semaine.
2. **exportation** (n.f.) du verbe *exporter ;* un **exportateur.** CONTRAIRE : **importation.**
3. **représentant** (n.m.) : le représentant agit, ou vend pour le compte de l'institution qui l'emploie, une société, un pays.
4. **Le commerce extérieur :** le commerce (**exportations** et **importations**) d'un pays avec le reste du monde.
5. **conquis :** (v. conquérir), prendre, gagner un marché.
6. **Le bien de consommation :** bien vendu pour être utilisé directement par les individus (les **consommateurs**). CONTRAIRE : **bien de production.**
7. **échange** (n.m.) : les échanges commerciaux ; les échanges internationaux : le **commerce international.**
8. **acquérir** (v.) : devenir propriétaire ; une **acquisition ;** un **acquéreur.**
9. **licence** (n.f.) : par un accord de licence, une société A permet à une société B de fabriquer des produits que la société A a inventés. La société B fabrique alors le produit **sous licence.**
10. **une usine clé en main :** une usine prête à fonctionner vendue au client.
11. **débouché** (n.m.) : un marché, un créneau ; trouver de nouveaux débouchés pour son produit.
12. **partenaire** (n.m.) : personne qui est en relations d'affaires avec une autre.
13. **troc** (n.m.) : échange qui n'est pas réglé en monnaie mais avec de la marchandise.
14. **écouler** (v.) : vendre jusqu'à épuisement du stock.
15. **implanté (être) :** avoir un réseau commercial et/ou une usine sur un marché. **Implanter une usine :** créer une usine dans un pays ; une **implantation.**
16. **percée** (n.f.) (verbe *percer*) ; *faire une percée :* prendre une part du marché ; prendre pied sur un marché.
17. **industrie légère :** industrie qui fabrique des produits de grande consommation.
18. **protection** (n.f.) : ici, mesure pour protéger l'industrie locale de la concurrence étrangère ; une **mesure protectionniste.**
19. **« joint venture »** (n.f.) : le terme anglais est utilisé pour désigner une **filiale commune** à plusieurs sociétés ou pays.
20. **transférer** (v.) : ici, communiquer un savoir, une technique à une autre société ; un **transfert** de technologie.

## 17-B1 ■ Document 1 - La mesure des échanges extérieurs.

Les échanges d'un pays avec l'extérieur portent sur :

• LES MARCHANDISES *(produits agricoles et industriels)*

• LES SERVICES *(tourisme, brevets, transport...)*

• LES CAPITAUX *(placements, prêts...)*

| Recettes | Dépenses | | |
|---|---|---|---|
| - exportation de marchandises | - importations de marchandises → | **Balance commerciale** | **Balance des paiements** |
| - services rendus | - services achetés → | **Balance des services** | |
| - entrées de capitaux | - sorties de capitaux → | **Balance des capitaux** | |

La balance commerciale ajoutée à la balance des services = la **balance** des **opérations courantes.**

## 17-B2 ■ Document 2 - Libre-échange ou protectionnisme ?

— **Le libre-échange** tend à favoriser les échanges avec les autres pays. Les partisans de cette politique estiment que la protection est nuisible à l'économie de la nation, car elle détruit l'esprit de concurrence et empêche les entreprises de se réorganiser et d'améliorer leur gestion. D'autre part, les exportations permettent d'élargir les marchés pour les produits nationaux et ainsi de créer des emplois.

— **Le protectionnisme** vise à protéger l'économie nationale contre la concurrence étrangère. Il se manifeste par l'établissement :

— de *droits de douane* (les produits importés sont plus chers) ;

— du *contingentement* (limitation de la quantité importée) ;

— du *contrôle des changes* (limites sur les mouvements de capitaux) ;

— de *normes techniques, sanitaires...*

## 17-B3 ■ Document 3 - Le paiement des exportations.



Lorsqu'une entreprise veut acheter des marchandises dans un pays étranger, le vendeur désirera souvent avoir, avant d'expédier les marchandises, la certitude d'être payé.

L'acheteur s'adresse alors à son banquier et lui demande d'ouvrir, pour son compte, un crédit en faveur du vendeur.

En acceptant d'ouvrir ce crédit, le banquier prend l'engagement de régler au vendeur le prix des marchandises dès qu'on lui présentera un certain nombre de documents (le connaissement, le certificat d'origine, la police d'assurance...) prouvant que l'exportateur a bien rempli ses obligations. C'est le **crédit documentaire.**

### Schéma d'une opération de crédit documentaire

| *Importateur et exportateur* | *Importateur* | *Banque de l'importateur* |
|---|---|---|
| se mettent d'accord sur les conditions de la transaction. | demande à son banquier d'ouvrir un crédit documentaire. | ouvre le crédit chez le banquier de l'exportateur. |
| | | *Banque de l'exportateur* |
| | | notifie le crédit à l'exportateur |

| *Banque de l'importateur* | *Banque de l'exportateur* | *Exportateur* |
|---|---|---|
| remet les documents à l'importateur qui le paie. | envoie les documents au banquier de l'importateur qui le crédite en retour. | remet les marchandises au transporteur qui lui délivre le connaissement. Il confie tous les documents à son banquier qui lui règle le prix de la marchandise. |
| *Importateur* | | |
| présente le connaissement au capitaine du navire qui lui délivre les marchandises. | | |

## 17-C1 ■ Exercice 1.

*Compléter avec les expressions de temps proposées :*

**1.** Il passera .... la semaine prochaine en Allemagne.
**2.** Ce plan doit absolument être prêt .... 15 juin.
**3.** La marchandise .... 3 semaines .... nous parvenir.
**4.** Nous exécutons les commandes .... moins de 15 jours.
**5.** N'oubliez pas que notre usine sera fermée .... 1er .... 31 août.
**6.** Il y a .... que nous exportons vers ce pays.
**7.** Monsieur Cotreau reviendra .... 2 ou 3 jours.
**8.** .... 10 ans que nous travaillons avec cette banque.
**9.** Votre lettre de change est prête .... mardi dernier.
**10.** Les nouveaux tarifs seront applicables .... 1er janvier.
**11.** Nous avons .... 30 mai pour retirer la marchandise.
**12.** Il connaît bien l'Italie. Il y a séjourné .... 7 ans.

**a.** en
**b.** longtemps
**c.** Il y a
**d.** toute
**e.** jusqu'au
**f.** depuis
**g.** dans
**h.** pour le
**i.** pendant
**j.** a mis... pour
**k.** du ... au
**l.** à partir du

## 17-C2 ■ Exercice 2.

*Classer les 12 phrases suivantes, selon qu'elles expriment une action ou une situation qui*

A va bientôt commencer
B débute
C continue ou se déroule
D se termine ou est terminée

**1.** Nous **sommes en train de négocier** avec un gros importateur japonais.
**2.** L'étude de marché **a donné des résultats** très encourageants.
**3.** Je le **rappelle tout de suite.** Quel est son numéro ?
**4.** Les prix **augmentent sans cesse.** Nous n'y pouvons rien.
**5.** **C'est la première année qu'il** ira à l'étranger.
**6.** **Ils ont vendu les derniers articles.**
**7.** Notre société **est sur le point d'exporter** vers la Chine.
**8.** Cette entreprise nous **achète toujours** autant.
**9.** Le client doit **arriver d'un moment à l'autre.**
**10.** **A partir** d'aujourd'hui, **nous appliquons** ces tarifs.
**11.** **Nous ne produisons plus** ce modèle **depuis l'année dernière.**
**12.** Nous **commercialisons** ce produit depuis la semaine dernière.

## 17-C3 ■ Exercice 3.

*Répondre à chaque question en utilisant les renseignements donnés. Faire des phrases complètes :*

1. Aujourd'hui nous sommes le 17 septembre. Je dois aller à Stuttgart le 28. Dans combien de jours dois-je y aller ?
2. On est le 3 août. La fin du mois, c'est dans combien de jours ?
3. C'est le 14 juillet. Mes vacances se terminent le 21. Combien de jours me reste-t-il encore ?
4. Aujourd'hui, c'est le 28 mars. Je suis arrivé ici le 5. Depuis combien de temps suis-je ici ?
5. Nous sommes le 7 avril. Pâques est dans 15 jours. Pâques tombe quel jour ?
6. Le mois de février se termine. Il a 28 jours. Le 23, c'était quand ?
7. Le « Journal de l'Exportation » est un hebdomadaire. Vous le recevez tous les combien ?

## 17-D1 ■ Comment donner un ordre.

1. Allô, Joëlle ? Bon, dites voir, dès que vous serez de retour, **passez me voir** à mon bureau. **Il faut absolument que** nous décrochions ce contrat.
   **Faites tout** ce que vous pouvez pour obtenir le marché.
   **Tenez-moi donc** au courant par télex, d'accord ? **Je compte sur** vous. Ah ! j'oubliais, s'ils demandent de négocier, **baissez** jusqu'à 10 %, **veuillez ne pas** descendre plus bas, compris ?
2. Ce contrat peut attendre, n'est-ce pas ?
   Maurice, **j'exige qu'**il soit sur mon bureau ce soir.
3. Alors, le patron s'est mis en colère ?
   Oui, **il m'a ordonné** de régler cette affaire au plus vite.
4. Normalement, ce n'est pas mon service qui devrait s'occuper des expéditions.
   Si, **vous le ferez** puisque **je vous dis** de le faire !
5. Je pense au contraire qu'il faut leur accorder des conditions favorables.
   **Que vous soyez d'accord ou pas, vous leur demanderez de** payer comptant.
6. Êtes-vous bien sûr qu'il faille l'envoyer par avion ?
   Écoutez, **ne discutez pas.** Vous savez très bien que cette marchandise doit arriver dans trois jours !

## 17-D2 ■ Comment exprimer la durée.

**Une durée non précisée**

| | |
|---|---|
| *longtemps - peu de temps - toujours...* | Il est resté **longtemps** en chômage. |

**Une durée précisée**

| | |
|---|---|
| *en* | Il a lu le rapport **en** 3 heures. |
| *mettre ... pour* | Il **a mis** 3 heures **pour** lire le rapport. |
| *durer* | La lecture **a duré** 3 heures. |
| | Il a lu le rapport : |
| *pendant* | — **pendant** 3 heures ; |
| *tout(e)* | — **toute** la journée ; |
| *de (du)... à (au)* | — **de** 9 **à** 10 heures. |

**Une durée avec indication de la fin**

| | |
|---|---|
| *jusqu'à (au)* | Il sera absent **jusqu'au** 5 mai |

**Une durée avec indication du commencement**

Le magasin *a été ouvert,* **il y a (ça fait, voilà)** 2 jours.
Le magasin *a été ouvert,* **à partir du** 6 juin.
Le magasin *est ouvert* **depuis** 4 jours (le 2 juin, la fin des travaux).
**Ça fait (il y a, voilà)** 4 jours **que** le magasin est ouvert.
Le magasin *sera ouvert à* **partir du** 20 mai.
Le magasin *sera ouvert* **dans (d'ici)** 15 jours.

## 17-D3 ■ Corrigés des exercices.

EXERCICE 1 : **1 :** d. **2 :** h. **3 :** j. **4 :** a. **5 :** k. **6 :** b. **7 :** g. **8 :** c. **9 :** f. **10 :** l. **11 :** e. **12 :** i.

EXERCICE 2 : **1 :** C. **2 :** D. **3 :** A. **4 :** C. **5 :** B. **6 :** D. **7 :** A. **8 :** C. **9 :** A. **10 :** B. **11 :** D. **12 :** B.

EXERCICE 3 : **1 :** Je dois y aller dans 11 jours. **2 :** La fin du mois, c'est dans 28 jours. **3 :** Il me reste 8 jours (une semaine) de vacances. **4 :** Je suis ici depuis 23 jours. **5 :** Pâques tombe le 22 avril. **6 :** Le 23, c'était il y a 5 jours. **7 :** Je le reçois tous les 8 jours (toutes les semaines) (4 fois par mois).

# CHAPITRE 18 ■ ASSURANCES.

**A** - DIALOGUE

**A1.** Tous les risques sont bien couverts.
**A2.** Remarques.

**B** - DOCUMENTS

**B1.** Document 1 : le contrat d'assurance.
**B2.** Document 2 : ne signez pas n'importe quoi !
**B3.** Document 3 : mettre fin à son contrat.
**B4.** Document 4 : comment déclarer un sinistre ?
**B5.** Document 5 : les assurances de l'entreprise.
**B6.** Document 6 : êtes-vous bien assuré ?
**B7.** Document 7 : les conséquences d'un sinistre.

**C** - EXERCICES

**C1.** Exercice 1.
**C2.** Exercice 2.
**C3.** Exercice 3.

**D** - LANGUE

**D1.** Comment exprimer l'hypothèse.
**D2.** Comment exprimer l'appartenance.
**D3.** Corrigés des exercices.

SCÉNARIO

L'entreprise peut être victime de nombreux accidents ; les bâtiments peuvent brûler, la marchandise peut être endommagée par les eaux. Son personnel peut également être victime d'accidents corporels. Cela ne doit pas mettre la survie de l'entreprise en péril. Pour se protéger de tels risques, la société doit s'assurer.

# 18-A1 ■ Tous les risques sont bien couverts.

*Claude Roy, le secrétaire général de Pulvérix revoit avec l'assureur*[1] *de la société, Marcel Plasson, les différents contrats*[2] *d'assurance qui les lient.*

**C.R.** - J'aimerais enfin revoir avec vous nos assurances-véhicules[3] et nos assurances-incendie, avant les prochaines échéances[4].

**M.P.** - Très bien. J'ai apporté avec moi un exemplaire de toutes vos polices. Pensez-vous les renouveler[5] toutes ?

**C.R.** - Il est possible que nous en résiliions[6] quelques-unes ; mais il se pourrait également que nous en prenions de nouvelles.

**M.P.** - Je suppose que vous ne voulez plus connaître les mêmes ennuis que le mois dernier quand la Compagnie[7] n'a pas remboursé les gros dommages[8] subis par l'un de vos véhicules et son chargement[9] ?

**C.R.** - Vous n'êtes pas responsable de cet incident. Nous n'avons pas été dédommagés[10], mais c'est un peu notre faute. Si nous avions mieux pris connaissance[11] des clauses du contrat, tout cela ne serait pas arrivé.

**M.P.** - L'expert[12] et moi-même avions demandé que les dégâts[13] soient remboursés, mais la déclaration[14] n'était pas faite dans les formes.

**C.R.** - N'en parlons plus. Le contrat a été modifié et nous sommes maintenant bien couverts[15].

**M.P.** - Je vous ai justement apporté l'avenant[16] à cette police.

**C.R.** - Je vous en remercie. Notre assurance-véhicules sera reconduite[17] sans changement. Par contre, il faudrait réviser l'assurance-incendie pour l'atelier B.

**M.P.** - Oui, vous m'aviez parlé de nouvelles machines.

**C.R.** - C'est exact ; il faudra probablement réactualiser[18] le montant du risque[19] couvert.

**M.P.** - Le mieux est que vous me donniez le détail de la valeur de ces machines et je vous communiquerai alors le montant de la nouvelle prime[20] à payer.

**C.R.** - Une dernière question. Si l'atelier B, par exemple, ne pouvait plus produire du tout à la suite d'un incendie, serions-nous couverts pour ce manque de production tant que durerait la remise en état[21] ?

**M.P.** - Je crois que oui... Je vous confirmerai la semaine prochaine.

1. **assureur** (n.m.) : la personne qui assure.
2. **contrat** (n.m.) : ici, accord qui lie l'assureur et l'assuré ; un document **contractuel : une police d'assurance.**
3. **assurance-véhicules** (n.f.) : l'assurance qui couvre les véhicules (automobiles, camions).
4. **échéance** (n.f.) : date à laquelle quelque chose doit être exécuté ; **échéance du loyer.**
5. **renouveler** (v.) (de l'adj. **nouveau**) : continuer, reconduire un contrat. CONTRAIRE : **résilier.**
6. **résilier** (v.) : mettre fin à un contrat, dissoudre, annuler ; **la résiliation.**
7. **compagnie** (n.f.) : pour désigner une société qui fait, par exemple, de l'assurance ; une compagnie d'assurances.
8. **dommage** (n.m.) : dégât matériel, perte matérielle ; **endommager** (v.) : causer un dommage, détériorer.
9. **chargement** (n.m.) : la marchandise que contient le véhicule ; la cargaison.
10. **dédommager** (v.) : donner une somme d'argent en compensation de la marchandise endommagée ou de la perte subie ; le dédommagement.
11. **prendre connaissance de :** lire avec attention.
12. **expert** (n.m.) : la personne qui **évalue** (estime) les dégâts quand il y a un accident ; une expertise ; expertiser ; faire une expertise.
13. **dégât** (n.m.) : la destruction, la détérioration, le dommage subi. ATTENTION : le **dégât** est toujours **matériel,** mais le **dommage** est souvent un préjudice **moral.**
14. **déclaration** (n.f.) : faire une déclaration d'accident : remplir un formulaire officiel pour prévenir la compagnie d'assurance d'un accident, d'un dommage.
15. **couvert** (adj.) : (du verbe **couvrir**) l'assurance **couvre** un certain risque (= **garantir contre**) ; la couverture.
16. **avenant** (n.m.) : modification annexée à un contrat.
17. **reconduire** (v.) : renouveler un contrat, une assurance ; la reconduction **tacite** = automatique à la fin du contrat en cours.
18. **réactualiser** (v.) : remettre à sa valeur réelle ou à sa nouvelle valeur ; la réactualisation.
19. **risque** (n.m.) : ici, événement qui peut arriver et contre lequel on s'assure : risque de vol, risque d'incendie.
20. **prime** (n.f.) : somme d'argent payée par l'assuré à l'assureur pour se protéger contre un risque.
21. **remise en état** (n.f.) : réparation.

## 18-B1 ■ Le contrat d'assurance.

L'**assuré** s'engage, pour se protéger contre les **risques** qui le menacent, à verser régulièrement des sommes d'argent, appelées **primes** ou **cotisations.**

L'**assureur** s'engage, en cas de sinistre, à réparer le dommage (ou préjudice) subi, généralement en versant une **indemnité.**

La **police** est le document constatant le contrat conclu entre l'assuré et l'assureur.

Un contrat **multirisques** comporte plusieurs garanties.

## 18-B2 ■ Ne signez pas n'importe quoi.

Avant de signer un contrat d'assurance, renseignez-vous pour savoir quels sont vos droits et obligations.

**Pourquoi vous êtes-vous assuré ?**
Demandez bien à votre assureur de quelles garanties vous allez bénéficier, c'est-à-dire dans quels cas l'assurance paiera et dans quels cas elle ne paiera pas.

**L'assurance paiera-t-elle intégralement ?**
Vérifiez quel est le montant maximum de votre garantie. Correspond-il à la valeur des biens assurés, à la somme que vous pensez recevoir ? Dans certains cas, une somme restera à votre charge. Cette **franchise,** prévue parfois dans le contrat, vous permettra de verser des primes d'un montant moins élevé, mais, en cas de sinistre, une somme fixée par le contrat ne vous sera pas remboursée.

## 18-B3 ■ Mettre fin à son contrat.

Vous avez signé un contrat d'assurance. Ce contrat ne prend fin que si vous-même ou l'assureur le résiliez.

**Comment résilier ?**
Envoyez à votre compagnie d'assurance une lettre recommandée avec accusé de réception.

**Quand résilier ?**
— Si vous vendez *le bien* assuré, vous pouvez demander la résiliation du contrat à l'occasion de cet événement ;
— si vous avez un contrat d'assurance annuel avec tacite reconduction (c'est-à-dire renouvelé automatiquement chaque année), vous pouvez le résilier, à condition de respecter le délai de préavis fixé (généralement 2 à 5 mois avant l'échéance annuelle).

Vous devez prévenir votre assureur le plus rapidement possible

*En cas de vol* → dans les 24 heures.

*Autre accident* → dans les 5 jours.

Vous devez donner tous les renseignements à votre agent d'assurances

- Rappelez-lui votre nom, le numéro de contrat ;
- indiquez la date de l'accident, la nature du sinistre (incendie, explosion...) ;
- faites une description des dommages.

Regardez votre contrat : dans quel délai devez-vous envoyer l'estimation des dégâts provoqués ?

A combien évaluez-vous la perte ?

- Quels objets ont été détruits ?
- Quels meubles ont été détériorés ?
- Estimez vous-même le montant du sinistre.

Prenez contact avec l'expert désigné par la compagnie d'assurances.

- Il passera pour évaluer les dommages ;
- il tiendra compte de la **valeur** des objets endommagés, de leur **vétusté,** c'est-à-dire de leur âge ou de leur état.

Dans ce but, ne jetez rien ! (aucun objet brûlé ou détrempé !)

- Rassemblez tout ce qui peut justifier l'**existence** et la **valeur** des biens endommagés ;
- gardez les **factures,** les **bons de garantie,** les **photos d'objets de valeur** avec leur description.

Regardez si le contrat prévoit la garantie « honoraires d'expert ».

- Si oui, alors vous pouvez choisir et nommer vous-même un expert ;
- ses frais et honoraires seront payés par la société d'assurances.

Votre propriétaire ou vos voisins vous réclament réparation d'un dommage ?

- Envoyez à votre assureur les lettres reçues ;
- n'oubliez pas de toujours rappeler votre numéro de contrat.

| **Risque couru** | **Rôle de l'assurance** |
| --- | --- |
| *Perte de patrimoine*<br>Que vous soyez propriétaire ou locataire, certains risques (incendie, vol, explosion) peuvent anéantir le patrimoine immobilier et mobilier de votre entreprise (bâtiments, machines, marchandises...). | *Conservation des investissements*<br>L'assurance garantit les dommages provoqués par un sinistre. Elle conserve les investissements de votre établissement en permettant leur réparation ou leur remplacement. |
| *Dommage à autrui*<br>Vous êtes responsable des dommages corporels, matériels ou immatériels causés :<br>- à votre personnel (accidents...) pendant son temps de travail ;<br>- à des tiers, par le personnel ou le matériel de votre entreprise ;<br>- à vos clients (responsabilité après travaux ou après livraison de marchandises). | *Assurance de responsabilité*<br>Vous êtes protégé par un contrat d'assurance « responsabilité » :<br>- remboursement des frais occasionnés par le sinistre ;<br>- indemnisation de la victime pour le préjudice subi ;<br>- réparation des dommages causés par vos produits. |
| *Pertes d'exploitation*<br>Si votre entreprise doit arrêter temporairement son activité, du fait d'un incendie, par exemple, il en résultera une diminution de votre chiffre d'affaires et de vos bénéfices. | *Survie de l'entreprise*<br>Vous serez indemnisé de la perte de bénéfice brut, ainsi que des frais occasionnés par la remise en activité de votre entreprise. |

En France, il se produit toutes les deux minutes un cambriolage ou un incendie. Que se passerait-il si votre entreprise en était la victime ?

*Répondez par oui ou par non, en mettant une croix dans la colonne appropriée.*

| | OUI | NON |
|---|---|---|
| • Êtes-vous sûr que les bâtiments et le matériel sont assurés à leur vraie valeur ? | ☐ | ☐ |
| • Avez-vous fait procéder à leur estimation préalable pour éviter toute difficulté en cas de sinistre ? | ☐ | ☐ |
| • Pouvez-vous préciser exactement la valeur vénale ou locative de vos immeubles ? | ☐ | ☐ |
| • Connaissez-vous la valeur de votre entreprise ? | ☐ | ☐ |
| • Êtes-vous garanti contre la totalité des pertes d'exploitation consécutives à un sinistre ? | ☐ | ☐ |

Au cas où vous auriez répondu NON à une seule question, nous vous suggérons de prendre contact avec nous. Nous sommes en mesure de vous aider à mieux vous assurer.

## 18-B7 ■ Les conséquences d'un sinistre.

M. Dormoy est le directeur d'une P.M.E. qui produit des composants électroniques. Tout va bien, jusqu'au jour où un incendie se déclare dans l'usine. Rapidement le feu gagne tout le bâtiment principal qui est détruit à plus de 65 %. C'est la catastrophe. L'usine ne peut plus produire. L'entreprise n'a pas assez de trésorerie pour financer la reconstruction et payer les salaires.

Heureusement, M. Dormoy a bien assuré son entreprise. Tout de suite après le sinistre, les experts de sa société d'assurances lui rendent visite. Ils estiment les dégâts puis l'encouragent à produire avec les machines restantes et à reconstruire son usine. La société d'assurances prendra à sa charge tous les frais occasionnés par sa reprise d'activité.

Quelques jours plus tard, l'entreprise recommence à produire au ralenti. Comme M. Dormoy a une garantie « pertes d'exploitation », son banquier lui autorise un découvert suffisant pour engager les dépenses nécessaires.

Six mois plus tard, l'entreprise a retrouvé un rythme normal d'activité. Grâce à l'assurance, ce qui aurait pu être une catastrophe n'a finalement été qu'un incident.

## ■ Exercice 1.

*Remplir la grille à l'aide des définitions proposées :*

| | | | | | | | | | | | | | | |
|---|---|---|---|---|---|---|---|---|---|---|---|---|---|---|
| 1 | | | | | | | A | | | | | | | |
| 2 | | | | | | | S | | | | | | | |
| 3 | | | | | | | S | | | | | | | |
| 4 | | | | | | | U | | | | | | | |
| 5 | | | | | | | R | | | | | | | |
| 6 | | | | | | | A | | | | | | | |
| 7 | | | | | | | N | | | | | | | |
| 8 | | | | | | | C | | | | | | | |
| 9 | | | | | | | E | | | | | | | |

**1.** Document qui complète ou modifie les conditions d'un contrat.
**2.** Événement (vol, feu...) qui porte préjudice à l'assuré.
**3.** Ce contre quoi l'assuré veut se protéger.
**4.** Avant de rembourser les dégâts, l'expert doit les .....
**5.** Somme payée par l'assuré pour être couvert.
**6.** Annulation d'un contrat.
**7.** Accord entre l'assureur et l'assuré.
**8.** Renouveler son assurance.
**9.** Date à laquelle il faut payer sa prime d'assurance.

18-C2

## ■ Exercice 2.

*Remettre les termes des phrases dans un ordre logique :*

**1.** nous avions / l'assurance / Si / un accident / nous couvrirait.
**2.** vous seriez responsable / vous n'auriez / Au cas où / pas à vous inquiéter.
**3.** un vol / Dans l'hypothèse d' / est immédiat / le remboursement.
**4.** qu'il vous arrive quelque chose / des dommages et intérêts / vous recevrez / Supposons.
**5.** nous le modifierons / ne vous satisfait pas / le contrat / Si.
**6.** de recommencer / A supposer que / nous vous permettrions / vous ne puissiez plus produire.
**7.** je n'hésiterais pas / une assurance tous risques / à prendre / Si j'étais vous.

## ■ Exercice 3.

*Mettre l'expression d'appartenance qui convient :*

**1.** A qui . . . . cette marchandise ?
**2.** La société . . . . plusieurs magasins en province.
**3.** M. Favier . . . . plus de 50 % de capital de Pulvérix.
**4.** Après le sinistre . . . . a dû indemniser ses clients.
**5.** Votre compagnie d'assurances vous propose des tarifs réduits, . . . . aussi.
**6.** La société a peu de fonds . . . . .
**7.** Durant l'incendie, plusieurs ouvriers se sont brûlé . . . . .
**8.** A qui . . . . ces documents ?
**9.** Le patron voudrait voir toutes les polices . . . . société.
**10.** La qualification . . . . experts nous paraît satisfaisante.
**11.** Nous . . . . trop de stocks.
**12.** Si vos bâtiments sont mal assurés, . . . . le sont bien.

**a)** la mienne
**b)** appartient
**c)** propres
**d)** les nôtres
**e)** possède
**f)** avons
**g)** des
**h)** leurs mains
**i)** détient
**j)** le propriétaire
**k)** sont
**l)** de la
**m)** les mains
**n)** du

## 18-D1 ■ Comment exprimer l'hypothèse.

**1.** — **Supposez que** vous soyez victime d'une inondation ? **Admettons** que l'eau endommage votre entrepôt ?
— **Au cas où** cela arriverait, vous me rembourseriez, n'est-ce pas ?

**2.** — **Si** vos locaux brûlaient, seriez-vous indemnisés ?
— **A supposer que** cela arrive, nous sommes bien assurés.

**3.** — **Dans l'hypothèse où** vous aimeriez augmenter la garantie, la prime augmenterait aussi.
— Est-ce que je garderais mon bonus, **si** je modifiais mon contrat ?

**4.** — **A votre place (si j'étais vous)**, je n'hésiterais pas à souscrire cette assurance.
— **Admettons que** je souscrive. Quel avantage est-ce que j'aurais ?

**5.** — **Et si** je vous proposais une réduction de la prime ?
— **Dans ces conditions**, je pourrais bien accepter.

## 18-D2 ■ Comment exprimer l'appartenance.

| | |
|---|---|
| *de, du, de la, des* | C'est le bureau **de** Michel.<br>Je pars avec la voiture **du** patron. |
| *être à, appartenir à, posséder, avoir, détenir, être le propriétaire* | Ce chéquier **est (appartient) à** M. Fiol.<br>Il **a (possède)** une grande fortune.<br>Nous **détenons** le record de productivité.<br>C'est le **propriétaire** de l'usine. |
| *mon, ton, son ; ma, ta, sa ; mes, tes, ses ; notre, votre, leur ; nos, vos, etc.* | **Ta** carte de crédit est périmée.<br>**Leurs** factures sont mieux présentées que **les nôtres.**<br>**Attention :** Il tourne **la** tête. Il se lave **les** mains. |
| *le mien, la mienne, les miens, etc.* | Pourquoi envier **leurs** machines ?<br>**Les nôtres** sont aussi modernes que **les leurs.** |
| Pour renforcer : *propre.* | Il a fondé sa **propre** entreprise. |

## 18-D3 ■ Corrigés des exercices.

EXERCICE 1 : **1 :** avenant. **2 :** sinistre. **3 :** risque. **4 :** évaluer. **5 :** prime. **6 :** résiliation. **7 :** contrat. **8 :** reconduire. **9 :** échéance.

EXERCICE 2 : **1 :** Si nous avions un accident, l'assurance nous couvrirait. **2 :** Au cas où vous seriez responsable vous n'auriez pas à vous inquiéter. **3 :** Dans l'hypothèse d'un vol, le remboursement est immédiat. **4 :** Supposons qu'il vous arrive quelque chose, vous recevrez des dommages et intérêts. **5 :** Si le contrat ne vous satisfait pas, nous le modifierons. **6 :** A supposer que vous ne puissiez plus produire, nous vous permettrions de recommencer. **7 :** Si j'étais vous, je n'hésiterais pas à prendre une assurance tous risques.

EXERCICE 3 : **1 :** b. **2 :** e. **3 :** i. **4 :** j. **5 :** a. **6 :** c. **7 :** m. **8 :** k. **9 :** l. **10 :** g. **11 :** f. **12 :** d.

# CHAPITRE 19 ■ INFORMATIQUE ET BUREAUTIQUE.

**A** - DIALOGUE

**A1.** Un micro-ordinateur... pour quoi faire ?

**A2.** Remarques.

**B** - DOCUMENTS

**B1.** Document 1 : qu'est-ce qu'un ordinateur ?

**B2.** Document 2 : la télématique.

**B3.** Document 3 : le fonctionnement de la télécopie.

**B4.** Document 4 : l'ordinateur est partout.

**C** - EXERCICES

**C1.** Exercice 1.

**C2.** Exercice 2.

**C3.** Exercice 3.

**D** - LANGUE

**D1.** Comment exprimer l'espoir.

**D2.** Comment exprimer la relation dans le temps entre deux faits.

**D3.** Corrigés des exercices.

SCÉNARIO

L'entreprise Pulvérix utilise des ordinateurs pour de nombreuses tâches : gestion de la paie, comptabilité, études, gestion de stocks...

Cependant l'informatique évolue vite. Il faut s'adapter et s'équiper avec le matériel le plus récent pour rester compétitif.

# 19-A1 ■ Un micro-ordinateur... pour quoi faire ?

*Luc Giraud, l'informaticien[1] de la société, déjeune au restaurant du personnel avec Anne Paillet, responsable du personnel. Ils parlent d'une décision qui vient d'être prise au conseil d'administration.*

**A.P.** - Alors, ça y est, tu vas les avoir, tes nouvelles machines[2] ?

**L.G.** - Oui, mais tu sais, ce ne sont plus réellement *mes* machines.

**A.P.** - Pourquoi ? C'est toi qui les feras marcher, non ?

**L.G.** - Pas comme avant. Tu vois, l'informatique[3] se décentralise. Avant, c'est dans mon service que tout se faisait : on entrait[4] les données[5], on sortait les listages[6]... Vous n'aviez pas d'accès direct à l'ordinateur.

**A.P.** - Alors, qu'est-ce qui va changer ?

**L.G.** - Eh bien, tu vas avoir un terminal[7] dans ton bureau, relié directement à l'unité centrale[8]. Et en plus, tu auras dans ton service un micro-ordinateur[9].

**A.P.** - Mais, je ne sais pas me servir de ce matériel !

**L.G.** - Ne t'en fais pas[10], le constructeur de l'ordinateur va vous prendre en stage[11] ; il ne fera pas de vous des analystes-programmeurs[12], mais il vous apprendra à bien vous servir de ces machines.

**A.P.** - Qu'est-ce que je pourrai faire, par exemple ?

**L.G.** - Je ne sais pas... par exemple, tiens, quand tu voudras faire le planning des départs en vacances, au lieu de me le demander, tu appelleras directement le programme[13] concerné, tu entreras les éléments dont tu disposes et ensuite le planning apparaîtra sur l'écran.

**A.P.** - Et qu'est-ce que nous ferons du micro-ordinateur ?

**L.G.** - Il te servira à gérer ton service. Là, tu auras besoin de moi pour concevoir ou adapter un logiciel[14].

**A.P.** - Et on pourra faire du traitement de texte[15] ?

**L.G.** - Oui, tu pourras taper et corriger tes textes qui seront entrés en mémoire[16] et tu ne sortiras sur ton imprimante[17] que des textes absolument sans faute.

**A.P.** - C'est un progrès formidable !

**L.G.** - Ce n'est qu'un début ; bientôt, tu auras un bureau presque sans papier. Quand tu devras envoyer un rapport au patron, tu l'enverras de la mémoire de ton micro à la mémoire du sien ; et il pourra le lire sur son écran.

1. **informaticien** (n.m.) : spécialiste d'**informatique** (n.f.).
2. **machine** (n.f.) : ici, un **ordinateur**, une machine électronique.
3. **informatique** (n.f.) : **traitement** de l'information par des ordinateurs.
4. **entrer** (v.) : introduire les informations, les données, dans la machine = **saisir les données** ; la saisie des données.
5. **donnée** (n.f.) : en informatique, les informations qu'il faut traiter.
6. **listage** (n.m.) : liste de renseignements imprimée sur une machine (une **imprimante**) reliée à l'ordinateur.
7. **terminal** (n.m.) : machine munie d'un **clavier** (semblable à celui d'une machine à écrire), d'un **écran**, et reliée à un ordinateur.
8. **unité** (n.f.) **centrale :** ordinateur central auquel sont reliés un ou plusieurs terminaux.
9. **micro-ordinateur** (n.m.) : petit ordinateur de bureau.
10. **Ne t'en fais pas** = Ne t'inquiète pas !
11. **stage** (n.m.) : période passée à apprendre ou à mettre en pratique des techniques nouvelles.
12. **analyste-programmeur** (n.m.) : personne qui peut analyser le travail à faire par l'ordinateur et **concevoir** un programme pour exécuter ce travail.
13. **programme** (n.m.) (informatique) : ensemble ordonné des opérations qui mènent au résultat désiré ; écrire, faire (concevoir) un programme.
14. **logiciel** (n.m.) : programme destiné au traitement par ordinateur.
15. **traitement** (n.m.) **de texte :** programme informatique qui permet de modifier un texte écrit (lettre, circulaire, documents de toutes sortes) sans le réécrire en entier.
16. **mémoire** (n.f.) : partie d'un ordinateur où sont stockées les informations (les données).
17. **imprimante** (n.f.) : machine reliée à l'ordinateur qui imprime les informations ou les résultats donnés par l'ordinateur.

## ■ Qu'est-ce qu'un ordinateur ?

Les dictionnaires vous diront que c'est une machine électronique de traitement de l'information. C'est surtout un appareil qui a une prodigieuse **mémoire.** Des informations de toutes sortes peuvent être stockées et classées dans cette mémoire. Pour faire entrer ou sortir ces informations, l'ordinateur ne reçoit pas des ordres dans un langage ordinaire, mais dans un langage codé (par exemple, le *cobol,* le *basic* ou le *fortran*) : à partir d'un choix très simple de signes, on peut arriver à dire les choses les plus compliquées. Ces langages informatiques permettent de « converser » avec l'ordinateur.

Une fois les informations introduites dans l'ordinateur, il reste à lui indiquer ce qu'il doit en faire. L'ensemble de ces instructions constitue le **programme** ou le **logiciel.**

Pour introduire les informations dans la mémoire centrale de l'ordinateur, les **programmeurs** se servent de divers supports matériels : cartes perforées, bandes magnétiques, cassettes, disquettes. Si vous ne devez y introduire que quelques données ou instructions très simples, il est possible d'utiliser un « clavier », similaire à celui d'une machine à écrire.

Pour retrouver l'information à la sortie et obtenir les résultats du traitement, il suffit de disposer d'un **terminal-écran,** analogue à celui d'un téléviseur ou d'une **imprimante,** sorte de machine à écrire aussi rapide que l'ordinateur.

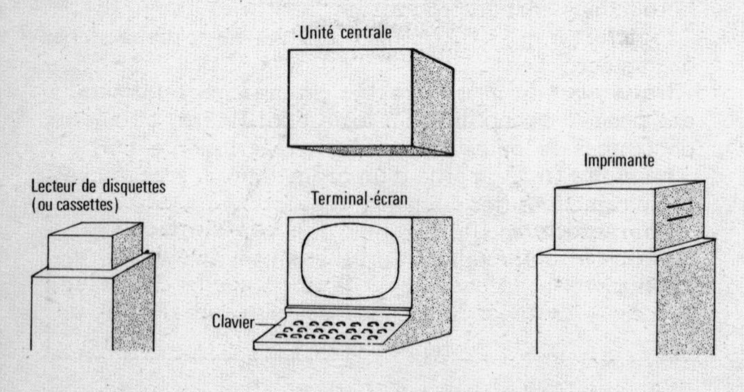

## 19-B2 ■ La télématique : le mariage de l'informatique et des télécommunications.



La télématique est née de l'association de l'ordinateur et de deux appareils bien connus : le téléphone et la télévision ; le téléphone pour communiquer avec l'ordinateur, l'écran de télévision pour lire les réponses.

Parmi les nombreuses techniques nées de ce mariage, voici les principales :

**Le vidéotex**
Le terminal de vidéotex relie le téléphone à un écran de télévision et permet à l'utilisateur de consulter à domicile les informations fournies par des banques de données, de poser des questions et d'en recevoir les réponses.

**La téléconférence**
C'est un système de communication audiovisuelle à distance. Il permet, à l'aide d'écrans et de lignes téléphoniques, à plusieurs personnes séparées géographiquement, de tenir une réunion de travail ou d'assister à une conférence.

**La télématique**
Informatique
+
Télécommunications

**La télécopie**
Ce procédé permet de photocopier à distance n'importe quel document.

**Le visiophone**
C'est le téléphone visuel : l'image de l'interlocuteur apparaît sur un écran.

## 19-B3 ■ Le fonctionnement de la télécopie.

| ÉMISSION | RÉCEPTION |
| --- | --- |
| 1 Je mets dans le tiroir de mon télécopieur le document que je désire transmettre à mon correspondant. | |
| 2 J'appelle mon correspondant au téléphone, en composant son numéro sur mon cadran. | |
| | 3 Mon correspondant décroche son téléphone et donne son identité. |
| 4 J'appuie sur la touche « émission ». | |
| | 5 Mon correspondant reçoit la tonalité « Télécopie » et appuie sur la touche « réception ». |
| 6 La transmission terminée (le document est reproduit par le télécopieur de mon correspondant en quelques secondes), je retire mon document de mon télécopieur | |
| | 7 Mon correspondant retire de son télécopieur le document télécopié et en prend connaissance. |

*Si votre correspondant est absent, la transmission est également possible. A votre appel, le télécopieur-récepteur se déclenche automatiquement et télécopie votre document.*

*A son retour, votre correspondant trouvera dans le tiroir de son télécopieur le document reproduit.*

**Dans les transports**

Vous voulez vous rendre à Rome par avion. A l'agence de voyages, l'employé interrogera l'ordinateur depuis son terminal. Il pourra vous dire aussitôt s'il reste une place disponible, et, dans l'affirmative, vous réservera la place désirée.

**Chez les commerçants**

Vous payez encore la plupart de vos achats avec des billets de banque, des chèques ou des cartes de crédit. Mais déjà aujourd'hui, dans certains magasins, et surtout demain, vous utiliserez la carte de paiement électronique.

**Dans l'entreprise**

Il faut gérer, compter, classer, réunir des informations... L'ordinateur sait très bien faire tout cela. C'est même sa fonction. Il s'occupera donc de la gestion financière, commerciale et administrative : calcul de la paye, de la comptabilité, de la facturation, des stocks...

**A l'usine**

La production s'est, elle aussi, informatisée. L'usine sans ouvriers, c'est (presque) possible, avec les robots, ces travailleurs infatigables, hautement fiables et rentables. Et puis, avec la robotisation, quel bond en avant pour les rendements et les capacités de production de l'entreprise !

**Au bureau**

La révolution *« bureautique » (l'introduction de l'informatique dans les bureaux)* est déjà bien commencée. Elle vise tout simplement à faire exécuter par des machines la totalité ou une partie des tâches administratives.

La machine de **traitement de texte** constitue l'avant-garde de cette révolution. Elle se compose d'un clavier, qui commande une mémoire informatique, d'un écran de visualisation et d'une imprimante. Cette nouvelle machine à écrire « intelligente » est un mini-ordinateur. Si elle est reliée au téléphone, le document rédigé peut être transmis immédiatement au destinataire par télécopieur. C'est le **courrier** (ou **messagerie**) **électronique.**

## ■ Exercice 1.

*Compléter les phrases suivantes avec les expressions de temps proposées :*

**1.** .... son programme, il l'a testé sur l'ordinateur.
**2.** .... il est informaticien, il travaille ici.
**3.** .... apprendre l'informatique, il était chômeur.
**4.** Le directeur est en mission .... 10.
**5.** .... vous aurez les résultats, apportez-les moi.
**6.** Michel a appris l'informatique .... d'un stage.
**7.** .... nous nous informatisions, nous étions 18.
**8.** Entrez les données, .... attendez les résultats.
**9.** .... les programmes sont bien pensés, leur réalisation devient plus facile.
**10.** Nous ne pourrons vous donner le montant des charges qu'.... la paie.
**11.** Il gère la production et, ...., il s'occupe du service informatique.
**12.** .... les travaux, l'ordinateur sera inutilisable.

**a.** Avant que
**b.** Après avoir fini
**c.** Ensuite
**d.** Après
**e.** Avant d'
**f.** en même temps
**g.** au cours
**h.** Une fois que
**i.** jusqu'au
**j.** Pendant
**k.** depuis qu'
**l.** Dès que

19-C2

## ■ Exercice 2.

*Voici le mode d'emploi d'un ordinateur. Les phrases ont été mises dans le désordre. Remettre ces phrases dans un ordre logique :*

**1.** Ensuite entrez le numéro de code.
**2.** Dès que vous avez un résultat, mettez-le en mémoire.
**3.** d'abord, mettez le contact.
**4.** indiquez que vous abandonnez...
**5.** Puis vous ferez votre travail.
**6.** Si vous voulez vous servir de ce programme, voici ce qu'il faut faire :
**7.** Quand vous avez fini de travailler,
**8.** Vérifiez que tous les appareils sont bien allumés.
**9.** Enfin, n'oubliez pas d'éteindre les appareils.
**10.** Quand la machine aura enregistré le code,
**11.** en frappant sur la touche « K.I. ».
**12.** elle affichera sur l'écran que vous pouvez commencer.

## ■ Exercice 3.

*Chercher avec quelles phrases il est possible d'employer les expressions de temps suivantes :*

**1.** Avant - **2.** Pendant - **3.** Après.

MODÈLE : ... de partir
→ avant de partir : expression correcte.

**a.** mon essai.
**b.** que je le fais
**c.** qu'il soit venu
**d.** que tu l'apprennes
**e.** que je ne parte
**f.** mon départ
**g.** avoir essayé
**h.** de m'expliquer le BASIC
**i.** de commencer le travail
**j.** son travail
**k.** que je regarde l'écran
**l.** être resté en Irlande

| | a | b | c | d | e | f | g | h | i | j | k | l |
|---|---|---|---|---|---|---|---|---|---|---|---|---|
| 1. AVANT | | | | | | | | | | | | |
| 2. PENDANT | | | | | | | | | | | | |
| 3. APRÈS | | | | | | | | | | | | |

## 19-D1 ■ Comment exprimer l'espoir.

*Voici un entretien d'embauche.*

— **J'espère que** vous connaissez un peu l'informatique.
— Je regrette mais je n'ai suivi aucune formation dans ce domaine. Cependant, **j'ai bon espoir de** m'y initier bientôt.
— **J'y compte bien !**
— Je crois que je pourrai apprendre assez vite.
— **C'est souhaitable !**
— **Si seulement** vous vouliez me prendre à l'essai.
— Je n'y vois pas d'objection, **pourvu que** vous fassiez l'affaire. Mais **je souhaite vivement** que vous puissiez vous mettre à l'informatique.
— **On peut espérer** que je m'y connaîtrai dans quelques mois.
— Attendez-moi un instant, je vous prie.
...
— Écoutez, je suis désolé, on me signale que le poste est déjà pourvu.
— Je suis bien déçu.
— **Ne désespérez pas. Vous finirez par** trouver du travail !

## 19-D2 ■ Comment exprimer la relation dans le temps entre deux faits.

**La simultanéité :** deux événements ont lieu en même temps

| | |
|---|---|
| *pendant, au cours de* + nom | *Pendant le / au cours du* déchargement, une caisse est tombée. |
| *pendant que, quand, comme, alors, tandis que* + ind. | *Pendant que* nous déchargions, une caisse est tombée. |
| *au moment où, en même temps que* | Un contrôleur l'a arrêté *au moment où* il prenait le train. Il a réglé sa facture *en même temps que* M. Rouleau. |
| le gérondif : *(tout)* + *en* + part. prés. | Il a rempli le chèque, *(tout) en* répon*dant* au téléphone. |

**L'antériorité :** l'événement a lieu avant un autre

| | |
|---|---|
| *d'abord, avant, auparavant* | Nous déjeunerons à 12 h, mais il faut *d'abord* rédiger ce rapport. |
| *jusqu'à, en attendant* *jusqu'à ce que, en attendant que* + subj. | Je reste là — *jusqu'à / en attendant* votre retour — *jusqu'à ce que / en attendant que* vous reveniez |
| *avant* + nom *avant que* + subj. | Cette affaire sera réglée — *avant* l'établissement du bilan. — *avant que* le bilan soit établi. |

**La postériorité :** l'événement a lieu après un autre

| | |
|---|---|
| *puis, ensuite, après, depuis* + nom | Je donne un coup de fil, *puis* nous allons déjeuner. |
| *depuis que* + ind. | *Depuis* son mariage, elle est souvent absente. *Depuis qu'*elle est mariée, elle est souvent absente. |
| *après* / *dès* + nom | *Après* la fin de la réunion, vous passerez me voir. |
| *après que, dès que, quand, aussitôt que, une fois que + ind.* | *Dès que* la réunion sera terminée, vous passerez me voir. |

## 19-D3 ■ Corrigés des exercices.

EXERCICE 1 : **1 :** b ; **2 :** k ; **3 :** e ; **4 :** i ; **5 :** l ou h ; **6 :** g ; **7 :** a ; **8 :** c ; **9 :** h ou l ; **10 :** d ; **11 :** f ; **12 :** j.
EXERCICE 2 : 6, 3, 8, 1, 10, 12, 5, 2, 7, 4, 11, 9.
EXERCICE 3 : **1.** a, c, d, e, f, h, i, j. **2.** a, b, j, k. **3.** a, f, g, j, l.

# CHAPITRE 20 ■ FISCALITÉ, IMPÔTS.

**A** - DIALOGUE

**A1.** Votre entreprise paie des impôts ?

**A2.** Remarques.

**B** - DOCUMENTS

**B1.** Document 1 : différents types d'impôts.

**B2.** Document 2 : les ressources et les dépenses de l'État.

**B3.** Document 3 : répartition des recettes et des dépenses de l'État.

**B4.** Document 4 : la T.V.A.

**C** - EXERCICES

**C1.** Exercice 1.

**C2.** Exercice 2.

**C3.** Exercice 3.

**D** - LANGUE

**D1.** Comment nuancer, minimiser.

**D2.** Comment exprimer la proportion.

**D3.** Corrigés des exercices.

SCÉNARIO

Les impôts sont un grand sujet de discussion. Pascal Favier est au Mexique et son client ne peut s'empêcher de lui demander comment le système fiscal fonctionne en France. Ce qui l'intrigue surtout, c'est la T.V.A...

# 20-A1 ■ Votre entreprise paie des impôts ?

*Lors d'une tournée de prospection au Mexique, Pascal Favier rend visite à José Aguilar, acheteur dans une chaîne de magasins. Ce dernier se propose de commercialiser les produits Pulvérix dans la région de Mexico. On en vient à parler impôts durant le déjeuner.*

**J.A.** - Vous me parlez toujours de prix hors taxes[1] et de prix toutes taxes comprises. Il s'agit bien sûr de votre T.V.A.[2]. J'avoue ne pas bien comprendre ce système d'impôt sur la consommation. Quel en est le taux[3] d'abord ?

**P.F.** - Il n'y a pas un seul taux mais quatre différents, selon la nature des produits. Pour les produits de première nécessité[4], il est de 5,5 % ou de 7 % et pour les produits dits de luxe de 33,33 %. Il y a un taux intermédiaire de 18,60 %.

**J.A.** - Et cet impôt, qui le paie, finalement ?

**P.F.** - Les consommateurs en paient la totalité. Le fonctionnement de la T.V.A. est assez compliqué. A chaque étape de la production, l'agent économique[5] verse une part de T.V.A. au fisc[6], c'est-à-dire à l'administration des impôts. Il récupère[7] ensuite ce qu'il a payé en majorant[8] les prix qu'il fait payer à ses clients. Mais en ce qui nous concerne, il n'y a pas de T.V.A., les prix export sont calculés hors taxes.

**J.A.** - Mais si la T.V.A. n'est pas supportée par les entreprises, à quels impôts sont-elles soumises ?

**P.F.** - Ne vous inquiétez pas, notre ministre des Finances a pensé à nous. Nous devons payer un impôt sur le revenu[9] des sociétés. A 50 % du bénéfice réalisé.

**J.A.** - Il doit sûrement exister des moyens pour éviter d'en payer trop.

**P.F.** - Bien sûr, mais, vous savez, de nombreux inspecteurs sont là pour empêcher la fraude fiscale[10]. Pourtant certaines entreprises, souvent petites, arrivent à travailler « au noir »[11], c'est-à-dire sans facture.

**J.A.** - Et je suppose que vos frais[12] sont déductibles[13], par exemple pour venir en voyage d'affaires[14].

**P.F.** - Malheureusement pas en totalité.

**J.A.** - Et qu'arrive-t-il si vous oubliez de payer vos impôts ?

**P.F.** - Le contribuable[15] doit remplir une déclaration de revenus[16]. S'il ne le fait pas, il risque des pénalités[17], une majoration de 10 % par exemple.

1. **prix** (n.m.) **hors taxes** *(prix H.T.)* : prix sans les taxes ; quand les taxes sont incluses, on parle de *prix toutes taxes comprises (prix T.T.C.).*
2. **T.V.A. :** Taxe à la valeur ajoutée ; impôt sur la consommation.
3. **taux** (n.m.) : taux d'imposition = proportion du prix d'un produit qui constitue l'impôt.
4. **produit** (n.m.) **de première nécessité :** par exemple, la nourriture.
5. **agent** (n.m.) **économique :** unité économique qui produit ou consomme des biens et/ou des services ; par ex. : l'entreprise, le ménage.
6. **Fisc** (n.m.) : administration chargée de collecter **(recouvrer)** l'impôt. **L'agent du fisc** : le **percepteur, l'inspecteur des impôts.**
7. **récupérer** (v.) : reprendre, rentrer en possession de...
8. **majorer** (v.) : augmenter (un prix) ; la **majoration**
   CONTRAIRE : **minorer.**
9. **impôt** (n.m.) **sur le revenu :** impôt sur le revenu des personnes physiques (I.R.P.P.) ou des sociétés.
10. **fraude** (n.f.) : ici, moyens illégaux de ne pas payer d'impôts ou d'en payer moins ; frauder le fisc.
11. **travailler** (v.) **« au noir » :** travailler hors du cadre légal de l'activité économique. Le travail « au noir » se fait contre paiement en espèces et sans facture. Ainsi le client ne paie pas la T.V.A. et le travailleur « au noir » ne déclare pas son salaire au fisc.
12. **frais** (n.m.) : les frais professionnels ; les dépenses qu'une personne engage pour le compte de sa société lors d'un voyage, par exemple : chambre d'hôtel, restaurant, billet d'avion...
13. **déductible** (adj.) (du verbe **déduire**) : qui peut être déduit, soustrait d'un certain montant.
14. **voyage** (n.m.) **d'affaires :** voyage fait pour le compte de la société.
15. **contribuable** (n.m.) : personne qui paie des impôts.
16. **déclaration** (n.f.) **des revenus :** déclaration **(formulaire)** que le contribuable doit remplir chaque année, en indiquant le montant de ses revenus.
17. **pénalités** (n.f.) : somme d'argent supplémentaire que le contribuable doit payer, par exemple, s'il a fraudé et que le fisc s'en rende compte.

## 20-B1 ■ Différents types d'impôt.

Impôts

- sur le **revenu**
  - des personnes physiques
  - des sociétés
- sur la **consommation**
  - T.V.A.
  - Droits de douane
  - Taxes diverses : tabacs, alcools
- sur le **capital**
  - Impôts sur les grandes fortunes
  - Droits de succession et de donation
  - Droits d'enregistrement (mutations à titre onéreux).

## 20-B2 ■ Les ressources et les dépenses de l'État.

| Nous avons besoin des services publics | Nos impôts financent les services publics |
| --- | --- |
| **Pour une dépense de 100 F,** l'État consacre : | **Sur 100 F d'impôt,** l'État reçoit : |
| **26,80 F** à la *solidarité :* personnes âgées, chômeurs, handicapés, logement… | **43,60 F** de T.V.A. la *taxe sur la valeur ajoutée* est comprise dans le prix payé par les particuliers pour leurs achats. |
| **23,10 F** à l'*éducation* et à la *culture :* écoles, lycées, universités, stades. | **8,80 F** d'impôts sur les sociétés. Cet impôt est égal à 50 % des bénéfices des sociétés. |
| **21,60 F** aux *services généraux* du pays : administration, justice, police… | **20,60 F** d'impôt sur le revenu ; l'impôt sur le revenu concerne tous les revenus des ménages. |
| **16,10 F** à la *défense nationale :* armée. | **27,00 F** d'autres impôts ; droits de douane, enregistrement. |
| **12,40 F** à l'*action économique :* routes nationales, ports, subventions aux entreprises. | |

## 20-B3 ■ Répartition des recettes et des dépenses de l'État.



La Sécurité sociale et les impôts

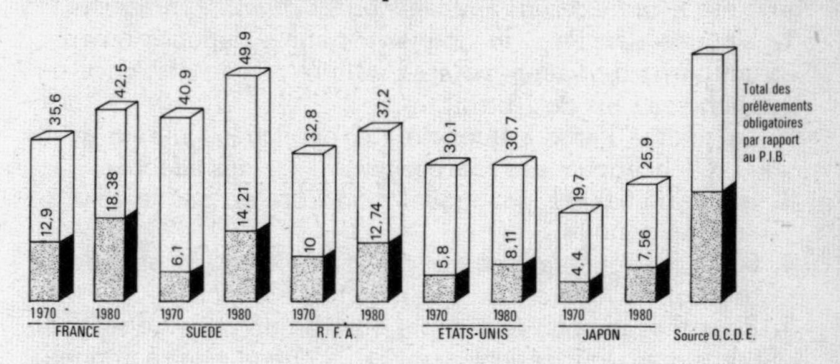


## 20-B4 ■ La T.V.A. *(Taxe à la Valeur Ajoutée).*

Ce sigle signifie « Taxe à (ou sur) la valeur ajoutée », et non comme le prétendaient certains humoristes lors de sa création en 1954, « tout va augmenter ».

Cette taxe frappe la valeur ajoutée aux produits et aux services à chaque étape de leur production et de leur distribution. Elle est perçue, lors de la vente de ces produits et services, par les entreprises qui la versent ensuite au fisc. Mais comme ces dernières l'incluent dans le prix de vente, c'est en définitive le consommateur qui en supporte le poids.

La T.V.A. a été adoptée par les dix pays de la C.E.E., mais les taux restent différents.

En France, il existe 4 taux :

— le taux *super-réduit :* **5,5 %,** appliqué à la plupart des produits alimentaires ;

— le taux *réduit :* de **7 %** appliqué aux livres, médicaments, transports de voyageurs, logements meublés...

— le taux *normal* de **18,6 %** qui frappe la plupart des produits manufacturés courants : vêtements, électroménager, boissons...

— le taux *majoré* de **33,3 %** pour les produits dits de luxe (parfums, voitures...).

Les commerçants doivent indiquer sur leurs factures :

— le prix H.T. (hors taxes),

— le taux de T.V.A.,

— le prix T.T.C. (toutes taxes comprises).

## 20-C1 ■ Exercice 1.

*Compléter chaque phrase avec l'expression* (le quart, le tiers, etc.), *qui exprime précisément la quantité indiquée.*

**1.** L'année dernière, le gouvernement a dépensé environ 5 milliards de francs pour la culture ; cette année, il en dépensera plus de 10, soit le . . . .

**2.** La société Paros a licencié 120 employés. Elle en avait 360. Ce licenciement représente le . . . . des effectifs.

**3.** Je gagne 6 000 F par mois ; mon frère en gagne 18 000. Il touche donc le . . . .

**4.** 60 % des foyers ne paient pas d'impôts, 40 % en paient. C'est donc 4 foyers . . . . qui paient des impôts.

**5.** Pour mes impôts, je compte environ un mois de salaire. Je dois donc leur réserver un . . . . de mon salaire annuel.

**6.** C'est aujourd'hui le 1er mai et je dois payer mes impôts vers le 15, c'est-à-dire dans une . . . . de jours.

**7.** Il me devait 10 000 F. Il m'en a remboursé 7 500 F, soit les . . . .

**8.** Il y a dix ans notre chiffre d'affaires était de 2 millions de francs environ. Il approche maintenant de 8 millions. Il a donc . . . . .

**9.** Quel est le taux de la T.V.A. pour les produits de luxe, tels que les parfums ? (écrire la réponse en lettres) : . . . . .

## 20-C2 ■ Exercice 2.

*Voici un questionnaire. Compléter les phrases suivantes avec les mots ou expressions proposés :*

**1.** Quel est le . . . . de la T.V.A. sur les produits de première nécessité ?

**2.** A qui faut-il verser l'impôt ? Au . . . . .

**3.** Les prix à l'exportation sont des prix . . . . . . . . .

**4.** Si le budget de l'État augmente, c'est le . . . . qui paiera.

**5.** Le sigle T.T.C. veut dire : . . . . . . . . . . . .

**6.** Si vous essayez de payer moins d'impôts de manière illégale ? C'est de la . . . . . . . . .

**a.** fraude fiscale
**b.** contribuable
**c.** taux
**d.** fisc
**e.** toutes taxes comprises
**f.** hors taxes

## ■ Exercice 3.

*En se servant des documents de ce chapitre, répondre le plus précisément possible aux questions suivantes :*

**1.** De quel genre d'impôts font partie les droits de douane ?
**2.** Comment s'appellent les impôts payés directement au fisc par le contribuable ?
**3.** L'État reçoit 8,8 % de ses revenus de quelle source ?
**4.** Donner un exemple d'impôt sur le capital.
**5.** A quoi l'État consacre-t-il environ 26 % de ses revenus ?
**6.** Comment appelle-t-on le taux de la T.V.A. égal à 7 % ?
**7.** Que veut dire l'expression : prix H.T. ?

## 20-D1 ■ Comment nuancer, minimiser.

**1.** — J'appelle cette pratique : fraude fiscale.
— **Je ne dis pas que vous ayez tort, mais** il faut essayer de comprendre.

**2.** — Nous allons encore payer plus d'impôt cette année.
— **Peut-être vos craintes sont-elles exagérées ;** avez-vous les chiffres précis ?

**3.** — Les dépenses de l'État ont augmenté de 30 %.
— **Vous exagérez un peu,** ne croyez-vous pas ?

**4.** — Mais je n'arriverai jamais à payer tous mes impôts.
— Oh ! **ce n'est pas si grave que cela.** Votre société est saine, vous pouvez toujours emprunter.

**5.** — Encore un impôt ! Nous en payons déjà assez.
— **Je ne serai pas aussi catégorique que vous.** L'État doit trouver des ressources supplémentaires.

**6.** — Les derniers chiffres de l'inflation prouvent que j'ai raison.
— **Est-ce qu'ils sont vraiment significatifs ? En fait** l'économie est en train de se remettre.

**7.** — Mon chiffre d'affaires s'est effondré de 20 % en juin.
— **Il ne faut pas s'inquiéter, c'est normal** en cette saison.

**8.** — On m'a dit que la T.V.A. allait augmenter de 1 %, tu te rends compte ?
— **Je n'ai pas l'impression qu'on puisse vraiment croire** ces rumeurs.

**9.** — Cette société perd de l'argent depuis trois ans au moins.
— **Ça ne veut pas dire grand-chose,** elle peut très bien faire des bénéfices l'année prochaine.

## 20-D2 ■ Comment exprimer la proportion.

**Fractions et pourcentage**

*Les 3/4 (trois quarts)* des habitants sont partis = *75 % (soixante-quinze pour cent)* des habitants sont partis = *Trois* habitants *sur quatre* sont partis
1/8 (un huitième) = 12,5 % (douze virgule cinq pour cent ou douze et demi pour cent)
1/2 : la moitié = 50 % : cinquante pour cent
2/3 : les deux tiers ; 4/5 : les quatre cinquièmes

**Multiples**

Son salaire est *le double du* mien = Il gagne *deux fois plus que* moi = Son salaire est *deux fois plus élevé que* le mien
*Triple = 3 fois plus ; quadruple = 4 fois plus...*

**Quantités approximatives**

<table>
<tr><td rowspan="6">Il y avait</td><td>une centaine de</td><td rowspan="6">cent</td><td rowspan="6">visiteurs</td></tr>
<tr><td>à peu près</td></tr>
<tr><td>environ</td></tr>
<tr><td>approximativement</td></tr>
<tr><td>quelque (invariable)</td></tr>
<tr><td>dans les</td></tr>
</table>

une dizaine, une douzaine, une quinzaine, une vingtaine, une trentaine... un millier.

## 20-D3 ■ Corrigés des exercices.

EXERCICE 1 : **1 :** le double (ou deux fois plus). **2 :** le tiers. **3 :** le triple. **4 :** (4 foyers) sur 10. **5 :** un douzième. **6 :** une quinzaine. **7 :** les trois quarts. **8 :** quadruplé. **9 :** trente trois virgule trois (33,3 %) pour cent.

EXERCICE 2 : **1 :** c. **2 :** d. **3 :** f. **4 :** b. **5 :** e. **6 :** a.

EXERCICE 3 : **1 :** les impôts indirects. **2 :** les impôts directs. **3 :** l'impôt sur les sociétés. **4 :** l'impôt sur les grandes fortunes ou les droits de succession ou les droits d'enregistrement. **5 :** à la solidarité. **6 :** le taux réduit. **7 :** prix hors taxes.

# CHAPITRE 21 ■ RELATIONS DU TRAVAIL.

**A** - DIALOGUE

**A1.** Faudra-t-il licencier des ouvriers ?

**A2.** Remarques.

**B** - DOCUMENTS

**B1.** Document 1 : un tract syndical.

**B2.** Document 2 : contre la semaine de 35 heures.

**B3.** Document 3 : les revendications les plus pressantes.

**B4.** Document 4 : pour ou contre l'intérim ?

**B5.** Document 5 : la grève continue...

**B6.** Document 6 : l'organisation d'un syndicat.

**C** - EXERCICES

**C1.** Exercice 1.

**C2.** Exercice 2.

**C3.** Exercice 3.

**D** - LANGUE

**D1.** Comment exprimer la surprise.

**D2.** Comment exprimer le moment.

**D3.** Corrigés des exercices.

SCÉNARIO

L'entreprise est soumise aux fluctuations du marché et au progrès technologique qui déterminent ses besoins en main-d'œuvre. Quand arrivent des machines nouvelles qui vont rendre « inutiles » plusieurs dizaines d'employés, les syndicats essaient de négocier avec la direction pour protéger les intérêts de ces derniers.

# 21-A1 ■ Faudra-t-il licencier des ouvriers ?

*Louis Favier et Claude Roy discutent d'un projet qui peut avoir des conséquences importantes pour le personnel[1].*

**L.F.** - Claude, avez-vous eu des réactions des syndicats[2] au sujet de notre projet de modernisation de l'atelier A ?

**C.R.** - Les représentants syndicaux m'ont fait savoir officieusement[3] leur position.

**L.F.** - Faut-il s'attendre à un conflit[4] ?

**C.R.** - Je ne crois pas que nous aurons une grève[5] ; il faut s'attendre à des revendications[6]. Il nous faudra négocier.

**L.F.** - Qu'est-ce qui les inquiète le plus ?

**C.R.** - Deux choses. Premièrement les licenciements[7], car ils savent bien que des machines plus perfectionnées sont plus automatisées ; deuxièmement le recyclage[8] des ouvriers qui travailleront sur ces nouvelles machines.

**L.F.** - Il est facile de les rassurer sur le recyclage. Nous avons un budget-formation[9] qui nous permettra de leur trouver des stages[10].

**C.R.** - Effectivement, ce problème sera réglé assez facilement.

**L.F.** - Avez-vous pris contact avec l'inspection du travail[11] en ce qui concerne les éventuels[12] licenciements ?

**C.R.** - Bien sûr, l'inspecteur veut à tout prix éviter une augmentation du chômage[13] dans la région, car il est difficile pour les ouvriers de se reclasser[14] en ce moment.

**L.F.** - Pourtant, il y a bien des moyens de réduire la main-d'œuvre[15], non ?

**C.R.** - L'inspecteur nous suggère de supprimer des emplois de la manière suivante : nous pouvons d'abord ne pas remplacer les ouvriers qui partent en retraite. Nous pouvons également proposer une préretraite[16] aux ouvriers les plus âgés...

**L.F.** - Combien de postes[17] pouvons-nous supprimer ainsi ?

**C.R.** - Une dizaine dans les mois à venir.

**L.F.** - Ça ne sera pas assez.

**C.R.** - Il nous suggère aussi d'étudier les possibilités de remploi dans les entreprises de la région.

**L.F.** - Et pour ceux que l'on ne pourra pas reclasser ?

**C.R.** - Je n'en sais encore rien... Mais j'espère que nous réussirons à moderniser notre atelier sans recourir[18] à des licenciements.

1. **personnel** (n.m.) : le personnel de l'entreprise : toutes les personnes qui y travaillent ; le **service du personnel.**
2. **Syndicat** (n.m.) : association de travailleurs en vue de défendre leurs intérêts professionnels. Le **représentant** (ou le **délégué**) **syndical** d'une entreprise représente un syndicat auprès de la direction.
3. **Officieusement** (adv.) : CONTRAIRE : **officiellement.**
4. **Conflit** (n.m.) : désaccord entre les salariés et la direction à propos des conditions de travail, par exemple.
5. **grève** (n.f.) : un arrêt du travail pour obtenir des avantages de la direction ; **faire la grève, être (se mettre) en grève, donner un ordre de grève.**
6. **revendication** (n.f.) (du verbe revendiquer) : **réclamer, exiger, demander.**
7. **licenciement** (n.m.) (du verbe **licencier**) : renvoyer un salarié, **mettre à la porte, congédier.** CONTRAIRE : **engagement, embauche.**
8. **recyclage** (n.m.) (du verbe **recycler**) : offrir une formation qui complète ou met à jour les connaissances acquises précédemment.
9. **formation** (n.f.) : ici, la formation professionnelle : l'apprentissage des théories et des techniques nécessaires à un travail particulier.
10. **stage** (n.m.) : exercice d'une activité temporaire en vue de sa formation ou de son perfectionnement professionnel.
11. **Inspection** (n.f.) **du travail :** institution gouvernementale chargée de faire respecter l'application des lois sociales dans les entreprises ; un **inspecteur du travail.**
12. **éventuel** (adj.) : possible, qui peut ou non se produire.
13. **chômage** (n.m.) : être en chômage = ne plus avoir de travail ; mettre des ouvriers en chômage ; un **chômeur.**
14. **reclasser** (v.) : trouver un nouvel emploi ; le **reclassement.**
15. **main-d'œuvre** (n.f.) : ensemble des personnes qui travaillent.
16. **préretraite** (n.f.) : offrir à un employé de prendre sa retraite avant l'âge légal, tout en lui assurant des ressources.
17. **poste** (n.m.) : un travail, une situation professionnelle.
18. **recourir** (v.) : **avoir recours** = employer, utiliser un dernier moyen pour trouver une solution.

# ■ Un tract syndical.

**LA RÉDUCTION DU TEMPS DE TRAVAIL DANS LA CHIMIE**

Pour 19.., la C.F.D.T.[1] a deux **priorités :**
— maintien du pouvoir d'achat, avec revalorisation des bas salaires ;
— réduction du temps de travail.

| **35 heures** au plus tard **en 19..**<br>pour **vivre mieux**<br>pour **créer des emplois** |
|---|

Démarche de la C.F.D.T. - chimie

La réduction du temps de travail se fera de toutes les façons !... Mais **comment ?** Qui décidera des modalités, des aménagements nécessaires ?
Réduire la durée du travail est un problème plutôt complexe, étant donné la diversité des situations.
C'est pourquoi **nous devons réfléchir** entre collègues à la réduction du temps de travail et aux conséquences sur l'organisation de chaque service.
Nous avons écrit au ministère de l'Industrie ainsi qu'au C.N.P.F.[2] (division chimie) pour que des **négociations** sur la réduction du temps de travail s'engagent **immédiatement.**

Mais
— nos **patrons** restent des patrons : ils ne sont pas favorables à une telle mesure ;
— le **gouvernement** ne joue pas son rôle, il ne fait rien pour favoriser les négociations. Les choses piétinent...

C'est à **nous tous** de nous préparer, de réagir.
C'est à **chacun de nous,** avec l'expérience d'un vrai syndicat comme la C.F.D.T., d'intervenir pour que le travail soit effectivement réduit et pour éviter que le patronat décide seul des modalités d'application.

CE QUE NOUS VOULONS ?

— Des **négociations locales** pour que les besoins du personnel soient vraiment pris en considération.
— Un **accord-cadre** au niveau national.

**1.** C.F.D.T. : Confédération Française Démocratique du Travail
**2.** C.N.P.F. : Conseil National du Patronat Français

## 21-B2 ■ Contre la semaine de 35 heures.

« Les syndicats veulent travailler moins, avoir du *« temps pour vivre »*, sans diminution de salaire. C'est une revendication louable, mais tout à fait inacceptable dans notre monde actuel, parce qu'irréaliste économiquement. Réduire la durée du travail en maintenant la rémunération inchangée, c'est augmenter de manière substantielle nos coûts de production et, en conséquence, perdre notre compétitivité sur les marchés extérieur et même intérieur.

La semaine de 35 heures, c'est conduire l'entreprise à sa perte, notre balance commerciale au déficit et la classe ouvrière à un chômage encore plus généralisé. »

*Déclaration du Secrétaire Général du Conseil National du Patronat Français* (C.N.P.F.)

## 21-B3 ■ Les revendications les plus pressantes.

*Il y a un certain nombre de revendications dont on parle actuellement. Dans cette liste, quelles sont, selon vous, les deux ou trois qui sont les plus urgentes à réaliser ?* (en % des réponses)

| | |
|---|---|
| L'abaissement de l'âge de la retraite ........ | **46** |
| L'augmentation des salaires ............... | **42** |
| La réduction du temps de travail à 35 heures par semaine sans diminution de salaire ...... | **38** |
| L'amélioration des services sociaux et collectifs (crèches, hôpitaux, stades, piscines) ..... | **36** |
| Une meilleure protection contre les licenciements ......................... | **36** |
| La réduction de l'éventail des salaires ....... | **35** |
| La protection des droits syndicaux dans les entreprises ........................ | **13** |
| L'allongement des congés payés .......... | **11** |
| L'élection des dirigeants des entreprises par le personnel ....................... | **2** |
| Sans opinion ......................... | **2** |

*Le pourcentage est supérieur à 100, les personnes interrogées ayant pu donner plusieurs réponses.*

## ■ L'intérim : pour ou contre ?

Être femme et avoir moins de vingt-cinq ans : deux handicaps pour trouver du travail. Une solution ? **l'intérim.**

Elles sont secrétaires, sténodactylos ou standardistes ; elles travaillent trois jours ici, trois mois là ; elles prennent leurs vacances hors saison et elles ne sont jamais sûres du lendemain. Ce sont les **intérimaires**.

Pourquoi ont-elles choisi l'intérim ? Quel bilan tirent-elles de cette forme d'activité professionnelle ?

20 % de ces intérimaires sont motivées par le goût de l'aventure : elles ont horreur de toute forme de stabilité. Mais pour les autres, l'intérim est d'abord un moyen d'échapper au chômage.

« On nous laisse souvent les travaux que personne ne veut faire. »

« Les autres employés nous regardent d'un sale œil. S'ils sont moins compétents, ils ont peur qu'on prenne leur place. »

« C'est dur d'arriver au vendredi soir et de ne pas savoir où l'on sera le lundi. »

« Je vois sans arrêt des gens différents. Je travaille quand j'ai vraiment besoin de fric. L'intérim, c'est la liberté. »

« L'intérim nous donne une formation professionnelle hors pair et développe des facultés d'adaptation. »

« Alors que j'ai été engagée comme sténodactylo, mon chef de service utilise mes compétences et me confie des travaux de secrétaire bilingue... mais sans ajuster mon salaire à cette qualification. »

« Pourquoi rester des années dans un même endroit ? L'intérim est dur, mais c'est aussi la liberté ; je peux partir quand je veux, ne pas avoir de patron. »

**Pourquoi choisit-on l'intérim ?**

| | |
|---|---|
| Je devais travailler pour gagner ma vie ....... | **58 %** |
| Je voulais travailler à temps partiel .......... | **15 %** |
| J'espérais trouver ainsi un emploi permanent .. | **11 %** |
| Je voulais travailler pour une courte durée .... | **8 %** |
| Je voulais faire différentes expériences professionnelles ........................ | **5 %** |

## La grève continue pour les éboueurs[1] de Paris

La grève du personnel de nettoyage de la ville de Paris continue depuis dix jours. Le mouvement est largement suivi : de 85 à 90 % selon les responsables municipaux. Après l'échec des négociations du 24 janvier, les grévistes ont appelé tout le personnel à participer à une réunion générale, jeudi 27 janvier à midi, pour appuyer leurs revendications sur l'aménagement des horaires et sur les bas salaires pratiqués par Toutnet, société chargée du ramassage des ordures de la ville de Paris.

1) **éboueur** (n.m.) : employé municipal chargé du ramassage des ordures ménagères.

## 21-B6 ■ L'organisation d'un syndicat.

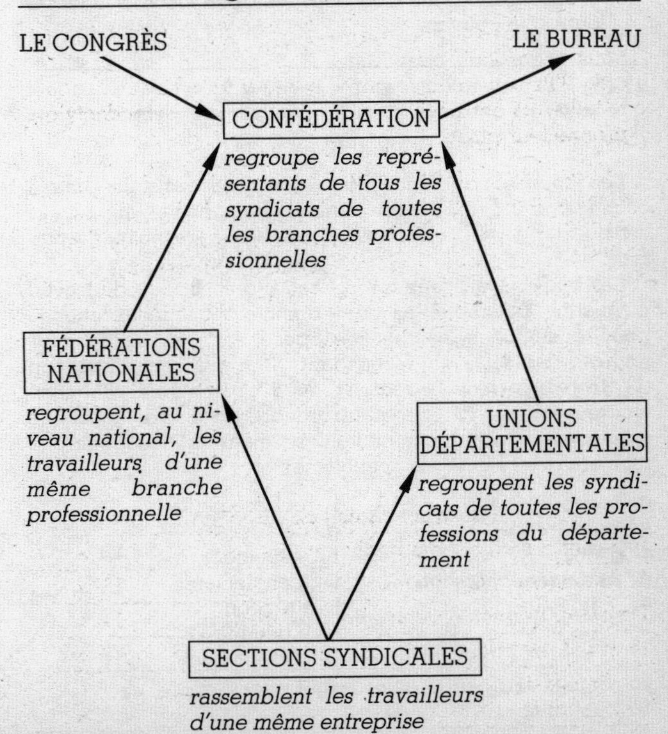

## 21-C1 ■ Exercice 1.

*Voici un questionnaire à remplir pour le journal de l'institution dans laquelle vous travaillez. Répondez à chaque question en cochant la case appropriée.*

**1.** Travaillez-vous en groupe ?
☐ jamais ☐ rarement ☐ toujours

**2.** Partez-vous en vacances avec des amis ?
☐ je refuse ☐ de temps en temps ☐ régulièrement

**3.** Parlez-vous de votre vie personnelle avec vos collègues ?
☐ pas du tout ☐ pas souvent ☐ tous les lundis

**4.** Avez-vous de bons rapports avec vos collègues ?
☐ vraiment pas ☐ pas toujours ☐ si j'ai besoin d'eux

**5.** Pensez-vous être d'un contact facile ?
☐ aucunement ☐ ça dépend des jours ☐ en général

**6.** Invitez-vous vos amis à déjeuner ?
☐ rarement ☐ une ou deux fois par mois ☐ tous les jours si je pouvais

## 21-C2 ■ Exercice 2.

*Compléter le texte suivant avec les mots proposés.*

Les employés de l'entreprise ne sont pas satisfaits. Ils ont organisé une **1** .... pour demain. Leur principale **2** .... est que les **3** .... annoncés par la **4** .... sont inacceptables.

Les **5** .... syndicaux ont été reçus par l'**6** .... du travail ce matin. Ensemble, ils ont examiné plusieurs solutions : pour les employés les plus âgés, des **7** ...., et pour les plus jeunes, des **8** ..... Cependant, il n'y a pas beaucoup d'entreprises dans la région ; les **9** .... seront difficiles. Heureusement l'**10** .... peut prendre en charge plusieurs employés. Il a également fallu se mettre d'accord sur le montant des **11** .... de licenciement.

**a.** revendication
**b.** préretraites
**c.** grève
**d.** assurance-chômage
**e.** congés-formation
**f.** reclassements
**g.** délégués
**h.** inspecteur
**i.** licenciements
**j.** direction
**k.** indemnités

## 21-C3 ■ Exercice 3.

*La colonne de gauche donne des expressions qui marquent le temps par rapport au présent, celle de droite des expressions qui marquent le temps par rapport au passé ou au futur. Trouver dans les deux colonnes celles qui se correspondent.*

| | |
|---|---|
| **1.** aujourd'hui | **a.** à ce moment-là |
| **2.** maintenant | **b.** la semaine suivante |
| **3.** en ce moment | **c.** ce jour-là |
| **4.** cette année | **d.** le lendemain |
| **5.** la semaine prochaine | **e.** alors |
| **6.** hier | **f.** la veille |
| **7.** après-demain | **g.** cette année-là |
| **8.** demain | **h.** le mois précédent |
| **9.** le mois dernier | **i.** deux heures plus tard |
| **10.** dans deux heures | **j.** le surlendemain |

## 21-D1 ■ Comment exprimer la surprise.

**1.** — Les ouvriers viennent de se mettre en grève !
— **C'est à peine croyable** ; surtout en ce moment.

**2.** — On m'a dit que Lambert a été renvoyé.
— **J'en suis le premier surpris.** Lui, un employé si sérieux.

**3.** — Notre projet a été accepté par la direction générale.
— **Quelle surprise** ! je commençais à ne plus y croire.

**4.** — Elle a décidé une augmentation des salaires de 5 %.
— **Il est incroyable qu'on obtienne** si peu !

**5.** — La prime de fin d'année sera plus élevée, cette fois.
— **Ça alors,** en pleine crise, **je n'en reviens pas** !

**6.** — Avez-vous des nouvelles de M. Paul ?
— Non, **ça m'étonne.** Nous n'en avons aucune depuis son départ en retraite.

**7.** — Le patron m'a dit que tu serais promu.
— Eh bien, **c'est une bonne surprise** !

**8.** — Tu sais que la société va fermer son usine de Grenoble ?
— **Je n'en crois pas mes oreilles.** C'est son usine la plus moderne.

**9.** — Le directeur du personnel a officiellement refusé ta proposition aujourd'hui.
— **C'est surprenant.** Il m'avait paru plutôt favorable.

## 21-D2 ■ Comment exprimer le moment.

### Par rapport au moment où l'on est

| *Quand vendez-vous votre produit ?* | | |
|---|---|---|
| **Nous l'avons déjà vendu**<br>• le mois dernier.<br>• il y a, ça fait, voilà *trois jours / quelque temps.*<br>• hier ; avant-hier.<br>• récemment.<br>• tout à l'heure. | **Nous le vendons**<br>• ce mois-ci.<br>• en ce moment.<br>• maintenant.<br>• aujourd'hui. | **Nous le vendrons**<br>• le mois prochain.<br>• dans *trois jours.*<br>• demain ; après-demain.<br>• bientôt ; prochainement.<br>• tout à l'heure. |
| **La direction ne négociait pas**<br>• en ce temps-là.<br>• dans le passé.<br>• autrefois (jadis).<br>• alors. | **La direction négocie plus souvent**<br>• actuellement.<br>• de nos jours.<br>• à présent.<br>• maintenant.<br>• à l'heure actuelle. | **La direction négociera encore plus souvent**<br>• à partir de maintenant.<br>• désormais (dorénavant).<br>• à l'avenir. |

### Par rapport à un moment du passé ou du futur

| Nous l'*avions* / l'*aurions quitté* | Nous l'*avons quitté* / le *quitterons* | Nous l'*avons quitté* / le *quittions* / le *quitterons* |
|---|---|---|
| • le mois *précédent / d'avant.*<br>• trois jours *avant / auparavant / plus tôt.*<br>• la veille ; l'avant-veille. | • ce mois-là.<br>• à ce moment-là.<br>• ce jour-là. | • le mois *suivant / d'après.*<br>• trois jours / *après / plus tard.*<br>• le lendemain... |

## 21-D3 ■ Corrigés des exercices.

EXERCICE 1 : A vous de juger si vous êtes sociable !
EXERCICE 2 : **1 :** c. **2 :** a. **3 :** i. **4 :** j. **5 :** g. **6 :** h. **7 :** b. **8 :** e. **9 :** f. **10 :** d. **11 :** k.
EXERCICE 3 : **1 :** c. **2 :** e. **3 :** a. **4 :** g. **5 :** b. **6 :** f. **7 :** j. **8 :** d. **9 :** h. **10 :** i.

# CHAPITRE 22 ■ LES MESSAGES DANS L'ENTREPRISE.

**A** - DOCUMENTS

**A1.** Document 1 : le cas Butot.
**A2.** Document 2 : présentation de la lettre commerciale.
**A3.** Document 3 : présentation de l'enveloppe.
**A4.** Document 4 : comment commencer une lettre d'affaires ?
**A5.** Document 5 : comment terminer une lettre ?
**A6.** Document 6 : comment demander ?
**A7.** Document 7 : conversation téléphonique.
**A8.** Document 8 : le télex, le téléphone qui écrit.

**B** - EXERCICES

**B1.** Exercice 1.
**B2.** Exercice 2.
**B3.** Exercice 3.
**B4.** Exercice 4.

**C** - Corrigés des exercices

**9 h 20 : Votre téléphone sonne**

— Allô !
— Société *Pulvérix*, bonjour.
— Ah, bonjour Mademoiselle. Je voudrais parler au responsable des ventes, vous pouvez me le passer ?
— Ah ! je regrette Monsieur, mais il n'est pas dans son bureau pour l'instant.
— Bon, écoutez, est-ce que je pourrais lui laisser un message, s'il vous plaît ?
— Bien sûr, je vous écoute.
— Voilà, c'est au sujet d'une livraison de 150 balances digitales, référence 138, que je vous ai commandées le 22 mars. Or il était convenu que la marchandise nous parviendrait dans les trois semaines. Mais nous n'avons toujours rien reçu. Alors pouvez-vous lui demander de contacter le directeur commercial des établissements Butot le plus vite possible, d'accord ?
— Vous pouvez compter sur moi, Monsieur, je lui transmettrai.
— Très bien, je vous remercie. Au revoir, Mademoiselle.
— Au revoir, Monsieur.

**9 h 25 :** *Vous remplissez la fiche téléphonique suivante, destinée à avertir votre directeur, M. Renton, de la communication téléphonique que vous venez d'avoir.*

**Message pour** Maurice Renton

*Pendant votre absence*
M. Le directeur commercial
des Établissements BUTOT - TOULON
TÉL. (94) 322.04.85

| | | **MESSAGE** |
|---|---|---|
| **– a téléphoné** | ☒ | *la livraison de 150 balances, réf. 138 (commande du 22 mars), promise pour le 15 avril, au plus tard, n'a toujours pas été effectuée.* |
| **– a voulu vous rencontrer** | ☐ | *Le directeur commercial demande de le rappeler le plus tôt possible.* |
| **– demande de le rappeler** | ☒ | |
| **– vous appellera** | ☐ | |
| **– urgent** | ☒ | |

*DATE le 21 avril* *Heure 9 h 20*

Reçu par Myriam Courcier

**14 h 30 :** *Votre directeur a entrepris des recherches et vous remet la note écrite suivante :*

> Commande exécutée, comme prévu, le 6 avril à 10 heures. Les 15 colis ont été confiés à la Compagnie routière « TRANSPORT A PORTE », facture jointe, à destination des Ets BUTOT, 18, av. Jean-Jaurès, 83200 TOULON.

**14 h 45 :** *Vous décidez d'adresser un message télex à l'entreprise « TRANSPORT A PORTE », dont le numéro télex est 220 584 (le vôtre étant 560 228) pour lui demander ce qu'il est advenu des marchandises qui lui ont été remises le 6 avril.*

**15 h 50 :** *Vous recevez, sur votre télex, de « TRANSPORT A PORTE » la réponse suivante :*

> 54421
> PULVÉRIX
> 21-4 15 h 50
> TRANSPORT A PORTE
>
> *Avons retrouvé colis* BUTOT. *Erreur d'acheminement à Toulouse au lieu de Toulon. Réexpédiés ce jour, ils seront remis au destinataire le 23 avril au plus tard.*
> *Regrets*
> *Cordialement*
> FIN
> ***
> PULVÉRIX
> TRANSPORT A PORTE

**16 h 30 :** *N'arrivant pas à joindre les Ets Butot par téléphone (leur ligne est en dérangement), vous décidez de leur adresser une lettre.*

PULVÉRIX
S.A. au capital de...
21, rue du Moulin
77300 FONTAINEBLEAU

ÉTABLISSEMENTS BUTOT
63, bd Jean-Jaurès
83200 Toulon

V/Réf.
N/Réf.
Objet : retard livraison.

Monsieur le Directeur commercial,

A la suite de votre appel téléphonique de ce jour, nous avons entrepris des recherches pour retrouver les 150 balances, réf. 138, que vous nous avez commandées le 22 mars et que vous n'avez toujours pas reçues.

Nous avons bien remis, le 6 avril, 15 colis à la Compagnie routière « TRANSPORT A PORTE » qui devait vous les livrer deux jours plus tard.

Malheureusement, par suite d'une erreur, ils ont été acheminés non pas à Toulon, mais à Toulouse, où ils sont restés en souffrance jusqu'à ce jour.

L'entreprise de transport concernée nous a assuré qu'elle procédait à leur réexpédition et que les balances vous seraient remises le 23 avril au plus tard.

Nous espérons que vous ne nous tiendrez pas rigueur de ce retard, tout à fait indépendant de notre volonté, et vous prions de croire, Monsieur le Directeur commercial, à nos sentiments dévoués.

Le Directeur des ventes
M. Renton

AFNOR Norme Z 11.001

ZONE 1

Établissements BUTOT
S.A.R.L. au capital de 105 000 F
18, av. Jean-Jaurès, 83200 Toulon

C.C.P. Toulon 22048 Tél. (28) 322.04.85
R.C. Toulon B 653.421.332

ZONE 2

PULVÉRIX
32, rue du Moulin
77300 Fontainebleau

ZONE 3

Vos réf.
Nos réf.
J.B./R.T.
OBJET :
Demande de documentation

Toulon,
Le 8 mars 19..

ZONE 4

Messieurs,

Lors de la Foire de Paris, j'ai visité votre stand et vos balances digitales m'ont particulièrement intéressé.

Je vous serais obligé de bien vouloir m'adresser une documentation technique sur les différents modèles, ainsi que vos conditions de vente.

Dans l'attente de votre réponse, je vous prie de croire, Messieurs, à mes sentiments les meilleurs.

ZONE 5

P.J. 0

Butot

G. BUTOT

# 22-A2 ■ Présentation de la lettre commerciale (suite).

L'A.F.N.O.R. (Association française de normalisation) recommande la présentation ci-contre (norme Z 11 001). Mais les entreprises, pour personnaliser leur courrier, y apportent souvent des modifications.

ZONE 1 : **l'en-tête**
— Nom (ou raison sociale) et adresse de l'expéditeur.
— Pour une société, il est obligatoire d'inscrire la forme juridique.
— A droite et à gauche : indications diverses sur l'expéditeur : numéro de téléphone, adresse télégraphique, compte bancaire ou postal...).
— Généralement tous les renseignements de l'en-tête sont pré-imprimés sur le document.

ZONE 2 : **la suscription**
— Nom et adresse du destinataire.
— Le titre doit être écrit en entier. Ex. Monsieur le Directeur, et non, M. le Dr.
— Vous écrivez à une société et vous voulez que votre lettre soit remise à une personne déterminée, vous mentionnez alors : « A l'attention de Monsieur X.. ».

ZONE 3 : **les références, l'objet et la date**
— Les *références :* c'est indiquer qui est à l'origine de la lettre dans la société. « J.B. » sont les initiales de la personne qui a pris la responsabilité de la lettre. « R.T. » sont celles de la personne qui a dactylographié la lettre.
— *L'objet* indique le fait qui a motivé la rédaction de la lettre ou le contenu de la lettre. L'objet est exprimé brièvement (en 2 ou 3 mots).
— *Lieu et date de création.* Mettre une virgule après le nom de la ville. Écrire de préférence le mois en lettres et sans majuscules.

ZONE 4 : **le titre, le texte et la signature**
— *Le titre :* écrire, en entier, le titre du destinataire : « Monsieur le Secrétaire général ». Si vous écrivez à une société, mettre « Messieurs », de préférence à « Monsieur ». Dans une lettre d'affaires, on commence rarement par « Cher Monsieur ».
— *Le texte :* Chaque paragraphe peut commencer directement à la marge ou en retrait de quelques centimètres. Laisser un interligne double entre chaque paragraphe.
— *La signature :* Seule la signature manuscrite est valable juridiquement en cas de contestation. Elle est généralement accompagnée du titre et du nom dactylographiés du signataire.

ZONE 5 : **les pièces jointes**
— *P.J.* quand il y a lieu, on indique le nombre et la nature des documents qui accompagnent la lettre.
Exemple : P.J. 2 : un curriculum vitae
un certificat de travail
— *P.S.* (post-scriptum) : pour ajouter quelque chose à la fin d'une lettre.

*Pour faciliter le bon acheminement de votre courrier en France, l'enveloppe doit être présentée de la façon suivante :*

1 .... ..........................................

2 .... ........................... Monsieur Jean Bonneau

3 .... ........................... 8, av. de Choisy

4 .... ........................... 75013 Paris cedex 13

**1.** Partie réservée à l'affranchissement (timbre).

**2.** Si vous écrivez à une personne qui occupe une fonction importante dans une société, vous inscrivez son titre et non pas son nom (à moins que la lettre soit personnelle).

Exemple : Monsieur le Directeur Technique
Société Maritaine

**3.** Attention : les noms « rue », « avenue »... commencent par une minuscule. Il est possible d'écrire «boulevard », « avenue » en abrégé : bd, av.

**4.** Le code postal est composé de 5 chiffres, les deux premiers correspondent au département, les autres au bureau distributeur.

Cedex : courrier d'entreprise à distribution exceptionnelle.

**Remarques**

— *La boîte postale :* vous pouvez louer une « boîte postale » dans votre bureau de poste, où il vous sera possible de venir retirer votre courrier au moment souhaité, sans attendre la distribution à domicile.

— *La poste restante :* si vous ne disposez pas de domicile fixe, vous faites adresser votre courrier à un bureau distributeur « en poste restante ». Vous le retirez contre présentation d'une pièce d'identité.

— *La lettre recommandée :* La lettre n'est remise au destinataire que contre sa signature.
S'il y a « accusé de réception », la poste avertira l'expéditeur que la lettre a bien été remise au destinataire.

— *Un envoi contre remboursement :* l'envoi (un paquet, par exemple) ne sera remis au destinataire que si ce dernier accepte de payer le prix de l'objet envoyé.

— *Faire suivre S.V.P.* (s'il vous plaît) ou *prière de faire suivre.* Vous écrivez cette mention sur l'enveloppe si le destinataire a changé d'adresse et que vous ne connaissez pas sa nouvelle adresse.

# 22-A4 ■ Comment commencer une lettre d'affaires ?

Trois cas peuvent se présenter :

1. — **Lettre de prise de contact**
*Aborder immédiatement le sujet de la lettre :*
• Je vous serais reconnaissant de bien vouloir m'adresser votre tout dernier catalogue.
• J'ai le plaisir de vous faire savoir que notre magasin restera ouvert jusqu'à 22 heures.
• Nous vous prions de nous faire connaître vos conditions de vente.

2. — **Réponse à une lettre**
*Il faut rappeler la lettre reçue :*
• Nous avons bien reçu / Nous accusons réception de / Nous nous référons à / Nous avons pris connaissance de / Nous avons pris bonne note de / Nous vous remercions de
— votre lettre du 12 mars 19.. par laquelle / relative à / se rapportant à...
• En référence à / En réponse à / Suite à votre lettre du...
• Votre lettre du... a retenu toute notre attention.
• Par votre lettre du..., vous nous indiquez vos conditions de livraison.
• Suivant le désir exprimé par votre lettre du...

3. — **Rappel d'une lettre antérieure**
*Rappeler la lettre envoyée :*
• Par ma lettre du 15 mars 19.., je vous demandais le règlement de ma facture n° 802.
• Nous vous confirmons notre lettre du 10 avril dernier dont vous voudrez bien trouver une copie ci-jointe.
• Je me permets de vous rappeler ma lettre du... par laquelle je vous demandais de...
• Vous avez certainement été intéressé par notre lettre du 10 avril 19.. et vous avez pu remarquer...

## A — La conclusion

*Généralement la conclusion exprime un vœu, un souhait, un espoir. Elle précède la formule de politesse qui termine le texte de la lettre.*

| Situations | Formulations |
|---|---|
| *Attente d'une réponse* | • Dans l'attente de votre prochaine réponse, / d'une prompte réponse…<br>• Dans l'espoir de recevoir, de votre part, une réponse favorable…<br>• Nous comptons sur une réponse positive et… |
| *Attente d'une confirmation ou d'une solution* | • Je vous prie de confirmer votre accord dans les plus brefs délais…<br>• Veuillez nous informer de la suite donnée à cette affaire. |
| *Réponse positive à une demande* | • En espérant avoir répondu à votre attente / vous avoir donné satisfaction / vous avoir été utile…<br>• Dans l'espoir que cette solution vous conviendra…<br>• Restant à votre disposition pour tout renseignement supplémentaire… |
| *Réponse négative à une demande* | • Avec le regret / Je regrette<br>— de ne pas pouvoir vous donner satisfaction…<br>— de ne pouvoir répondre favorablement à votre demande. |
| *Demande de renseignements, de service* | • En vous remerciant vivement,/à l'avance…<br>• Avec nos (vifs) remerciements, / remerciements anticipés…<br>• Dans l'espoir que ma demande<br>retiendra votre attention…<br>sera prise en considération…<br>• En espérant que vous prendrez bonne note de ma demande…<br>• En vous offrant nos services pour un cas analogue… |

| | |
|---|---|
| *Le fournisseur fait une offre à son client* | • En espérant que nos propositions seront à votre convenance…<br>• Dans l'espoir d'être favorisé(s) de vos ordres futurs…<br>• En espérant que vous voudrez bien nous réserver votre confiance, comme par le passé… |
| *Réclamation* | • En espérant que vous reconnaîtrez le bien-fondé de ma réclamation…<br>• Dans l'espoir que vous prendrez les mesures qui éviteront la répétition de telles erreurs (de tels retards)… |
| *Excuses* | • Nous vous prions de / Veuillez<br>excuser ce retard (cette erreur)…<br>nous excuser pour (ou de) ce retard… |

B — **La formule de politesse**

Les formules de politesse varient selon le rang social, la fonction du destinataire, selon la nature des rapports que vous entretenez avec lui et selon les circonstances qui motivent la lettre. Le choix de la formule sera déterminé par le degré de respect, de cordialité, de mécontentement que vous voulez manifester à votre correspondant.

*Du respect… à la cordialité*

| | | | | |
|---|---|---|---|---|
| Je vous prie de<br>Veuillez | agréer,[1]<br>recevoir,<br>accepter,<br>croire, | l'assurance de<br>l'expression de<br>............... à | mon profond respect<br>mes sentiments<br>mes salutations | respectueux(ses)<br>dévoués(ées)<br>distingués(ées)<br>les meilleurs(es) |
| | Agréez,<br>Recevez,<br>Acceptez,<br>croyez, | ............ à | mes sentiments<br>mes salutations | distingués(ées)<br>les meilleurs(es) |
| | Croyez, | ............ à | mes sentiments très cordiaux<br>à mon cordial souvenir | |
| | | | Sincèrement (vôtre)<br>Cordialement (vôtre)<br>Amicalement | |

(1) Mettre à cette place, entre virgules, le titre du correspondant

## 22-A6 ■ Comment demander une chose / de faire une chose.



*De l'injonction* (ordre)... *à l'invitation*

— **Nous vous mettons en demeure de** nous livrer la marchandise dans les plus brefs délais.
— **Nous exigeons** } un envoi immédiat des articles
— **Nous réclamons** } manquants.
— **Nous vous demandons** de nous faire connaître, par retour du courrier, votre décision.
— **Nous vous demandons de bien vouloir** considérer ces renseignements comme confidentiels.
— Pour éviter tout malentendu, **vous devez** vous adresser le plus tôt possible au transporteur.
— Pour une information plus complète, **retournez-nous** la carte ci-jointe.
— **Nous attendons** dans tous les cas, une réponse de votre part.
— **Pouvez-vous / pourriez-vous** nous faire parvenir une documentation complète sur vos fabrications ?
— **Nous nous permettons de vous demander** l'échange standard de ces pièces.
— **Vous voudrez bien** nous faire parvenir une facture rectifiée.
— **Nous espérons** une confirmation à ce sujet.
— **Je vous prie de / Je vous prie de bien vouloir** nous tenir informés des résultats de votre enquête.
— **Veuillez** nous faire connaître votre décision le plus tôt possible.
— **Nous souhaitons / nous voudrions / nous aimerions / nous désirerions / nous souhaiterions**
 — obtenir un règlement par traite à 60 jours.
 — que vous nous accordiez un délai supplémentaire de 60 jours.
— En vue d'une éventuelle commande, des informations complémentaires **nous seraient utiles.**
— **Vous nous obligeriez en** acceptant une réduction des frais de transport.
— **Je vous serais reconnaissant de / Je vous serais obligé de / Je vous saurais gré de** m'adresser une documentation.

## 22-A7 ■ Conversation téléphonique : quelques expressions utiles.

**A gauche :** *celles qui peuvent servir à la personne qui appelle.*
**Au centre :** *celles qui peuvent servir aux deux personnes.*
**A droite :** *les expressions qui peuvent servir au correspondant.*

| A gauche | Au centre | A droite |
|---|---|---|
| | Allô, bonjour. | |
| Ici, René Martin.<br>René Martin à l'appareil. | | Entreprise Pulvérix, j'écoute. |
| | Un instant s'il vous plaît. | |
| Je suis bien au 629.30.92 ? | | Oui, c'est exact. |
| | Je vous entends très mal. | |
| Pourrais-je parler à M. Dumont ?<br>Passez-moi M. Dumont. | | Qui demandez-vous ? |
| | Ne quittez pas. | |
| Est-ce qu'il est là ? | | Je vais voir s'il est là. |
| | Il est en ligne.<br>Sa ligne est occupée pour l'instant. | |
| Je rappellerai. | | Pouvez-vous rappeler plus tard ? |
| | A quel numéro ?<br>A quel poste ? | |
| Je vais patienter. | | Pouvez-vous attendre ? |
| | Ne coupez pas. | |
| Est-ce que je peux lui laisser un message ? | | Je lui transmettrai le message. Je lui ferai la commission. |
| | Pouvez-vous répéter lentement ? | |
| Je vous téléphone de la part de M. Dumont. | | C'est à quel sujet ?<br>Pouvez-vous répéter ?<br>Pouvez-vous épeler ce nom ? |

Que vous apporte le télex ?

*Les responsables de SIPLAST, premier fabricant européen des produits bitumineux pour toitures et terrasses, répondent à notre question.*

*Je dirais que le télex complète le téléphone. Le téléphone permet d'établir de meilleures relations personnelles, il est, à ce titre, un outil indispensable. Le télex, lui, s'il est plus impersonnel, est aussi plus concret dans la gestion d'une affaire, puisqu'il se limite aux aspects importants et contractuels.*
*Par télex, on traite des affaires, on s'engage, on conclut un accord. C'est un outil de choix pour les relations avec la clientèle, un outil de gestion moderne et performant.*

Monsieur Maillet,
Président Directeur général.

*Les gens qui utilisent le télex traitent les affaires d'une façon différente. Mieux et plus vite, parce qu'il n'est plus nécessaire de passer du temps à expliquer, justifier, ou quoi que ce soit. Il suffit de donner les quatre informations à transmettre à ma secrétaire : prix, poids, volume, délais. C'est elle qui se charge de mettre en forme, et ça part. Les formules de politesse deviennent inutiles, on ne s'embarrasse pas de mots compliqués.*
*C'est clair, c'est net, précis. Et efficace.*

Monsieur Alain Roussel,
Directeur des Ventes

*Le télex n'est pas, bien sûr, le seul moyen de communiquer avec l'extérieur. Il y a aussi le téléphone et le courrier. Mais disons que le télex est rapide comme le téléphone, et précis comme le courrier.*
*Il va de soi qu'avec le télex, on prépare son message à l'avance, on sait ce que l'on veut dire, et on va droit à l'essentiel. Le temps de transmission est ainsi largement écourté et lorsqu'il s'agit de communiquer avec l'autre bout du monde, c'est une économie appréciable.*

Monsieur Pion, Directeur
administratif et financier

*Je demande toujours, pour toute commande passée par téléphone, une confirmation par télex. Un télex laisse une trace écrite. C'est un commencement de preuve. La confirmation est immédiate, et je peux lancer le travail aussitôt. On peut ainsi mieux organiser le planning de production des usines, sans attendre, sans hésiter.*
*Le télex, quand on travaille à l'échelle internationale, c'est vraiment une obligation. C'est même une évidence.*

Monsieur Christian Marcelet,
Responsable Marketing Export

*Être télexiste, c'est comme être secrétaire, avec un petit « plus » : on travaille à la fois avec tout le monde et avec personne. On est très autonome.*

Pascale Carron,
Télexiste

Extraits d'une publicité P.T.T.

## 22-B1 ■ Exercice 1.

*A quelles intentions de communication se rapportent les phrases suivantes ?*

| | |
|---|---|
| A. **Promettre** | **1.** Nous regrettons de ne pas pouvoir répondre favorablement à votre demande. |
| B. **Menacer** | **2.** Nous vous signalons que nos appareils sont garantis deux ans. |
| C. **Se justifier** | **3.** Vous auriez dû nous prévenir que vous n'étiez pas en mesure de nous livrer avant le 25 décembre. |
| D. **Demander** | **4.** Il est bien entendu que tout retard de livraison entraînerait l'annulation de ma commande. |
| E. **Informer** | **5.** Je crois qu'il serait préférable pour vous de ne pas entrer en relation avec cette société. |
| F. **Refuser** | **6.** A l'avenir nous veillerons à ce qu'une pareille erreur ne se renouvelle pas. |
| G. **Donner un conseil** | **7.** Nous vous prions de considérer ces renseignements comme confidentiels. |
| H. **Reprocher** | **8.** Ce retard est dû à un incident tout à fait indépendant de notre volonté. |

## 22-B2 ■ Exercice 2.

*Dans la lettre suivante, les paragraphes ont été mis dans le désordre.* **1.** Retrouvez le bon ordre. **2.** Complétez les blancs par : *donc, or, en conséquence, toutefois.*

**A.** .... nous vous les réexpédions, ce jour, à vos frais et vous demandons de bien vouloir nous faire livrer les articles manquants avant le 12 juillet 19..

**B.** .... au déballage, nous avons constaté que deux caisses contenaient 30 (2 × 15) balances épicerie, réf. 123.

**C.** Grenoble, le 3 juillet 19..

**D.** En espérant obtenir satisfaction dans de brefs délais.

**E.** Il nous est .... impossible d'accepter les articles reçus.

**F.** Votre envoi du 29 juin 19.. vient de nous parvenir et nous vous en remercions.

**G.** Nous vous prions d'agréer, Monsieur, l'expression de nos meilleurs sentiments.

**H.** .... notre commande du 10 juin portait sur 30 balances « pèse-bébé », réf. 128.

**Mots croisés**

VERTICALEMENT

**1.** C'est un moyen de communication écrite encore souvent employé.
**2.** Veuillez nous faire connaître votre réponse par retour du...

HORIZONTALEMENT

**3.** Nous tenons à vous ..... de la confiance que vous avez bien voulu nous témoigner.
**4.** Si nous ....., veuillez nous téléphoner pour nous rappeler notre engagement.
**5.** Ces articles nous font défaut et ce retard de livraison nous cause un grave .....
**6.** Nous vous adressons un chèque de 7 500 F, en règlement de votre ..... n° 205.
**7.** Notre service après-vente cherche à servir au mieux vos .....
**8.** Nous vous permettons de vous rappeler que, malgré votre accusé de réception de commande nous confirmant la date de ....., aucun article ne nous est encore parvenu.
**9.** Toute commande d'un montant inférieur à 1 000 F fait l'objet d'un ..... au comptant.
**10.** La signature d'une lettre doit être, non pas dactylographiée, mais .....

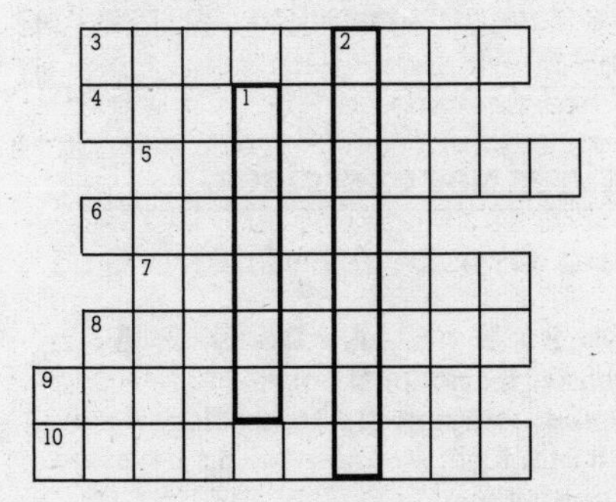

## ■ Exercice 4.

*A quelle situation correspond chacune des phrases ?*

| | |
|---|---|
| **A.** Une banque répond à une demande d'information sur la solvabilité d'une entreprise. | **1.** La régularité de nos règlements antérieurs ainsi que nos bonnes relations vous permettront, nous l'espérons, de répondre favorablement à notre demande. |
| **B.** Deuxième lettre de réclamation pour retard de livraison. | **2.** En conséquence nous vous informons que, sans règlement dans les 48 heures, nous serons contraints de procéder au recouvrement de notre créance par voie judiciaire. |
| **C.** Demande de réduction de prix | **3.** Il va sans dire que ces renseignements vous sont donnés à titre confidentiel et sans engagement de notre part. |
| **D.** Troisième lettre de rappel pour un non-paiement | **4.** Nous vous demandons de tenir compte de ces remarques et de nous faire parvenir, dans les plus brefs délais, les articles qui nous font défaut. |
| **E.** Une entreprise écrit à la suite d'une livraison incomplète | **5.** En conséquence, si vous ne nous livrez pas les marchandises commandées dans les 8 jours, nous annulerons notre commande et vous réclamerons des dommages et intérêts en compensation du préjudice subi. |

## 22-C ■ Corrigés des exercices.

EXERCICE 1 : **A :** 6. **B :** 4. **C :** 8. **D :** 7. **E :** 2. **F :** 1. **G :** 5. **H :** 3.

EXERCICE 2 : 1) **C - F - B - H - E - A - D - G.** 2) **A :** en conséquence. **B :** toutefois. **E :** donc. **H :** or.

EXERCICE 3 : **1 :** lettre. **2 :** courrier. **3 :** remercier. **4 :** oublions. **5 :** préjudice. **6 :** facture. **7 :** intérêts. **8 :** livraison. **9 :** règlement. **10 :** manuscrite.

EXERCICE 4 : **A :** 3. **B :** 5. **C :** 1. **D :** 2. **E :** 4.

# CHAPITRE 23 ■ LA LÉGISLATION SOCIALE.

**A** - DOCUMENTS

**A1.** Document 1 : la formation professionnelle.
**A2.** Document 2 : les principales dates de législation sociale en France.
**A3.** Document 3 : la représentation des salariés dans l'entreprise.
**A4.** Document 4 : un bulletin de salaire.
**A4.** Document 5 : où travaille-on le plus ?

**B** - EXERCICES

**B1.** Exercice 1.
**B2.** Exercice 2.
**B3.** Exercice 3.
**B4.** Exercice 4.

**C** - LANGUE

**C1.** Comment savoir quelle préposition employer entre un verbe et un infinitif.
**C2.** Comment exprimer la volonté ou les sentiments.
**C3.** Corrigés des exercices.

Une loi du 16 juillet 1971 a institué, en France, « la formation professionnelle continue » pour les salariés.

*Quel est l'objectif de cette formation ?*

— Donner à tout salarié les moyens de s'adapter aux nouvelles technologies.
— Favoriser la reconversion professionnelle, le recyclage, qui signifie la mise à jour des connaissances, et la promotion sociale, qui se traduit par une élévation dans la hiérarchie de l'entreprise.

*Qui peut bénéficier de la formation professionnelle ?*

Tous ceux qui exercent une activité professionnelle ainsi que les demandeurs d'emploi (c'est-à-dire les chômeurs).

*Qu'est-ce que le congé de formation ?*

C'est le droit pour tout salarié de suivre une formation de son choix, avec maintien de son contrat de travail.

*Quelles sont les conditions pour bénéficier du congé de formation ?*

Avoir 24 mois d'ancienneté dans la branche professionnelle, dont 6 mois dans l'entreprise.

*Quelle est la durée du congé ?*

Elle est fixée à 1 an au maximum pour un stage, à temps plein, continu.

*L'employeur peut-il refuser un congé de formation ?*

Non, si le salarié a déposé sa demande auprès de l'employeur dans les délais légaux (30 à 60 jours à l'avance, selon le type de stage). L'employeur peut seulement reporter le congé. Ce report ne peut excéder 1 an et doit être motivé.

*Qui paye la formation ?*

Les frais de la formation sont à la charge de l'employeur qui doit consacrer, chaque année, 1,1 % de la masse salariale de l'entreprise à des actions de formation. Dans certains cas, le salarié conserve également son salaire.

**1791** Interdiction des groupements professionnels (loi Le Chapelier).

**1841** Limitation à 68 heures de la durée hebdomadaire du travail pour les jeunes de 12 à 16 ans.

**1864** Autorisation du droit de grève.

**1884** Possibilité de créer des syndicats.

**1900** Limitation de la journée de travail à 11 h.

**1906** Institution du repos hebdomadaire obligatoire.

**1928** Création des assurances sociales.

**1936** Semaine de travail de 40 heures.
2 semaines de congés payés.

**1945** Création de la Sécurité Sociale.
Institution du Comité d'entreprise.

**1956** Congés payés de 3 semaines.

**1969** 4 semaines de congés payés.

**1970** Création du S.M.I.C. (Salaire minimum interprofessionnel de croissance).

**1971** Instauration de la formation continue (ou permanente).

**1982** Semaine de 39 heures.
5 semaines de congés payés.

**1983** Retraite à 60 ans.

## 23-A3 ■ La représentation des salariés dans l'entreprise.

### Les salariés de l'entreprise ouvriers, employés, agents de maîtrise, cadres

— Peuvent **adhérer** au **syndicat** de leur choix :

• le syndicat professionnel a pour objet l'**étude** et la **défense** des **droits** ainsi que des **intérêts** matériels et moraux de ses membres ;

• tout **salarié** de plus de 16 ans, quels que soient son sexe, sa nationalité, sa religion, peut **adhérer librement** à un syndicat ;

• un **délégué syndical**, salarié désigné par le syndicat de l'entreprise, est chargé de représenter la section syndicale auprès du chef d'entreprise et d'informer les adhérents de l'activité du syndicat.

— Peuvent **élire :**

• les **délégués du personnel** (obligatoires dans les entreprises employant au moins 10 salariés) : ils présentent à l'employeur toutes les revendications individuelles ou collectives ;

• les **membres du comité d'entreprise.** (obligatoire dans les entreprises d'au moins 50 salariés). Ce comité :
— doit être consulté sur certaines décisions : licenciement collectif, plan de formation...
— doit être informé sur l'activité économique, financière et sociale de l'entreprise ;
— participe à la gestion des « œuvres sociales » de l'entreprise (cantine, crèche...).

**Pulvérix**
S.A. au capital de ..... F
21, rue du Moulin
77300 Fontainebleau Cedex

N°Siret :
N° URSSAF :

Bulletin de paie du 1er au 31 décembre 19..
Nom : PERINEAU Philippe
Adresse : 18, rue Clouet, 77300 Fontainebleau
Qualification : aide-comptable
N° S.S. : 1-51-03-15-062-028

| | | |
|---|---|---|
| **Salaire mensuel** : 168 heures × 48,20 F ....... | | 8 097,60 |
| **Heures supplémentaires** (majorées de 25 %) 8 × 60,25 ........ | | 482 |
| **Prime d'ancienneté** ........ | | 350 |
| | SALAIRE BRUT | 8 929,60 |
| **Retenues** | Taux | |
| — S.S. maladie | 5,6 % ........ | 500,05 |
| — S.S. vieillesse | 4,7 % ........ | 419,60 |
| — Assurance-chômage | 1,72 % ........ | 135,50 |
| — Retraite complémentaire | 2,1 % ........ | 187,50 |
| | Total des retenues | 1 260,65 |
| | Net imposable | 7 668,95 |
| **Acomptes** | | |
| **NET A PAYER** | | **7 668,95** |

**Salaire payé** : 28 décembre 19..
**Mode de paiement** : virement

## ■ Où travaille-t-on le plus ?

| | ALLEMAGNE FÉDÉRALE | FRANCE | ÉTATS-UNIS | JAPON |
|---|---|---|---|---|
| **Durée hebdomadaire légale moyenne** *(en 1979)* | 40 h<br>41,9 h | 39 h<br>40,6 h | 40 h<br>35,6 h | 40 h<br>40,7 h |
| **Durée annuelle** *(en 1979)* | 1 709 h | 1 769 h | 1 888 h | 2 056 h |
| **Durée des congés** *(en 1980)* | Légale : 3 semaines. Conventions : 5 semaines à partir de 30-35 ans. | 5 semaines. | - 2 semaines<br>- 4 semaines après 20 ans d'ancienneté. | 6 jours. |
| **Jours fériés** *(en 1980)* | 9 à 13 selon les Länder | 8 | 9 | 10 |
| **Durée maximale de travail (en heures)** | 43 h par semaine<br>2 h supplémentaires / jour et 30 par an. | 48 h par semaine<br>46 h en moyenne sur 12 semaines. | Pas de limitation légale. | Pas de limitation légale. |
| **Age de la retraite** *(en 1980)* | 63 ans pour les H.<br>60 ans pour les F. | 65 ans (60 ans avec la pré-retraite) | Normal : 65 ans<br>Obligatoire : 70 ans. | Entre 65 et 60 ans, selon les conventions. |
| **Absentéisme** *(en 1980)* | 7,7 % | 8,3 % | 3,5 % | 2 % |

1. *Jour férié :* jour pendant lequel on ne travaille pas pour célébrer une fête religieuse ou civile. Contraire : jour ouvrable.
2. *Absentéisme* (m) : absence sur le lieu de travail.

## 23-B1 ■ Exercice 1.

*Remplacer les mots en gras par l'adjectif convenable :*

**1.** Le préposé fait une tournée **qui a lieu tous les jours.**
**2.** Le tri **à la main** se fait la nuit.
**3.** Une circulaire **du ministre** nous a informés de cette réforme.
**4.** La perte **d'une partie** des marchandises ne donne lieu à aucun remboursement.
**5.** Le chauffeur a été victime d'un accident **qui a causé sa mort.**
**6.** Le virement **effectué par la poste** est plus rapide que le virement **effectué par la banque.**
**7.** Je n'ai pas trouvé son nom dans l'annuaire **des abonnés du téléphone.**
**8.** Une communication **à l'intérieur de la ville** ne coûte pas cher.
**9.** Elle travaille dans un bureau **où il y a de l'espace.**
**10.** Il doit payer une redevance **tous les trois mois.**

## 23-B2 ■ Exercice 2.

*Transformer les phrases suivant le modèle proposé :*

MODÈLE :
— Pouvez-vous supporter un tel bruit ?
— Oui, ce bruit est très **supportable**.
ou — **Non**, ce bruit est **insupportable**.

**1.** — Peut-on **habiter** ce quartier ?
— Bien sûr, ce quartier est .....
**2.** — Pouvons-nous **excuser** une telle erreur ?
— Absolument pas, cette erreur est .....
**3.** — Pensez-vous **accepter** ces conditions d'embauche ?
— Non, elles sont .....
**4.** — Allez, **pardonne**-lui quand même !
— Pas question, son attitude est .... !
**5.** — Vous pensez **défendre** cette cause ?
— Pourquoi pas ? Elle est .....
**6.** — Pouvons-nous **éviter** le chômage ?
— Non, il n'est pas .....
**7.** — Vous ne pourriez pas **vendre** ce produit.
— Si, il est très .....
**8.** — Arrivera-t-il à **négocier** ce contrat ?
— Évidemment, ce contrat est facilement .....

## 23-B3 ■ Exercice 3.

*Voici, ci-dessous, une liste de mesures possibles pour réduire le chômage. Indiquer celles qui permettent de :*
A : diminuer la population active.
B : partager les emplois.
C : créer des emplois.
D : modifier l'offre de travail.

**1.** Réduire la durée hebdomadaire du travail.
**2.** Allonger la durée de la scolarité obligatoire.
**3.** Favoriser la croissance économique.
**4.** Développer les stages de formation.
**5.** Encourager et faciliter la mobilité de la main-d'œuvre.
**6.** Diminuer les charges sociales pesant sur les entreprises.
**7.** Allonger la durée du service militaire.
**8.** Faciliter le travail à temps partiel.
**9.** Reconquérir le marché intérieur.
**10.** Accorder une semaine de congés payés supplémentaire.
**11.** Faciliter le recyclage et la reconversion des travailleurs.
**12.** Freiner l'immigration.
**13.** Subventionner les entreprises qui créent des emplois.
**14.** Interdire les heures supplémentaires.
**15.** Avancer l'âge de départ à la retraite.

## 23-B4 ■ Exercice 4.

*Remplacer les blancs par les* **prépositions** *(à, de, par...) qui conviennent.* Attention : *certains infinitifs ne sont précédés* d'aucune *préposition.*
La société a décidé(1) .... faire(2) .... fabriquer certains de ses produits par un sous-traitant. En effet, elle cherche(3) .... diminuer ses coûts de production et préfère(4) .... renoncer(5) .... les produire elle-même. Ceci l'amène(6) .... réduire l'emploi. Les syndicats ont commencé(7) .... se réunir pour étudier la question. Ils sont disposés(8) .... négocier. La direction a d'abord refusé(9) .... leur accorder un rendez-vous. Puis, elle leur a promis(10) .... les recevoir le lendemain. Il a alors été envisagé(11) .... mettre certains employés en préretraite et(12) .... proposer aux plus jeunes(13) .... se recycler. Enfin, la direction a promis(14) .... éviter les licenciements dans la mesure du possible.

**Sans préposition**
**Verbe + infinitif :** aller, désirer, devoir, espérer, pouvoir, préférer, savoir, venir, vouloir, il faut...
*Il désire accompagner son patron.*
*Il désire l'accompagner.*
**Attention :** faire, laisser, regarder, voir, entendre, écouter.
*Il fait fabriquer certaines pièces par un sous-traitant.*
*Il les fait fabriquer par un sous-traitant.*
*Il laisse les cadres partir à 17 h.*
*Il laisse partir les cadres à 17 h.*
*Il les laisse partir à 17 h.*

**Avec « à »**
**Verbe + à + inf. :** chercher, commencer, continuer, être disposé, être prêt, hésiter, se mettre, se préparer, renoncer, réussir, tenir, servir...
*Il a renoncé à créer son entreprise.*
*Sa voiture ? Il est prêt à la vendre.*

**Verbe + nom + à + inf. :** aider, autoriser, avoir (sens de devoir), décider, forcer, engager, inciter, obliger, pousser.
*Il autorise ses employés à fumer.*
*Il les autorise à fumer.*
*J'ai une lettre à rédiger.*

**Avec « de »**
**Verbe + de + inf. :** accepter, arrêter, avoir envie, avoir peur, cesser, convenir, décider, dire, être chargé, être en train, être forcé (obligé), essayer, éviter, manquer, oublier, promettre, refuser, regretter, il s'agit...
*Nous promettons de vous expédier ce colis dès demain.*
*Je suis chargé de contrôler la fabrication.*
*Il s'agit d'établir un projet réaliste.*
**Verbe + nom + de + inf. :** accuser, empêcher, prier, remercier...
*Il empêche son fils de faire du droit.*
**Verbe + à + nom + de + inf. :** conseiller, demander, dire, interdire, permettre, promettre, proposer, suggérer...
*Il interdit à son chauffeur d'utiliser le téléphone.*
*Il lui interdit de l'utiliser.*

**Avec « par »**
**Verbe + par + inf. :** commencer, finir.
*Il a fini par avouer sa faute (= il est parvenu à...).*

## 23-C2 ■ Comment exprimer la volonté ou les sentiments.

Se construisent généralement avec **que + subjonctif** les verbes exprimant :

• **la volonté, l'ordre, la défense, le désir :** vouloir, exiger, ordonner, interdire, permettre, aimer, souhaiter, désirer, avoir envie...
*Il exige que nous abandonnions ce projet.*
*Elle interdit qu'on dise la vérité à ce sujet.*
*J'aimerais que tu fasses un rapport sur cette question.*

• **l'obligation, la nécessité :** il faut, il est nécessaire, il est indispensable...
*Il faut que nous soyons présents au salon.*

• **les sentiments, la joie, la tristesse, le regret, l'étonnement, la crainte, la préférence :** être heureux, content, ravi, se réjouir ; être désolé, triste, se plaindre, regretter, déplorer, il est regrettable ; s'étonner, être surpris ; craindre, avoir peur, redouter ; préférer, aimer mieux, il vaut mieux, il est préférable...
*Nous regrettons tous que le contrat n'ait pas été conclu.*
*Il craint que la réunion (ne) soit annulée.*
*Il vaut mieux que le bilan soit établi cette semaine.*

• **l'appréciation :** il convient, il est bon, juste, utile, normal, naturel, urgent, dommage...
*Il est normal qu'il connaisse vos intentions.*
*Il est dommage qu'il ne soit pas parvenu à un bon résultat.*

## 23-C3 ■ Corrigés des exercices.

EXERCICE 1 : **1.** journalière. **2.** manuel. **3.** ministérielle. **4.** partielle. **5.** mortel. **6.** postal / bancaire. **7.** téléphonique. **8.** urbaine. **9.** spacieux. **10.** trimestrielle.

EXERCICE 2 : **1.** habitable. **2.** inexcusable. **3.** inacceptables. **4.** impardonnable. **5.** défendable. **6.** évitable. **7.** vendable. **8.** négociable.

EXERCICE 3 : **A :** 2, 7, 12, 15. **B :** 1, 8, 10, 14. **C :** 3, 6, 9, 13. **D :** 4, 5, 11.

EXERCICE 4 : **1 :** de. **2 :** rien. **3 :** à. **4 :** rien. **5 :** à. **6 :** à. **7 :** à. **8 :** à. **9 :** de. **10 :** de. **11 :** de. **12 :** de. **13 :** de. **14 :** d'.

# CHAPITRE 24 ■ LA LÉGISLATION COMMERCIALE.

**A** - DOCUMENTS

**A1.** Document 1 : procédure judiciaire en cas d'insolvabilité.

**A2.** Document 2 : pourquoi les entreprises disparaissent-elles ?

**A3.** Document 3 : les difficultés d'une entreprise.

**A4.** Document 4 : les droits et les obligations du commerçant.

**A5.** Document 5 : la vente forcée.

**B** - EXERCICES

**B1.** Exercice 1.

**B2.** Exercice 2.

**B3.** Exercice 3.

**B4.** Exercice 4.

**C** - LANGUE

**C1.** Comment rapporter les paroles d'un autre.

**C2.** Comment exprimer l'opinion.

**C3.** Corrigés des exercices.

## 24-A1 ■ Procédure judiciaire en cas d'insolvabilité.

L'entreprise ne peut plus payer ses dettes : elle se trouve en **cessation de paiements.** Dans ce cas, la loi l'oblige à faire, auprès du **Tribunal de commerce,** le **dépôt du bilan.**
Le Tribunal de commerce peut adopter deux sortes de mesures :
• soit **le règlement judiciaire :** l'entreprise peut continuer ses activités pendant une certaine période sous la surveillance d'un syndic. Si, au terme du délai fixé, elle est parvenue à un succès, il y a fin du règlement et reprise normale de l'activité. S'il y a échec on déclare la mise en liquidation judiciaire ;
• soit **la liquidation judiciaire :** celle-ci peut entraîner :
— **le rachat de l'entreprise** qui continue alors ses activités avec un nouveau statut juridique et un autre propriétaire ;
— **la dispersion des actifs :** l'entreprise disparaît, ses biens étant vendus à l'unité ou par lots.

## 24-A2 ■ Pourquoi les entreprises disparaissent-elles ?

Avec la crise économique des années 1970-1980, la progression du nombre des faillites a été spectaculaire.
Si l'on interroge les chefs d'entreprise en difficulté, ils rejettent unanimement la responsabilité de leur faillite sur **les banques** qui ont refusé de leur prêter l'argent nécessaire, sur **l'État** qui n'a pas voulu les aider et sur **la conjoncture économique,** source de tous les maux. A moins qu'ils n'accusent le poids des **charges sociales** ou l'incompréhension des **syndicats.** Ces reproches sont sans doute fondés, du moins partiellement ; mais ils n'expliquent pas, loin de là, la disparition de toutes les entreprises.
Aucun chef d'entreprise n'admettra de lui-même qu'il n'est pas à la hauteur de sa tâche. Et pourtant... il faut se poser la question : **les entreprises sont-elles bien gérées ?** Si l'on en croit les experts des chambres de commerce et des ministères, l'origine des défaillances d'entreprises tient, dans 85 % des cas, non aux dures lois du marché, mais à de lourdes fautes de gestion de la part des responsables.

A Lavallée, le tribunal de commerce n'a pas laissé de temps au nouveau P.-D.G., M. Pierre Lazur : l'entreprise Larevix est mise en règlement judiciaire. Et pourtant, le travail va reprendre dans les ateliers, comme nous l'explique Denis Robert à ce micro :

« Oui, malgré les problèmes financiers qui se posent ces dernières années, le personnel a décidé de maintenir la production des articles connus pour leur qualité. Il faut espérer, bien sûr, que les fonds vont être trouvés d'une façon ou d'une autre. On a raconté beaucoup de choses sur cette affaire, on a dit que l'actionnaire principal, la mairie de Lavallée, justement, n'a jamais tenu ses promesses.
Les P.-D.G. qui se sont succédé ont tous promis à leur tour que des mesures allaient être prises pour sauver l'entreprise de la faillite. Des partenaires financiers devaient apporter leur soutien. Que s'est-il passé, en fin de compte ? Rien, absolument rien ! Alors, évidemment, il faut faire face aux échéances, et personne ne semble avoir les moyens de les couvrir.
C'est pourquoi le tribunal n'a pas laissé sa chance au nouveau P.-D.G. Mais la décision n'est pas aussi grave que si c'était une liquidation ! Et il n'y a pas non plus de dépôt de bilan.
Nous souhaitons que les salaires soient garantis pour pouvoir continuer à travailler. Ce qu'il faut savoir, et je le dis à tous ceux qui m'écoutent, c'est que nous avons besoin de capitaux, c'est indispensable pour redresser l'entreprise ».

L'avenir dira si Larevix va reprendre ses activités, si elle sera rachetée ou, dans le pire des cas, fermée.

13 juillet 1984
Radio Parite

## 24-A4 ■ Les droits et les obligations du commerçant.

**Inscription au registre du commerce :** Les pouvoirs publics et le public doivent être informés sur les activités exercées par tout commerçant. C'est pourquoi chacun d'eux est tenu à s'inscrire auprès du Tribunal de commerce qui lui attribue un numéro d'immatriculation. Ce numéro du registre du commerce doit figurer sur tous les documents commerciaux du commerçant.
*Exemple :* **R.C. Paris B 357 082 648**
— **R.C.S. :** Registre du commerce et des sociétés.
— **Paris** est le siège du tribunal où est inscrit le commerçant.
— **la lettre A** désigne une entreprise individuelle, **la lettre B** une société.
— **le numéro** de 9 chiffres (ou de 14 chiffres pour un établissement) permet d'identifier l'entreprise.

**Respect de certaines règles de gestion :** Tout commerçant doit tenir une comptabilité. La plupart du temps, les paiements doivent être effectués par chèque ou par virement.

**Respect du droit de concurrence :** La concurrence est une liberté individuelle, reconnue par la loi. Cela veut dire que tout commerçant peut s'établir librement, organiser son entreprise comme il l'entend et utiliser tous les moyens qu'il estime propre à lui attirer une clientèle. Il lui est pourtant interdit de se livrer à une concurrence déloyale qui nuirait aux autres commerçants et aux consommateurs.

**Publicité des prix :** « le prix de tout produit destiné à la vente au détail et exposé à la vue du public, doit faire l'objet de publicité. » (Arrêté du 16.9.1971).

L'affichage doit être visible de telle sorte que le client n'ait rien à demander.
**Règlement des litiges commerciaux :** Les contestations intervenant entre deux commerçants peuvent parfois, être réglées à l'amiable. Si une solution amiable est impossible, l'affaire sera portée devant un tribunal spécialisé, appelé tribunal de commerce.

• Il y a deux mois vous avez reçu dans votre boîte aux lettres un superbe album illustré sur le cinéma mondial.
« Chouette ! vous êtes-vous dit ; sans doute un cadeau d'une firme. »
Quelques jours plus tard, vous receviez la lettre suivante :

> *Cher ami cinéphile,*
>
> *Vous attendiez avec impatience notre magnifique ouvrage sur le cinéma mondial.*
> *Aujourd'hui vous l'avez entre les mains. Vous y trouverez tout ce que vous voulez, tout ce que vous devez savoir sur le 7e art.*
> *Nous sommes heureux de penser qu'il vous a plu, puisque vous l'avez gardé, et qu'il vous a procuré et vous procurera des heures de lecture agréable.*
> *Pour profiter de nos conditions exceptionnelles, veuillez nous adresser sans tarder un chèque de 149 F et cet album sera à vous.*
> *Ne laissez pas passer cette occasion unique et croyez, cher ami, à nos sentiments très cordiaux.*

• Comme vous n'aviez rien commandé, vous vous dites que vous n'avez rien à payer.
Pourtant un mois après la réception du livre, vous recevez une deuxième lettre. Votre correspondant se dit étonné de ne pas avoir encore reçu votre paiement. Il espère que vous aurez à cœur de lui faire parvenir un chèque de 149 F le plus vite possible. Il termine en vous remerciant de votre précieuse collaboration.

## 24-A5 ■ Document 5 (suite) - La vente forcée.

• Vous ne réagissez toujours pas. Mais, aujourd'hui, soit deux mois après avoir reçu le volume, vous trouvez une troisième lettre dans votre boîte.

*Monsieur*

*Voici déjà plus de deux mois, vous avez reçu notre ouvrage sur le cinéma mondial et vous l'avez conservé... ce qui est bien normal, car il le mérite hautement.*

*Mais ce que nous comprenons moins bien, c'est que vous n'ayez pas encore réglé la facture correspondante, et ceci malgré nos rappels.*

*Nous avons peine à croire que vous refusiez de vous acquitter de votre dette. Aussi, avant de transmettre votre dossier au service juridique et d'engager des poursuites judiciaires, voudrions-nous vous faire bénéficier d'un dernier délai de quarante-huit heures pour effectuer ce règlement.*

*Veuillez agréer, Monsieur, nos salutations distinguées.*

QUE FAIRE ?

Il s'agit d'une vente forcée, sanctionnée par le décret numéro 61-138, article R 40 du Code Pénal, qui prévoit : « Sont punis d'une amende de 160 à 600 F, ceux qui auront fait parvenir à un destinataire, sans demande préalable de celui-ci, un objet quelconque accompagné d'une correspondance... » même si le renvoi peut être fait sans frais pour le destinataire.

En cas de vente forcée, vous n'avez rien à payer, ni même à renvoyer l'objet reçu. C'est à l'entreprise qui vous l'a envoyé de venir le reprendre à votre domicile.

Ne vous laissez pas intimider par les lettres de menaces envoyées par les sociétés de recouvrement, quels qu'en soient les termes. Faute d'un bon de commande signé de votre main, aucune action ne peut être intentée contre vous.

L'Association française des consommateurs

## 24-B1 ■ Exercice 1.

*Mettre les verbes soulignés au conditionnel :*

1. On **peut** éventuellement souscrire une assurance complémentaire.
2. **Est**-il possible de passer demain pour remplir les papiers ?
3. Tu **dois** verser un acompte.
4. Ton assureur **préfère** sûrement.
5. Lui avez-vous dit que vous **aimez** voyager.
6. Le banquier **peut** nous accorder un découvert.
7. Il **faut** consulter un juriste d'entreprise pour régler ce problème.

## 24-B2 ■ Exercice 2.

*Compléter les phrases suivantes avec les indéfinis proposés :*

1. La plupart de nos concurrents sont représentés, .... même par de grosses délégations.
2. Toutes ces sociétés sont puissantes, les unes sont françaises, .... étrangères.
3. Vous avez le choix entre .... types de sociétés.
4. Que sont devenues ces sociétés ? Eh bien .... ont disparu, pas une ne reste.
5. Quel est le nombre de visiteurs ? A peu près .... qu'hier.
6. La vente a eu beaucoup de succès, il ne reste .... en stock.
7. Pourrais-je parler à Marc Dumont, j'ai .... d'important à lui dire.
8. Dans ce genre d'affaires, c'est .... pour soi et que le meilleur gagne.
9. Y a-t-il .... ici qui pourrait me renseigner ?
10. Voici nos deux modèles, .... coûte 98 F, l'autre 120 F.
11. C'est un excellent vendeur, il vendrait .....
12. Il y a plusieurs sortes de sociétés, .... a ses avantages et ses inconvénients.

a. le même
b. n'importe quoi
c. certains
d. rien
e. chacune
f. plusieurs
g. les autres
h. quelque chose
i. l'un
j. quelqu'un
k. toutes
l. chacun

## 24-B3 ■ Exercice 3.

*Reprendre chaque phrase, en commençant par :*
**Il a dit que...** *Attention à la concordance des temps.*
« J'ai fondé ((1) ....) seul cette entreprise. Je l'ai développée ((2) ....) au cours des vingt dernières années et maintenant voici que je suis ((3) ....) en difficulté. Les créanciers ne veulent ((4) ....) plus me faire crédit et les banques refusent ((5) ....) de m'avancer de l'argent. Je ne sais ((6) ....) pas ce que je dois ((7) ....) faire. Je suis ((8) ....) sûr que si on m'aidait ((9) ....), je pourrais ((10) ....) rétablir la situation. J'essaierai ((11) ....) de conquérir de nouveaux marchés et d'inventer de nouveaux produits. Il suffira ((12) ....) qu'on m'accorde ((13) ....) 6 mois de trésorerie. Pourtant aucune aide ne vient ((14) ....). Il me faut ((15) ....) voir le syndic pour étudier la possibilité d'un règlement judiciaire. C'est ((16) ....) lui qui va ((17) ....) gérer l'entreprise pendant quelques mois. S'il arrive ((18) ....) à redresser l'entreprise on pourra ((19) ....) éviter la liquidation, sinon il faudra ((20) ....) que l'entreprise disparaisse ou soit rachetée.

## 24-B4 ■ Exercice 4.

*Dans cette grille de 64 lettres se cache un message. A vous de le trouver en cherchant horizontalement ou verticalement les mots qui le composent.*

| | 1 | 2 | 3 | 4 | 5 | 6 | 7 | 8 |
|---|---|---|---|---|---|---|---|---|
| I | A | R | O | D | U | T | T | I |
| II | P | G | L | A | Z | I | H | E |
| III | B | O | J | N | K | R | T | W |
| IV | E | D | L | S | M | O | K | A |
| V | F | O | R | T | F | I | X | O |
| VI | V | C | O | F | F | R | E | B |
| VII | E | L | L | S | Y | D | S | N |
| VIII | L | E | R | T | I | V | T | O |

# 24-C1 ■ Comment rapporter les paroles d'un autre.

Pour rapporter une **déclaration :**
— Il lui dit : « Je suis licencié ». → Il lui dit **qu'**il est licencié.

Pour rapporter une **question** :
— « Alors, tu es au chômage ? » lui demande-t-elle. → Elle lui demande **s'**il est au chômage ?
— Elle lui demande : « Qu'est-ce qui est arrivé ? » → Elle lui demande **ce qui** est arrivé.
— Elle lui demande : « Qu'est-ce que tu penses faire ? » → Elle lui demande **ce qu'**il pense faire.
— Elle lui demande : « Quand arrêteras-tu le travail ? » → Elle lui demande **quand** il arrêtera le travail.

Pour rapporter un **ordre,** un **conseil** :
— « Ne te décourage pas », lui dit-elle. → Elle lui dit **de** ne pas se décourager.

**Attention à la concordance des temps !**

**1. Action principale** (dire) **+ que + 2. Action secondaire** (payer)

| *2 a lieu* **avant** *1* | *1 et 2 ont lieu* **en même temps** | *2 a lieu* **après** *1* |
|---|---|---|
| qu'il **a payé** | **aujourd'hui :** il **dit** qu'il **paye** | qu'il **paiera** |
| qu'il **avait payé** | **hier :** il **a dit,** il **disait** qu'il **payait** | qu'il **paierait** |
| qu'il **a payé** | **demain :** il **dira** qu'il **paiera** | qu'il **paiera** |

## 24-C2 ■ Comment exprimer l'opinion.

Verbes exprimant :

**la connaissance, la perception, la déclaration :** affirmer, apprendre, déclarer, dire, ignorer, informer, noter, oublier, permettre, remarquer, savoir, sentir, soutenir, voir.

• **Verbe + que + indicatif :**

— *Je sais que nous courons de grands risques.*

**l'opinion, l'impression :** penser, croire, trouver, estimer, imaginer, supposer, espérer, avoir l'impression, avoir le sentiment, il me semble...

• **Verbe** (forme aff.) **+ que + indicatif :**

— *Je crois qu'ils nous livreront les marchandises avant Noël.*

• **Verbe** (forme nég. ou inter.) **+ que + :**

à l'**écrit** : généralement le subjonctif.

**parlé** : l'indicatif est fréquent.

— *Croyez-vous,* } *qu'il* { *réussisse ?*
— *Je ne crois pas* } *qu'il* { *réussira.*

**la certitude :** être sûr, certain, convaincu, persuadé, il est incontestable, indéniable, probable...

• **Verbe + que + indicatif**

— *Je suis persuadé qu'il a fait une fausse déclaration.*

**l'incertitude, le doute :** n'être pas sûr, certain, douter, il est possible, il est douteux, il est peu probable, il se peut...

• **Verbe + que + généralement subj.**

— *Je ne suis pas certain qu'il nous fasse des conditions avantageuses.*

**Attention :**

— *Je ne doute pas qu'il fasse* ou *fera tout son possible.*

## 24-C3 ■ Corrigés des exercices.

EXERCICE 1 : **1 :** pourrait. **2 :** serait. **3 :** devrais. **4 :** préférerait. **5 :** aimeriez. **6. :** pourrait. **7 :** faudrait.

EXERCICE 2 : **1 :** c. **2 :** g. **3 :** f. **4 :** k. **5 :** a. **6 :** d. **7 :** h. **8 :** l. **9 :** j. **10 :** i. **11 :** b. **12 :** e.

EXERCICE 3 : **1 :** avait fondé. **2 :** avait développée. **3 :** était. **4 :** voulaient. **5 :** refusaient. **6 :** savait. **7 :** devait. **8 :** était. **9 :** l'aidait. **10 :** pourrait. **11 :** essaierait. **12 :** suffirait. **13 :** lui accorde. **14 :** venait. **15 :** lui fallait. **16 :** c'était. **17 :** allait. **18 :** arrivait. **19 :** on pourrait. **20 :** il faudrait.

EXERCICE 4 : La (II) clé (2) du (I) coffre (VI) fort (V) est (7) dans (4) le (VIII) tiroir (6).

# CHAPITRE 25 ■ LA MONNAIE.

**A** - DOCUMENTS

**A1.** Document 1 : d'où vient l'argent ?
**A2.** Document 2 : à quoi sert la monnaie ?
**A3.** Document 3 : les formes de la monnaie.
**A4.** Document 4 : la création de la monnaie.
**A5.** Document 5 : du troc au S.M.E.
**A6.** Document 6 : pourquoi l'inflation ?

**B** - EXERCICES

**B1.** Exercice 1.
**B2.** Exercice 2.
**B3.** Exercice 3.

**C** - LANGUE

**C1.** Comment former de nouveaux mots : les préfixes.
**C2.** Comment former de nouveaux mots : les suffixes.
**C3.** Corrigés des exercices.

## ■ D'où vient l'argent ?

Les ménages perçoivent plusieurs types de revenus :

- **Les revenus du travail**

En échange du travail fourni, l'employeur verse au salarié un *salaire.* Celui-ci prend parfois d'autres noms, tels que :
— le *traitement* pour les fonctionnaires ;
— les *honoraires* pour les professions libérales.
Le salaire peut être :
— un salaire *au temps ;*
— un salaire *au rendement* ou *aux pièces ;*
— un salaire correspondant à *un pourcentage* sur le chiffre d'affaires réalisé.

- **Les revenus de la propriété**

— Le *loyer* pour la location de bâtiments ;
— l'*intérêt* pour le prêt de capitaux ;
— le *dividende* pour l'actionnaire.

- **Les revenus mixtes**

Ces revenus proviennent à la fois du travail et du capital. C'est le cas du *bénéfice* (ou *profit*) perçu par les entrepreneurs individuels (agriculteurs, commerçants...).

- **Les revenus sociaux**

Les États modernes assurent une *redistribution des revenus :* ils prennent de l'argent à ceux qui en ont beaucoup et le redistribuent à ceux qui n'en gagnent pas ou à ceux qui en gagnent peu.
Deux formes essentielles de redistribution :
— les *dépenses de l'État* pour assurer le fonctionnement des services publics : police, éducation nationale...
— la *Sécurité Sociale* pour garantir chacun contre les risques de l'existence : maladie, accident du travail, vieillesse...

## 25-A2 ■ A quoi sert la monnaie.

On peut distinguer **trois grandes fonctions** de la monnaie :
— elle est un **instrument d'échange.** Elle est acceptée pour toute transaction commerciale ;
— elle est un **instrument de mesure** des prix. Le consommateur et le producteur peuvent connaître à tout moment la valeur des biens et des services ;
— elle est un **instrument d'épargne.** Chacun peut épargner pour dépenser plus tard.

## 25-A3 ■ Les formes de la monnaie.

Les premiers hommes ne disposaient pas de monnaie pour leurs échanges, d'ailleurs peu nombreux. Ils devaient recourir au **troc,** c'est-à-dire à l'échange direct d'une marchandise contre une autre marchandise.

— La **monnaie-marchandise.** Les premières monnaies qui sont apparues étaient des biens matériels reconnus comme moyens d'échange par les membres d'une communauté : sel, poisson séché, coquillages. Cette monnaie était peu pratique. Aussi très vite se répandit l'usage des métaux ;
— la **monnaie métallique :** en particulier l'or et l'argent ;
— la **monnaie de papier** ou **monnaie fiduciaire,** constituée par l'ensemble des billets de banque, émis par la Banque centrale ;
— la **monnaie scripturale** est composée de l'ensemble des dépôts à vue sur les comptes bancaires. Cette monnaie circule au moyen des chèques, des virements, des cartes de crédit... ;
— la **monnaie électronique.** Bientôt les billets et les chèques seront remplacés par les **cartes à mémoire.** Ces cartes plastifiées possèdent un micro-processeur, c'est-à-dire un mini-ordinateur qui peut stocker des centaines d'informations. Elles permettent de régler ses achats et de mettre aussitôt son compte bancaire à jour.

Chaque pays utilise une **unité monétaire.** On appelle **devises**les monnaies étrangères à un pays.
La **masse monétaire** est l'ensemble des moyens de paiement disponibles dans un pays. C'est la monnaie scripturale qui constitue de nos jours la majeure partie de cette masse monétaire.

## ■ La création de la monnaie.

La Banque centrale a le monopole de l'émission des billets de banque. Mais la monnaie scripturale, c'est l'affaire de toutes les banques qui, en accordant des crédits à leurs clients, créent de la monnaie.
Voici, présenté par un banquier, le mécanisme de la **création de la monnaie scripturale.**

*« Ma banque, comme toutes les autres, reçoit régulièrement des particuliers et des entreprises des* **dépôts à vue.** *Les déposants peuvent retirer en principe l'argent qu'ils m'ont confié, à tout instant. Mais j'ai remarqué que, dans la pratique, mes clients ne retiraient pas tout leur dépôt en même temps, et qu'il me suffisait d'en conserver le cinquième du montant pour répondre aux besoins de mes clients déposants en argent liquide.*

*Or, vous me connaissez bien, je n'aime pas laisser l'argent dormir ; je vais donc m'efforcer de faire fructifier les 4/5 qui me restent et de réaliser ainsi des bénéfices.*

*Prenons un exemple :*
*Je dispose, en dépôts, de .................... 10 000 F*
*Pour faire face aux* **retraits** *éventuels de mes clients, je conserve 20 % de cette somme, à savoir ........................................ 2 000 F*
*Il me reste donc .......................... 8 000 F.*
*Justement, M. Ernoult, directeur des établissements Infra-Plan, m'a demandé un* **crédit** *pour l'achat d'un camion. Je lui prête, moyennant, bien sûr, un intérêt de 12 %, le montant inutilisé, à savoir ........... 8 000 F.*
*M. Ernoult utilise ce prêt pour payer son fournisseur, qui dépose cette somme sur son compte à ma propre banque.*
*Comme précédemment j'en conserve 20 % soit .. 1 600 F*
*et je prête les 80 % restants à un nouvel emprunteur ................................ 6 400 F.*
*Et ainsi de suite ...*
*Grâce à ce procédé, j'ai pu ouvrir des crédits pour des sommes bien supérieures à mon* **encaisse** *en billets de banque. En fin de compte, comme vous le voyez, j'ai créé de nouveaux moyens de paiement, j'ai créé de la* **monnaie scripturale.**

Le **troc** exige que les deux biens échangés aient la même valeur et qu'ils correspondent aux besoins des deux échangistes. Ce qui limite beaucoup les échanges.
Aussi est-on passé à la **monnaie métallique.** Les métaux précieux (or, argent ou bronze) permettaient un transport plus facile, un fonctionnement plus pratique et encore une conservation plus longue. La valeur de cette monnaie dépendait du poids de métal précieux contenu dans chaque pièce de monnaie.

Par la suite, pour éviter de transporter du métal précieux sur de grandes distances et ainsi de risquer le vol ou la perte, les banquiers d'abord, puis les États ont imaginé d'écrire des **billets** dont le détenteur pouvait toucher l'équivalent en métal précieux chez les correspondants du banquier. C'est la **monnaie fiduciaire,** basée sur la confiance. Chaque monnaie pouvait être échangée contre une autre selon le poids de métal précieux contenu dans la pièce ou représenté par le billet. Il existait donc un système de **parités fixes,** basé sur **l'étalon-or.**

A la fin de la Seconde Guerre mondiale, la conférence de Bretton Woods établit un nouvel ordre monétaire : le dollar devient **monnaie de réserve** et tout pays détenteur de dollars peut obtenir de la **Federal Reserve Board** l'échange de 35 dollars contre une once (31,1 grammes) d'or fin.
En 1971, les États-Unis abandonnent le système de l'étalon-or et des parités fixes. Ainsi toutes les monnaies, qui étaient rattachées au dollar auparavant, se mettent à **« flotter »** les unes par rapport aux autres. La valeur d'une monnaie est alors influencée par la confiance portée à un pays, à la balance de son commerce extérieur, à la volonté des banques centrales de soutenir son cours... Ce système de **taux de change flottants** a l'avantage de présenter la situation relative de toutes les monnaies au jour le jour ; par contre, il donne une grande incertitude aux échanges commerciaux.

Pour remédier à ce problème, l'Europe a créé le **S.M.E. (Système Monétaire Européen).** Les monnaies des pays de la Communauté Européenne ont entre elles des parités fixes ; cependant des fluctuations de faible amplitude sont autorisées. Dès qu'une monnaie s'écarte trop de sa parité par rapport aux autres monnaies, les banques centrales des autres pays **doivent intervenir** pour soutenir son cours.

**Les analyses traditionnelles**

L'inflation provient essentiellement d'un déséquilibre entre l'offre et la demande.

• **L'inflation par la demande.** Si la production devient insuffisante pour répondre à la demande, les entreprises en profitent pour augmenter leurs prix de vente et les consommateurs doivent payer plus cher les produits disponibles.

• **L'inflation, phénomène monétaire.** L'inflation est la conséquence d'un accroissement de la circulation de la monnaie qui ne serait pas accompagné d'une augmentation correspondante des biens produits.

• **L'inflation par les coûts.** L'inflation résulte de la hausse :
— des matières premières (pétrole) ;
— ou des salaires, des impôts, des charges financières.

Les entreprises désireuses de préserver leurs marges bénéficiaires et leurs capacités d'autofinancement sont tentées de répercuter la hausse de ces coûts sur leurs prix de vente. Les salariés voyant leur pouvoir d'achat diminuer demandent à leurs entreprises des augmentations de salaires.

**Les analyses modernes**

L'inflation est due aux structures socio-économiques et socioculturelles du capitalisme moderne.

• **L'inflation par les structures socio-économiques :**
— *intervention excessive de l'État* qui, pour financer des dépenses toujours accrues, est amené soit à créer de nouveaux moyens de paiement soit à augmenter les impôts ;
— *structure actuelle du marché :* les prix ne se forment plus selon la loi du marché : certains prix sont en effet garantis par l'État (prix agricoles en Europe, le S.M.I.C. en France...) ou imposés par les firmes géantes.
— *rôle des syndicats* qui exigent des augmentations de salaires pour défendre le pouvoir d'achat des salariés ;
— *désordre du système monétaire international.*

• **L'inflation par les structures socioculturelles :**
— Chaque individu, désormais habitué à la croissance économique, attend une élévation substantielle et régulière de son niveau de vie, quelle que soit la conjoncture ;
— chaque groupe social s'organise et lutte pour maintenir et accroître sa part de richesse nationale.

## ■ Exercice 1.



*Compléter les phrases suivantes avec les noms formés à partir du verbe en gras. Exemple : réparer-réparation.*

1. Sa voiture a été **réparée** il y a quelques jours. Il est très content de cette . . . . .
2. Le carnet de chèque de Joëlle a **disparu,** mais cette . . . . ne semble pas l'inquiéter.
3. En cas de dépôt à vue, dans une banque, vous pouvez **retirer** votre argent à tout moment, sans préavis. Pour faire ce . . . . il vous suffit de remplir un chèque à votre ordre.
4. Il a **réclamé** une remise au représentant qui a transmis cette . . . . à sa société.
5. Il sera obligé de **renvoyer** les marchandises. Les frais de ce . . . . seront à la charge du vendeur.
6. Le fournisseur s'est engagé à **expédier** les marchandises. Il ne semble pourtant pas que cette . . . . puisse se faire dans les délais fixés.
7. Si vous **perdez** votre chéquier, faites opposition immédiatement, vous serez ainsi protégé des conséquences de cette . . . . .
8. Le plan d'épargne logement de Pierre arrive à son terme. Il peut le faire **proroger.** Mais cette . . . . n'est possible que par période d'un an.
9. Annie doit faire **transférer** son compte dans une autre agence. Son agence actuelle se charge du . . . . .
10. Nous venons de **lancer** un nouveau produit. Le . . . . a été réussi.

25-B2

## ■ Exercice 2.

*Compléter le dialogue suivant qui s'est établi entre un commerçant, vendeur d'appareils électriques, et son client désireux d'acheter un poste de télévision d'une valeur de 3 400 F.*

Commerçant (com.) : Si vous payez au comptant, nous vous accordons un (1). . . . de 5 %.
Client (cl.) : Non, merci ! je préfère payer en 12 mois.
Com. : Alors, vous désirez un (2). . . . .
Cl. : Oui, à combien s'élèvera chaque (3). . . . ?
Com. : Avec un (4). . . . de 1 000 F à la commande, vous aurez à vous acquitter chaque mois d'une (5). . . . de 250 F.
Cl. : Ce poste me coûtera donc (6). . . . de plus que si je le payais au comptant.

## ■ Exercice 3.

*Voici, en chiffres, la profession de certaines personnes et, en lettres, leurs réactions face à l'inflation. Retrouver l'auteur de chacune des déclarations :*

1. Une ménagère.
2. Un père de famille ouvrier.
3. Un commerçant détaillant.
4. Un grossiste.
5. Le responsable du syndicat des cadres.
6. Le P.-D.G. d'une grande entreprise textile.
7. Un agriculteur.
8. Le patron d'une station service.
9. Un notaire.
10. Un épargnant.
11. Un chef de gouvernement.

A. « C'est fou ce que ça augmente ! »
B. « Pour moi, c'est simple ! En tant qu'intermédiaire, je suis au pourcentage. »
C. « Heureusement, nos prix sont garantis par Bruxelles. »
D. « Il faut que je lâche sur les salaires, mais je vais me rattraper sur les prix. »
E. « Heureusement que pour les transactions immobilières nous sommes protégés par notre monopole. »
F. « Nous n'y arrivons plus... Je vais demander une augmentation à mon patron. »
G. « Avec l'augmentation du pétrole, trois livraisons en août, trois prix différents, je suis bien obligé d'augmenter mes prix pour conserver ma marge. »
H. « Moi, je m'en moque, je suis le seul du quartier ! »
I. « Le pays vit au-dessus de ses moyens. Nous devons tout mettre en œuvre pour lutter contre l'inflation, et en particulier adopter une politique d'austérité et de restriction du crédit. »
J. « Dans la politique de lutte contre l'inflation, c'est à nous qu'on fait supporter tous les sacrifices. Le gouvernement et le patronat doivent savoir que nous n'accepterons plus de voir notre pouvoir d'achat diminuer. »
K. « Prêter mon argent, au taux actuel. Vous n'y pensez pas ! Je préfère le dépenser ou le faire fructifier en me procurant des biens immobiliers ou des œuvres d'art. »

## 25-C1 ■ Comment former de nouveaux mots : les préfixes.

Un mot simple (radical) : opérer.
**Préfixe** + mot simple : **coo**pérer
Radical + **suffixe** : opér**ation** (opér**ateur**)
**Préfixe** + radical + **suffixe** : **co**opér**ation** (**co**opér**ateur**)

*POUR EXPRIMER LA NÉGATION, LE CONTRAIRE :*

- **in-, im-, il-, ir-**

Utile → Il a fait un travail **in**utile.
Mobilier → Ils ont vendu tous les actifs **im**mobiliers.
Légal → Il a été condamné pour des opérations **il**légales.
Responsable → On l'a jugé **ir**responsable.

- **a-, ab-, dé-, des-**

Normal → Il a un comportement **a**normal.
Favorable, accord → Nous nous trouvons en **dés**accord avec cette société, parce que nous avons obtenu des conditions très **dé**favorables.

- **mal-, mé-**

Content, honnête → Nous sommes **mé**contents, parce que nous avons eu affaire à un comptable **mal**honnête.

*POUR EXPRIMER LA RÉPÉTITION :*

- **re-, res-**

Construction → la **re**construction demandera plusieurs années.

*POUR DIRE « PLUS » « OU » MOINS :*

- **sur- ≠ sous**

Production → la **sur**production actuelle succède à une année de **sous**-production.

- **super-**

Marché → Il va chaque semaine au **super**marché.

- **hyper-**

Inflation → 130 % en un an ! mais c'est une **hyper**-inflation.

*POUR DIRE « AVANT » :*

- **pré-**

Avis → Un **pré**avis doit être respecté pour résilier le contrat.

*POUR DIRE « AVEC » :*

- **com-, co-, con-, col-, cor-**

Ceux qui travaillent ensemble s'appelaient autrefois **com**pagnons, aujourd'hui **col**laborateurs.

*Pour dire « hors de » :*

- **ex-, em-, en-**

Porter → le quart du P.N.B. est **ex**porté.

## 25-C2 ■ Comment former de nouveaux mots : les suffixes.

*POUR FORMER UN NOM DÉSIGNANT :*

• **un état, une action ou son résultat : -tion, -ssion, -aison, -age, (e)ment** (toujours masculin) :
réparer → la répara**tion** ; émettre → ém**ission**
livrer → la liv**raison**
régler → le rég**lage**
régler → le règl**ement**

• **la qualité, un état : -té, -esse, -ance, -ence :**
libre → la liber**té**
riche → la rich**esse**
intelligent → l'intellig**ence**

• **l'agent, la profession, la nationalité : -eur, -ateur, -ien, -ier :**
diriger → le direct**eur** ; animer → l'animat**eur**
pharmacie, Italie → le pharmac**ien,** Ital**ien**
magasin → le magasin**ier**

• **l'état d'esprit, la doctrine, la profession : -isme :**
social → le social**isme**
journal → le journal**isme**

*POUR FORMER UN ADJECTIF DÉSIGNANT :*

• **la possibilité : -able, -ible, -uble :**
Certains risques sont imprévis**ibles** et inévit**ables**
C'est un problème insol**uble**

• **le caractère : -if, -al, -el :**
Acte → c'est un homme très act**if**
monde → Nous connaissons une crise mond**iale**

• **le rapport à : aire :**
peuple → cette mesure n'est pas popul**aire.**

## 25-C3 ■ Corrigés des exercices.

EXERCICE 1 : **1 :** réparation. **2 :** disparition. **3 :** retrait. **4 :** réclamation. **5 :** renvoi. **6 :** expédition. **7 :** perte. **8 :** prorogation. **9 :** transfert. **10 :** lancement.

EXERCICE 2 : **1 :** escompte. **2 :** crédit. **3 :** mensualité. **4 :** versement ou acompte. **5 :** mensualité. **6 :** 600 F.

EXERCICE 3 : **1 :** a. **2 :** f. **3 :** h. **4 :** b. **5 :** j. **6 :** d. **7 :** c. **8 :** g. **9 :** e. **10 :** k. **11 :** i.

# CHAPITRE 26 ■ NOTIONS D'ÉCONOMIE GÉNÉRALE.

**A** - DOCUMENTS

**A1.** Document 1 : les chiffres clés de l'économie.

**A2.** Document 2 : selon l'O.C.D.E. : toujours la rigueur...

**A3.** Document 3 : que penser de la crise ?

**A4.** Document 4 : progrès et productivité.

**A5.** Document 5 : les différents systèmes économiques.

**B** - EXERCICES

**B1.** Exercice 1.

**B2.** Exercice 2.

**B3.** Exercice 3.

**C** - LANGUE

**C1.** Comment éviter les répétitions.

**C2.** Comment argumenter.

**C3.** Corrigés des exercices.

## 26-A1 ■ Les chiffres clés de l'économie.

Pour savoir ce que l'économie d'un pays produit, on a besoin d'instruments de mesure précis. La *comptabilité nationale* en fournit plusieurs :
— Le **produit national brut** (P.N.B.). Il s'agit de la somme des biens et des services produits en une année par toutes les **entreprises nationales,** à l'exclusion donc de ce qui est produit par les sociétés étrangères dans le pays mais en ajoutant la production à l'étranger des entreprises nationales ;
— Le **produit intérieur brut** (P.I.B.) prend en compte tous les biens et services produits **sur le territoire national** par les entreprises nationales et étrangères.

## 26-A2 ■ Selon l'O.C.D.E.[1] : toujours la rigueur...

Cette année, la France connaîtra encore la rigueur. Elle enregistrera des progrès dans le domaine de l'inflation et dans celui des échanges extérieurs, mais au prix d'une baisse du pouvoir d'achat et d'une aggravation du chômage.

**La production.** Elle devrait se maintenir à son niveau actuel, c'est-à-dire connaître une croissance pratiquement nulle, si la demande étrangère n'évolue pas.

**L'emploi.** Il subira le contrecoup de cette stagnation du P.N.B. Le chômage devrait progresser pour toucher 10 % de la population active, contre 8,5 % actuellement. De nombreux emplois disparaîtront, en majeure partie dans l'industrie. Mais le commerce ne sera pas épargné. Ses effectifs devraient diminuer de 1 % par an.

**Les prix.** Sur le front des prix la France enregistrera des résultats. L'inflation diminuerait de 3 points pour s'établir à 6 % en rythme annuel.

**Le pouvoir d'achat.** Le pouvoir d'achat du revenu disponible brut des ménages devrait, pour la première fois depuis bien des années, connaître une évolution négative. L'O.C.D.E. prévoit un fléchissement de l'ordre de 1 % l'an prochain.

**La balance commerciale.** La balance commerciale devrait enregistrer un redressement significatif. Le déficit ne serait plus que de 7 milliards de francs à la fin de l'année. La balance des paiements connaîtrait même un léger excédent.

1. L'Organisation de Coopération et de Développement Économique.

*Voici des mesures pour lutter contre la crise. Les estimez-vous plutôt efficaces ou plutôt pas ?*

| | Plutôt efficace | Plutôt pas efficace | Sans opinion |
|---|---|---|---|
| Faire le maximum pour maintenir la position du franc par rapport aux autres monnaies | 79 | 6 | 15 |
| Abaisser l'âge de la retraite | 75 | 20 | 5 |
| Bloquer les prix | 70 | 20 | 10 |
| Limiter la hausse des salaires au niveau de celle des prix | 67 | 21 | 12 |
| Augmenter fortement les bas salaires et les salaires moyens | 67 | 25 | 8 |
| Diminuer les impôts | 64 | 26 | 10 |
| Accroître la concertation avec les syndicats pour associer les salariés aux grandes décisions économiques | 63 | 18 | 19 |
| Faire partir un grand nombre de travailleurs immigrés | 61 | 31 | 8 |
| Abaisser la durée du travail à 35 heures par semaine sans diminution de salaire | 49 | 42 | 9 |
| Fermer les frontières françaises aux produits étrangers pour protéger l'économie | 46 | 43 | 11 |
| Nationaliser les grandes entreprises | 41 | 41 | 18 |
| Fermer les entreprises des secteurs non rentables | 31 | 51 | 18 |
| Faire recruter par l'État plusieurs dizaines de milliers de fonctionnaires nouveaux | 31 | 57 | 12 |
| Assurer une liberté totale des prix | 23 | 69 | 8 |

*L'Expansion*, 9-22 janvier 1981. (Sondage réalisé par la SOFRES du 20 au 26 novembre 1980, sur un échantillon de 1 000 personnes, en exclusivité pour *L'EXPANSION*).

## 26-A4 ■ Progrès et productivité.

Les progrès de la science et de la technique ont permis une forte augmentation de la productivité au cours des années passées. Un seul exemple particulièrement significatif : en 1946, un agriculteur français nourrissait en moyenne 5,5 personnes ; en 1975, il en nourrissait 25.

## 26-A5 ■ Les différents systèmes économiques.

On peut distinguer trois grands types de systèmes économiques dans les différents pays du monde.

— L'**économie libérale** ou le **capitalisme** ou l'**économie de marché**. Plusieurs principes gouvernent ce système économique ; d'abord les moyens de production peuvent être détenus par des individus ; ensuite c'est le marché qui doit décider de ce qu'il faut produire et à quel prix les biens et les services seront vendus ; enfin rien ne doit, en théorie, gêner la **libre concurrence**. L'État doit intervenir un minimum pour laisser jouer ces principes.

— L'**économie planifiée**. Au contraire, les partisans de l'économie planifiée veulent que l'État joue un rôle prépondérant dans l'économie. En effet, seul l'État peut élaborer une politique concertée et la mettre en œuvre pour le plus grand bien du pays. Ainsi les moyens de production sont-ils détenus par l'État et la production obéit-elle, non pas aux forces du marché, mais aux objectifs fixés par le plan. De la même façon les prix sont fixés par l'État en fonction des besoins des citoyens et des impératifs de la production.

— Le **libéralisme dirigé**. Ce système emprunte certains aspects aux deux précédents pour tenter d'en éviter les inconvénients. En effet, le premier tend à oublier les personnes les plus défavorisées de la société et le second risque d'étouffer l'initiative personnelle. C'est pourquoi certains économistes préconisent que, dans un système libéral, l'État joue un rôle modérateur par une active politique sociale et un rôle d'orientation par une participation directe *(nationalisations de secteurs clés, subventions, aides...)* dans le jeu économique de la nation.

## ■ Exercice 1.

*Faire correspondre les éléments de phrases dans les deux colonnes pour retrouver douze proverbes.*

**Modèle :** 1) L'argent ne fait pas — a) moyens
2) La fin justifie les — b) le bonheur

*Réponse :* 1 : b et 2 : a

| | |
|---|---|
| 1. L'argent n'a pas .... | a. .... les grandes rivières. |
| 2. On ne prête .... | b. .... un mauvais maître. |
| 3. L'argent est un bon serviteur et .... | c. .... qu'aux riches. |
| 4. L'eau va à .... | d. .... audacieux. |
| 5. Les petits ruisseaux font .... | e. .... l'argent. |
| 6. La fortune sourit aux .... | f. .... vice. |
| 7. La fortune vient en .... | g. .... avoir un bœuf. |
| 8. Donner un œuf pour .... | h. .... d'odeur. |
| 9. Les bons comptes font .... | i. .... deux tu l'auras. |
| 10. Pauvreté n'est pas .... | j. .... les bons amis. |
| 11. Le temps, c'est de .... | k. .... la rivière. |
| 12. Un tiens vaut mieux que .... | l. .... dormant. |

26-B2

## ■ Exercice 2.

*Avant de prendre une décision, le secrétaire général demande son avis au directeur de la société. Dites si ce dernier semble être d'accord ou au contraire ne semble pas d'accord.*

1. Je suis défavorable à ce projet.
2. Pas question que j'aille à cette réunion.
3. Je ne suis pas contre son départ, vous savez.
4. Après tout, on peut bien augmenter les prix.
5. Ce dossier n'est pas inintéressant.
6. C'est à notre désavantage complet, voyons.
7. Je serais ravi de cette fusion.
8. Écoutez, nous avons assez de problèmes comme ça, pour l'instant.
9. Je n'y vois aucun inconvénient.
10. Il faudra qu'ils fassent de meilleures conditions.

## ■ Exercice 3.

HORIZONTALEMENT

1. Pour satisfaire nos besoins, nous devons .... une grande partie de nos revenus.
2. Je t'aurais bien prêté de l'argent, malheureusement, je n'.... ai pas sur moi. - Affirmera le contraire.
3. Elles peuvent être divisionnaires, fiduciaires ou scripturales.
4. Le fusil est une .....
5. Dans INDEMNITÉ mais pas dans DÉBIT. Je ne peux pas vous payer, j'ai oublié .... carte de crédit. - Troisième lettre de l'alphabet français.
6. Les publicitaires le font naître pour provoquer l'achat - Métal précieux utilisé autrefois comme monnaie.
7. Pour trouver la définition du mot ENDOSSEMENT dans le dictionnaire, vous devez chercher à la lettre... - Fin de DICTÉE - Début de DATE.
8. Ils ont pu sortir de la salle de cinéma en feu par les .... de secours.

VERTICALEMENT

1. En période de chômage, les .... d'emploi sont nombreuses.
2. Ce P.-D.G. pèse 180 kilos, il est vraiment .....
3. Seizième lettre de l'alphabet français - Deux consonnes de MONNAIE - Début de STIMULATION.
4. Non seulement elles ne sont pas vos amies, mais elles vous veulent du mal.
5. L'accusé ne voulut rien avouer, il .... tous les faits - Mesures agraires correspondant à cent mètres carrés.
6. Pour nourrir son enfant, elle lui donnait le .....
7. Socrate vécut au Ve siècle (470-399) avant notre .... - Les lois sur le travail sont contenues dans le .... du travail.
8. Tu piques quand on t'embrasse ! Tu ne t'es pas .... depuis 2 jours - L'avion descendit très bas et passa au .... du sol.

*Particulièrement en remplaçant les noms par des* **pronoms.**

• Les pronoms personnels

| 1 | 2 | 3 | 4 | 5 | 6 | 7 |
|---|---|---|---|---|---|---|
| **moi** | **je** | | | | | |
| **toi** | **tu** | **te** | | | | |
| **lui** | **il** | | **le** | **lui** | **y** | **en** |
| **elle** | **elle** | **se** | **la** | | | |
| | **on** | | | | | |
| **nous** | **nous** | **nous** | | | | |
| **vous** | **vous** | **vous** | | | | |
| **eux** **elles** | **ils** **elles** | **se** | **les** | **leur** | **y** | **en** |

• **Lui, il** parle, **toi, tu te** tais.
• **Il** entre, **je le** salue ; « bonjour », **me** répond-**il.**
• **Ils se** voient ou **se** téléphonent tous les jours.
• **Il la** remercia et **lui** dit au revoir.
• Les vacances ? oui, **j'y** pense parfois.
• Sa voiture ? **il s'en** sert une fois par semaine.
• Ce stylo ? c'est mon patron qui **me l'**a prêté, mais **je le lui** rendrai la semaine prochaine.

**Attention :** Les clés ? rends-**les moi** ou donne-**les** à Jacques ; en tous les cas, ne **les** garde pas.

**Remarque :** Lorsqu'il y a plusieurs pronoms devant un verbe, ils sont placés dans l'ordre du tableau ci-dessus.

• Les pronoms démonstratifs

**Celui, celui-ci, celui-là, celle, celle-ci, celle-là, ceux, ceux-ci, ceux-là, celles, celles-ci, celles-là, ce, ceci, cela (ça).**
• J'ai acheté une machine à écrire.
• Laquelle ?
• **Celle-ci** (ou **celle** du catalogue - ou **celle** qui était présentée au dernier salon).
• Il fait tout **ce** qu'il peut.
• Il ne pense qu'à **ça** (ou **cela**).

# 26-C1 ■ Comment éviter les répétitions (suite).

• Les pronoms indéfinis.
**quelqu'un, quelques-uns, quelques-unes, quelque chose, tous, toutes, l'un(une), l'autre, les uns(unes), les autres, certains, certaines, chacun, chacune.**
• **Quelqu'un** est venu me voir ?
— Non, absolument *personne.*
• Ces lampes sont belles, j'en prendrai **quelques-unes.**
• Tu as besoin de **quelque chose ?**
• Non, de **rien** pour l'instant.
• **Tous** sont venus, *les uns* à pied, **les autres** en voiture.
• Parmi les candidats, **certains** attendaient depuis trois heures.
• Le gâteau n'est pas gros, mais **chacun** aura sa part.

---

• Les pronoms relatifs
**qui, que, dont, où, quoi, lequel, auquel, duquel, laquelle, à laquelle, de laquelle, lesquels, auxquels, desquels, lesquelles, auxquelles, desquelles.**
• Je vous adresse la facture **qui** nous est parvenue ce matin.
• Voici le local **où** / dans **lequel** nous mettrons l'ordinateur.
• Fais vite, sans **quoi** il sera trop tard.
• Regarde l'ingénieur avec **qui / lequel** je pars en mission.
• Tu as perdu les documents **auxquels** je tenais le plus.

POLÉMIQUE

## NON AUX 35 HEURES, OUI A 55 ANS

« Non aux trente-cinq heures. J'entends déjà tous les partisans de cette réforme crier « au scandale ! »

Regardons les choses en face. Qui sont les plus défavorisés dans le monde du travail ? Ceux qui comme moi sont entrés tôt dans la vie active, parfois à moins de 18 ans et qui n'en sortiront qu'à la retraite, à 65 ans. S'ils en sortent...
C'est à vous que je m'adresse. Toutes les enquêtes nous montrent que l'égalité devant la mort n'existe pas. Les travailleurs manuels ne profitent pas de leur retraite puisque leur espérance de vie n'excède pas 67 ans. Ce que nous voulons, c'est bénéficier de quelques années de repos bien mérité.
Ne nous faisons pas d'illusion. Notre combat ne porte pas sur les 35 heures. Il est tout aussi possible de créer des emplois et de partager le travail en avançant l'âge de la retraite.
C'est pourquoi notre revendication, c'est bien d'obtenir dans les plus brefs délais le droit à la retraite à 55 ans pour les gens qui font des travaux pénibles, voire dangereux, et par contre à 60 ans pour les gens de bureau ou cols blancs.
Malheureusement, les grandes centrales syndicales se sont davantage préoccupées des intérêts des employés de plus en plus nombreux de nos jours, au détriment de la catégorie que nous représentons.

J'ose espérer que tous ensemble nous réussirons à faire aboutir cette revendication légitime afin que nous ne soyons plus considérés, désormais, comme les « parias » du monde moderne.

Jacques Bertin, conducteur d'engins

*A la suite de l'article paru la semaine dernière, nous avons reçu de nombreuses réactions dont nous publions aujourd'hui quelques extraits dans les colonnes de notre rubrique :* « Le courrier des lecteurs ».

## 26-C2 ■ Comment argumenter (suite).

Quelle surprise de voir un « col bleu » défendre une pareille cause ! En définitive, les travailleurs manuels auraient tout intérêt à profiter de cinq heures de repos supplémentaire chaque semaine plutôt que d'attendre une hypothétique retraite réservée à quelques-uns.

Jean-Paul (ingénieur).

Quels propos insensés que ceux tenus dans les pages de votre journal par cet homme déçu. Somme toute, il ne défend qu'une seule catégorie, évidemment la sienne. Cependant, nous sommes tous, sur les chantiers, dans les bureaux, les laboratoires, des travailleurs soumis aux mêmes contraintes.

Patrick (aide-comptable).

Pourquoi seulement à 60 ans pour les employés ? Bien des emplois de notre branche sont sans aucun doute aussi éprouvants nerveusement que de conduire un engin de travaux publics. Il semble indispensable d'accorder les mêmes avantages aux ouvriers, mais également aux employés qui, contrairement aux apparences, n'ont pas la vie toujours rose.

Martine (standardiste).

Quelle heureuse surprise, ô ! combien étonnante. Enfin quelqu'un qui accepte la durée de travail de 40 heures hebdomadaire. C'est en effet une nécessité économique. Réduire la durée du travail conduirait immanquablement nos entreprises à perdre leur compétitivité au niveau international. Je souhaite vivement que tous les travailleurs de notre nation prennent conscience de cet impératif...

M.D. (directeur commercial).

## 26-C3 ■ Corrigés des exercices.

EXERCICE 1 : **1 :** h. **2 :** c. **3 :** b. **4 :** k. **5 :** a. **6 :** d. **7 :** l. **8 :** g. **9 :** j. **10 :** f. **11 :** e. **12 :** i.

EXERCICE 2 : Favorable : 3, 4, 5, 7, 9. Défavorable : 1, 2, 6, 8, 10.

EXERCICE 3 : horizontalement : **1 :** dépenser. **2 :** en, niera. **3 :** monnaies. **4 :** arme. **5 :** nm, ma, c. **6 :** désir, or. **7 :** e, tée, da. **8 :** issues.
Verticalement : **1 :** demandes. **2 :** énorme. **3 :** p, nm, sti. **4 :** ennemies. **5 :** nia, ares. **6 :** sein. **7 :** ère, code. **8 :** rasé, ras.

# CHAPITRE 27 ■ LE RÔLE DE L'ÉTAT.

## A - DOCUMENTS

**A1.** Document 1 : les institutions politiques de la France.
**A2.** Document 2 : le rôle de l'État dans l'économie française.
**A3.** Document 3 : les nationalisations en France.
**A4.** Document 4 : le P.-D.G. et l'État.
**A5.** Document 5 : l'aménagement du territoire.
**A6.** Document 6 : la planification.
**A7.** Document 7 : un capitalisme libéral... dirigé.

## B - EXERCICES

**B1.** Exercice 1.
**B2.** Exercice 2.
**B3.** Exercice 3.
**B4.** Exercice 4.

## C - LANGUE

**C1.** Un débat télévisé sur les nationalisations.
**C2.** Comment exprimer le doute, la possibilité, la probabilité.
**C3.** Corrigés des exercices.

## 27-A1 ■ Les institutions politiques de la France.

En 1958, une nouvelle constitution, inspirée par le général de Gaulle, est approuvée par une grande majorité des Français (80 %). Elle donne naissance à la Ve République.

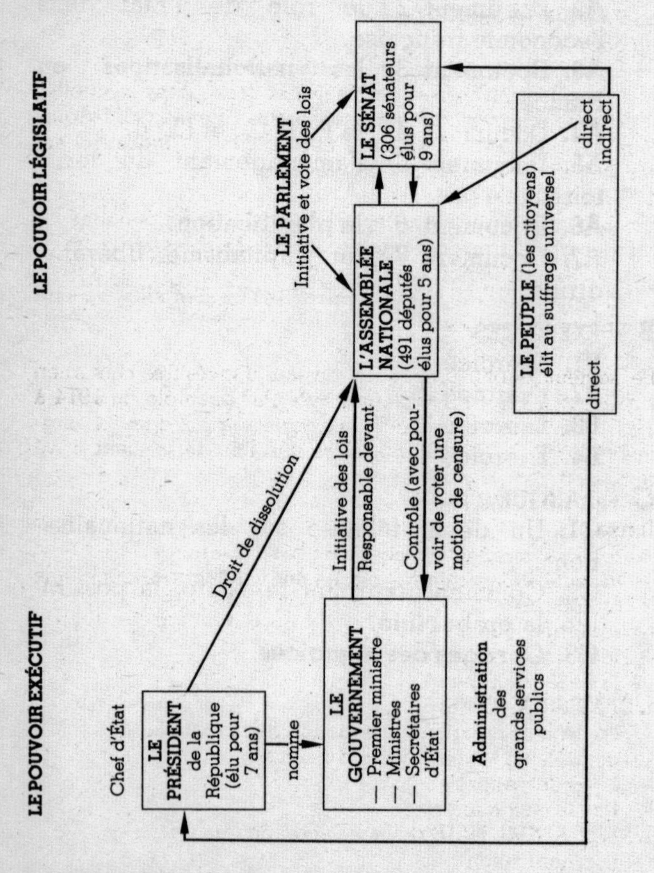


**Un régime semi-présidentiel**

En France, le gouvernement est nommé par le chef de l'État, comme dans un régime présidentiel, mais il est responsable devant l'Assemblée nationale, comme dans un régime parlementaire.

## 27-A2 ■ Le rôle de l'État dans l'économie française.

Depuis la Seconde Guerre mondiale spécialement, l'État joue un rôle de plus en plus important dans la vie économique française. Son intervention se fait diversement :

**L'ÉTAT ENTREPRENEUR**

Il contrôle :

— tous les services publics (hôpitaux, police...) ;

— toutes les entreprises nationales et celles dans lesquelles il possède une participation majoritaire : Renault, Elf-Aquitaine, Air France. 30 % du chiffre d'affaires industriel est réalisé par des entreprises publiques.

**L'ÉTAT EMPLOYEUR**

C'est le plus grand employeur français (fonctionnaires + salariés des entreprises publiques) : 31 % du total des salariés et 28 % de la population active.

... et sans doute le plus féministe : 47 % des effectifs sont composés de femmes.

**L'ÉTAT INVESTISSEUR**

Le secteur public assure un niveau d'investissement bien supérieur à celui du secteur privé. Par exemple de 1974 à 1980, l'investissement des entreprises publiques a augmenté de 91 % en volume, alors que l'investissement privé diminuait de 5 %.

**L'ÉTAT LÉGISLATEUR**

Il fixe :

— le prix de certains produits de base (essence) ;

— le S.M.I.C. (salaire minimum interprofessionnel de croissance) ;

— les tarifs douaniers ;

— le montant des prestations sociales ;

— la durée du travail...

**L'ÉTAT FINANCIER**

— contrôle la création et l'émission de la monnaie ;

— contrôle 95 % des dépôts bancaires ;

— accorde des prêts ;

— fixe le taux d'intérêt.

**L'ÉTAT ANIMATEUR** de la vie économique par :

— la planification ;

— les commandes qu'il passe ;

— la politique budgétaire ;

— le financement de la recherche ;

— les équipements collectifs...

## 27-A3 ■ Les nationalisations en France.

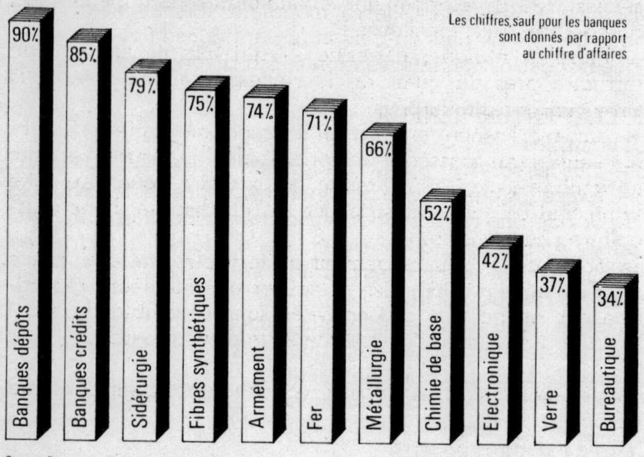


## 27-A4 ■ Le P.-D.G. et l'État.

L'entreprise Renault a été nationalisée en 1945 par de Gaulle. « C'est ma fille », se plaisait-il à dire. Elle est aujourd'hui l'une des sociétés françaises les plus performantes. Elle est également devenue un symbole et un modèle dans le domaine social. « Quand Renault éternue, dit-on, toute la France est enrhumée. » Renault a toujours été à l'avant-garde du progrès social, et souvent à l'encontre de la volonté des responsables politiques. Belle preuve de la liberté de mouvement de cette entreprise.
Pierre Dreyfus, ex-P.-D.G. de la firme, aime rappeler quelques exemples de cette liberté d'action. En 1962, il projette d'accorder au personnel de l'entreprise une quatrième semaine de congés payés. Le responsable du plan, consulté, est réticent. Pierre Dreyfus propose de soumettre son projet au Premier ministre, Georges Pompidou. Malheureusement l'audience prévue est annulée. Alors, au début de 1963, Dreyfus accorde une semaine supplémentaire de congés à ses salariés. Cette décision fera hurler tout le patronat. Ce dernier sera pourtant obligé de suivre, et toute la France aura quatre semaines de congés payés.

## 27-A5 ■ L'aménagement du territoire. 

Les régions françaises ont connu, depuis près de deux siècles, un développement économique très inégal. Un déséquilibre s'est ainsi créé :
— entre *la région parisienne* — qui fournit sur 3 % du territoire près du quart de la richesse nationale — et *la province* (le reste du pays) ;
— entre la France, au *nord* et à l'*est* d'une ligne le Havre-Marseille, qui possède les principales industries et une agriculture riche, et la France, au *sud* et à l'*ouest* de cette ligne, qui est peu industrialisée et qui dispose d'une agriculture peu rentable.
La politique de l'aménagement du territoire, mise en place dans les années 1950, vise à réaliser une meilleure répartition des hommes et des activités sur l'ensemble du territoire, afin de réduire les inégalités de développement.

**L'aménagement urbain** assure un développement cohérent des villes.

**L'aménagement industriel** assure la décentralisation, facilite la reconversion de certaines régions industrielles en crise (Lorraine, Nord).

**L'aménagement agricole** restructure l'espace rural, réalise de grands aménagements agricoles (irrigation).

**L'aménagement touristique** entreprend des aménagements touristiques dans les régions peu fréquentées.

## 27-A6 ■ La planification.

Avant la Seconde Guerre mondiale, l'État n'intervenait qu'exceptionnellement dans la vie économique du pays qu'il laissait aux intérêts privés. « Laissez faire, laissez passer », telle était la devise du capitalisme libéral.
C'est seulement dans les années 50 que les pouvoirs publics français, avec quelques autres pays, ont été amenés à mettre en place une planification.

## 27-A6 ■ La planification (suite).

**De quoi s'agit-il ?**
Celle-ci consiste à définir d'une part les **objectifs** à atteindre dans le domaine du développement économique du pays au cours d'une période déterminée (5 ans pour la France) et d'autre part les **moyens** à mettre en œuvre pour les atteindre. Le **plan** est donc l'expression et le cadre de la politique économique de la nation.

**Son élaboration**
La planification française est **concertée**. Le gouvernement fixe les objectifs généraux et les grandes options, mais ensuite le plan est établi par des **commissions** qui regroupent les représentants des principales forces économiques et des plus importantes catégories socioprofessionnelles du pays. Avant d'être mis en application, il doit être approuvé par un vote au Parlement.

**Son application**
Le plan est **indicatif** et non impératif, comme en U.R.S.S. L'État propose un certain nombre de directives, mais ne cherche pas à les imposer de manière autoritaire. Il cherche à persuader les chefs d'entreprise de les appliquer, en leur accordant des avantages financiers : primes, subventions, allégements fiscaux...

## 27-A7 ■ Un capitalisme libéral... dirigé...

Malgré l'importance de l'intervention de l'État et l'extension du secteur public, l'économie française appartient au type libéral : le sol, les immeubles, les usines sont toujours en majorité possédés par des particuliers, des familles ou des sociétés privées. Les entreprises travaillent à la recherche du profit (ou bénéfice) et obéissent aux lois du marché.

**... Et ouvert au monde extérieur**
Depuis bien longtemps déjà, de grands groupes étrangers, comme Exxon, Nestlé, I.B.M. sont établis en France. L'ouverture du marché commun, en 1958, et l'internationalisation de l'économie ont facilité la pénétration des firmes à capitaux étrangers sur le sol français.
Aujourd'hui 14 % des salariés de l'industrie française travaillent dans des entreprises à participation étrangère majoritaire (plus de 50 %).

*Compléter les phrases suivantes :*

A) avec : **auquel, auxquelles.**

1. Les séances .... nous participons sont prises en charge par la société.
2. Le client .... nous avons vendu l'appareil se déclare satisfait.

B) avec : **serai, serais.**

3. Je vous .... reconnaissant de bien vouloir me donner votre réponse le plus tôt possible.
4. Si les marchandises me parviennent après cette date, je .... dans l'obligation de les refuser.

C) avec : **la, l'a, là.**

5. Il ne .... pas convaincu.
6. Informez-.... de votre décision.
7. Le prix est marqué ...., sur l'étiquette.

D) avec : **on, on n'.**

8. .... accepte que les personnes qui ont leur carte de membre.
9. .... apportera les solutions qui vous conviendront.

E) avec : **peut, peu.**

10. La connaissance du vocabulaire économique .... être acquise avec .... d'effort.

F) avec : **quand, quant, qu'en.**

11. Ce magasin n'est fermé .... juillet.
12. .... à cet employé, nous le licencierons .... nous aurons une preuve de ses fautes professionnelles.

G) avec : **quelle et qu'elle.**

13. Nous nous demandons ce .... peut faire.
14. Dis-moi .... lettre tu as rédigée.

H) avec : **quelque, quelques, quel que.**

15. .... soit le résultat, je ne changerai pas d'avis.
16. Nous les avons reçus, il y a .... temps.
17. Il y a .... dix ans, la situation était semblable.
18. Ils nous ont envoyé .... exemplaires de leur brochure.

I) avec : **sans, s'en.**

19. Ma lettre est restée .... réponse jusqu'à ce jour.
20. Le bilan ? La direction .... est déclarée satisfaite.

J) avec : **à faire, affaire.**

21. Je n'aimerais pas avoir .... à ce directeur.
22. Il a ce rapport .... avant 17 heures.

 

## ■ Exercice 2.

*Remplissez la grille à l'aide des définitions suivantes :*

1. Chaque fois que vous faites un chèque de paiement, votre banquier doit . . . . votre compte.
2. Si vous avez besoin d'argent liquide, vous pouvez toujours faire un . . . . de votre compte bancaire ou postal.
3. Votre banquier n'acceptera de vous accorder un prêt important que si vous pouvez lui apporter une . . . . .
4. C'est l'écrit par lequel vous donnez à votre banquier l'ordre de payer une certaine somme à un bénéficiaire.
5. Attention, quand vous établissez un chèque, votre compte ne doit pas être à . . . . .
6. Seule la banque de France a le droit d'. . . . les billets de banque.

| | | | | | | | | | |
|---|---|---|---|---|---|---|---|---|---|
| 1 | | | | | B | | | | |
| 2 | | | | | A | | | | |
| 3 | | | | | N | | | | |
| 4 | | | | | Q | | | | |
| 5 | | | | | U | | | | |
| 6 | | | | | E | | | | |

**27-B3**

## ■ Exercice 3.

*Remplacez, dans les phrases suivantes, les mots en gras par un terme approprié :*

1. **Les personnes qui ont prêté de l'argent** seront remboursées à la date prévue.

. . . . . . . . . . . . . . . . . . . . . . . . . . . . . . . . . . . . . . . . . . . . . . . .

2. Ils ont maintenu seulement les activités **qui rapportent de l'argent.**

. . . . . . . . . . . . . . . . . . . . . . . . . . . . . . . . . . . . . . . . . . . . . . . .

3. Il a reçu une lettre **qui ne porte pas de signature.**

. . . . . . . . . . . . . . . . . . . . . . . . . . . . . . . . . . . . . . . . . . . . . . . .

4. C'est une mesure **qui provoque une hausse générale des prix.**

. . . . . . . . . . . . . . . . . . . . . . . . . . . . . . . . . . . . . . . . . . . . . . . .

5. Ils se sont **mis ensemble** pour créer cette entreprise.

. . . . . . . . . . . . . . . . . . . . . . . . . . . . . . . . . . . . . . . . . . . . . . . .

6. Nous vous adressons, **à l'intérieur de cette lettre,** la facture rectifiée.

. . . . . . . . . . . . . . . . . . . . . . . . . . . . . . . . . . . . . . . . . . . . . . . .

Exercice de contrôle

*Complétez les phrases en ajoutant le mot ou l'expression qui convient :*

1. Je devrai amortir cette machine .... cinq ans.
2. Ce mode de paiement est le .... de tous.
3. Dans une heure, la banque .... fermée.
4. Perdre son chéquier, ce n'est pas grave, à condition de ............ immédiatement auprès de sa banque.
5. Elle m'a dit qu'elle avait reçu l'ordre de virement trois jours .....
6. J'accepte de vous prêter cette somme, à .... que vous me la rendiez à la fin du mois.
7. Il y a beaucoup de moyens de paiement. .... allez-vous choisir ?
8. .... six mois que nous attendions le règlement de ces fournitures.
9. Notre P.-D.G. est parti demander un crédit à sa banque, mais je ne crois pas qu'il l'.....
10. Les établissements Duval nous feront connaître leur décision .... une semaine.
11. Utilisez-vous un ordinateur ? Oui, nous en utilisons un .... 3 ans.
12. Nous avons attendu cinq mois et .... tout ce temps, nous n'avons rien reçu de vous.
13. Le délai de livraison est actuellement .... six semaines environ.
14. La société Bertiva a actuellement des difficultés de trésorerie. Elle nous demande une .... du délai de paiement.
15. Cette traite est exigible .... 31 de ce mois.
16. N'inscris pas la somme, fais-moi un chèque en .....
17. En période d'inflation, ou bien le salarié accepte une diminution de son .... d'...., ou bien il réclame une augmentation de .... à son employeur.
18. Si les coûts de production augmentent, ou bien l'entrepreneur accepte une diminution de son ...., ou bien il augmente le .... de .... de ses produits.
19. Pour .... un chèque, il suffit de tracer sur le chèque deux traits parallèles.
20. Il est poursuivi par la justice parce que son chèque était ....

## 27-Cl ■ Un débat télévisé sur les nationalisations.

*Le journaliste :* Bonsoir. Nous vous proposons une émission spéciale consacrée à un des sujets les plus actuels, celui des nationalisations. En effet, en ce moment-même est débattu à l'Assemblée nationale le projet de loi sur les nationalisations. Aussi ce soir avons-nous invité à notre table ronde habituelle deux députés, l'un de la majorité qui soutient le projet, M. Beaujour et, en face, un député de l'opposition, M. Tambon qui, depuis quelques jours, se bat pour que ce projet soit rejeté. Je les *remercie* tous deux *d'avoir accepté* de venir sur ce plateau et nous donnons la parole *tout d'abord* au membre de la majorité afin qu'il nous *expose les principaux arguments en faveur* des nationalisations.

*M. Beaujour : — Je commencerai, si vous le voulez bien, par faire un rappel.* Il ne faut pas oublier que, depuis quelques années, la majorité des Français ne veut plus supporter les conséquences d'une crise qui dure ; *en particulier,* nous devons trouver une solution au problème du chômage, et il appartient aux pouvoirs publics, quelles qu'en soient les difficultés, de mettre en œuvre une politique de redressement économique, *autrement dit* de restructuration industrielle. Nous sommes donc persuadés que le moment est venu d'étendre sensiblement la part du secteur public dans l'économie nationale.

*M. Tambon : — Permettez-moi d'intervenir sur ce point :* vous nous parlez de redressement économique, c'est très bien, mais êtes-vous sûr que le meilleur moyen d'y parvenir soit vraiment de nationaliser, *en d'autres termes,* d'exproprier, *c'est-à-dire* de confisquer les parts des actionnaires qui ont tout fait jusqu'à maintenant pour assurer le succès de l'industrie française ? *Votre première erreur,* Monsieur, *c'est de penser* que les entreprises nationalisées feront mieux que les entreprises privées. *Qu'est-ce qui vous permet de l'affirmer ? Si nous observons la situation* financière des entreprises nationalisées *nous constatons* tout simplement qu'elles accumulent presque toutes d'énormes déficits, payés par qui, Monsieur Beaujour, je vous le demande ? Par les contribuables, *bien évidemment, vous ne pouvez pas dire le contraire.* En fin de compte, les nationalisations, *que ce soit bien clair pour tout le monde,* conduisent, n'est-ce pas, à un ralentissement de la productivité et *par voie de conséquence,* à une baisse du niveau de vie des Français. *En somme,* c'est le pouvoir d'achat de chacun que vous cherchez à diminuer, *ni plus ni moins !*

*M. Beaujour :* — Là, *je vous arrête tout de suite.* Qui vous croira ? les télespectateurs ne seront pas dupes, quand vous dites que les entreprises publiques mènent le pays à la ruine. *Vous ne croyez pas que vous exagérez ?* Qui voulez-vous tromper ? Nous savons tous que ces entreprises ont obtenu et obtiennent encore d'excellents résultats. Vous voulez des chiffres ? *Eh bien, prenons un exemple,* celui de l'investissement. Vous n'êtes pas sans savoir que depuis dix ans l'investissement des entreprises nationalisées a augmenté, *écoutez bien,* de 91 % en volume, alors que l'investissement diminuait dans le secteur privé. *Je voudrais seulement vous dire* que ce que nous voulons avec notre projet, c'est intervenir là où les intérêts privés ne suffisent plus... *Laissez-moi parler s'il vous plaît !...* Nous voulons créer un ensemble d'entreprises compétitives, capables *en outre* d'un nouveau dynamisme qui permettra, *je l'espère,* de relancer l'activité de notre pays.
*M. Tambon :* — *Par contre,* ce que vous ne dites pas à ceux qui nous écoutent, c'est que votre projet cache en fait une étatisation et *j'insiste sur le terme. En un mot,* ne voulez-vous pas réellement enlever toute autonomie à l'entreprise. Cette autonomie est pourtant, et *vous ne pouvez pas dire le contraire,* la base de toute société libérale. *Si je vous ai bien compris,* on peut dire que grâce à vous les directeurs généraux ne seront plus que des fonctionnaires.
*M. Beaujour :* — *Ne me faites pas dire ce que je n'ai pas dit.* J'ai sous les yeux le texte du projet. Il est *clairement* précisé, *contrairement à ce que vous prétendez,* que les sociétés nationalisées garderont leur liberté de décision. L'État exercera un contrôle *certes,* mais léger ; disons, *si vous préférez,* un rôle d'orientation.
*M. Tambon :* — *Mais alors,* pourquoi bouleverser ce qui existe, si vous ne voulez pas réellement changer grand-chose ?
*M. Beaujour :* — *Tout dépend de ce que vous entendez par changement. Je vous le répète,* ce que nous voulons c'est...

## 27-C2 ■ Comment exprimer le doute, la possibilité, la probabilité.

**La crise va-t-elle se terminer ?**

— *Le pessimiste :* « **Je doute fort que** la politique actuelle réussisse. En tous les cas, **il est bien peu probable que** les conditions de vie s'améliorent à court terme et **il serait étonnant que** le chômage diminue. Finalement **il y a bien peu de chances pour que** la crise disparaisse. »

— *Le prudent :* « **Il est possible que** les choses s'améliorent. **Il se peut,** par exemple, **que** les mutations technologiques créent des emplois et **peut-être** les déficits seront-ils éliminés. Ce **pourrait être** alors un nouveau départ. »

— *L'optimiste :* Dans les mois à venir la croissance sera **vraisemblablement (probablement, sans doute, semble-t-il)** positive. Alors **il y a de fortes chances pour que** les chômeurs retrouvent du travail ; et **il est** même **probable que** prochainement la crise ne sera plus qu'un mauvais souvenir.

## 27-C3 ■ Corrigés des exercices.

EXERCICE 1 : **1 :** auxquelles. **2 :** auquel. **3 :** serais. **4 :** serai. **5 :** l'a. **6 :** la. **7 :** là. **8 :** On n'. **9 :** on. **10 :** peut, peu. **11 :** qu'en. **12 :** Quant, quand. **13 :** qu'elle. **14 :** quelle. **15 :** quel que. **16 :** quelque. **17 :** quelque. **18 :** quelques. **19 :** sans. **20 :** s'en. **21 :** affaire. **22 :** à faire.

EXERCICE 2 : **1 :** débiter. **2 :** retrait. **3 :** garantie. **4 :** chèque. **5 :** découvert. **6 :** émettre.

EXERCICE 3 : **1 :** les prêteurs ou les créanciers. **2 :** rémunératrices ou bénéficiaires ou rentables ou lucratives. **3 :** anonyme. **4 :** inflationniste. **5 :** associés. **6 :** ci-joint (ou ci-inclus ou sous ce pli).

EXERCICE 4 : **1 :** en. **2 :** meilleur (ou le plus avantageux, intéressant...). **3 :** sera. **4 :** faire opposition. **5 :** avant (ou auparavant). **6 :** condition. **7 :** lequel. **8 :** voilà (ou il y a ou ça fait). **9 :** obtienne. **10 :** dans. **11 :** depuis. **12 :** pendant (ou durant). **13 :** de. **14 :** prolongation. **15 :** le. **16 :** blanc. **17 :** pouvoir d'achat, salaire. **18 :** bénéfice (ou profit ou revenu), prix de vente. **19 :** barrer. **20 :** sans provision.

# ANNEXES

*La France: régions et départements*

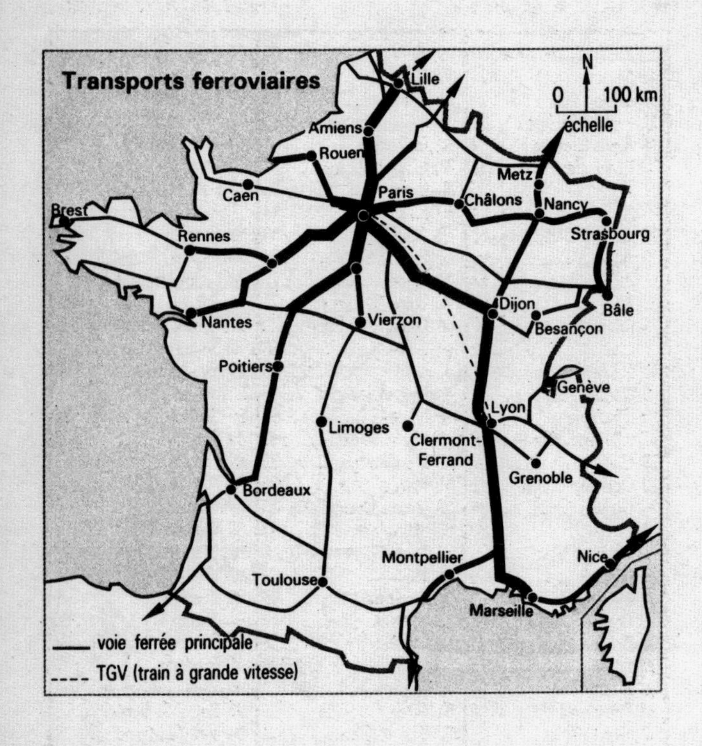

Transports ferroviaires
N
0
100 km
échelle
Lille
Amiens
Rouen
Caen
Paris
Châlons
Metz
Nancy
Strasbourg
Brest
Rennes
Nantes
Vierzon
Dijon
Besançon
Bâle
Poitiers
Genève
Lyon
Limoges
Clermont-Ferrand
Grenoble
Bordeaux
Montpellier
Nice
Toulouse
Marseille
voie ferrée principale
TGV (train à grande vitesse)

# CODE POSTAL ET CODE TÉLÉPHONIQUE EN FRANCE



INDICATIFS DÉPARTEMENTAUX

POSTAUX (à gauche) TÉLÉPHONIQUES (à droite)

| | | |
|---|---|---|
| 01 Ain......79-74 ou 50 | 32 Gers...62 | 64 Pyrénées-Atl....59 |
| 02 Aisne...23 | 33 Gironde...56 | 65 Pyrénées (Hautes-).62 |
| 03 Allier...70 | 34 Hérault...67 | 66 Pyrénées-Orient...68 |
| 04 Alpes (Hte-Prov.)..92 | 35 Ille-et-Vilaine...99 | 67 Rhin (Bas)...88 |
| 05 Alpes (Hautes-)...92 | 36 Indre...54 | 68 Rhin (Haut-)...89 |
| 06 Alpes-Maritimes...93 | 37 Indre-et-Loire...47 | 69 Rhône...7 ou 74 |
| 07 Ardèche...75 | 38 Isère...74 ou 76 | 70 Saône (Haute-)...84 |
| 08 Ardennes...24 | 39 Jura...84 | 71 Saône-et-Loire...85 |
| 09 Ariège...61 | 40 Landes...59 | 72 Sarthe...43 |
| 10 Aube...25 | 41 Loir-et-Cher...54 | 73 Savoie...78 |
| 11 Aude...68 | 42 Loire...77 | 74 Savoie (Haute-)...50 |
| 12 Aveyron...65 | 43 Loire (Haute-)...71 | 75 Paris...1 |
| 13 Bouches-du-Rhône.90 | 44 Loire-Atlantique...40 | 76 Seine-Maritime...35 |
| ............91 ou 42 | 45 Loiret...38 | 77 Seine-et-Marne...6 |
| 14 Calvados...31 | 46 Lot...65 | 78 Yvelines...3 |
| 15 Cantal...71 | 47 Lot-et-Garonne...53 | 79 Sèvres (Deux-)...49 |
| 16 Charente...45 | 48 Lozère...66 | 80 Somme...22 |
| 17 Charente-Maritime 46 | 49 Maine-et-Loire...41 | 81 Tarn...63 |
| 18 Cher...48 | 50 Manche...33 | 82 Tarn-et-Garonne..63 |
| 19 Corrèze...55 | 51 Marne...26 | 83 Var...94 |
| 20 Corse...95 | 52 Marne (Haute-)...25 | 84 Vaucluse...90 |
| 21 Côte-d'Or...80 | 53 Mayenne...43 | 85 Vendée...51 |
| 22 Côte-du-Nord...96 | 54 Meurthe-et-Moselle 8 | 86 Vienne...49 |
| 23 Creuse...55 | 55 Meuse...29 | 87 Vienne (Haute-)...55 |
| 24 Dordogne...53 | 56 Morbihan...97 | 88 Vosges...29 |
| 25 Doubs...81 | 57 Moselle...8 | 89 Yonne...86 |
| 26 Drôme...75 | 58 Nièvre...86 | 90 Territoire de Belfort84 |
| 27 Eure...32 | 59 Nord...20-27-28 | 91 Essonne...6 |
| 28 Eure-et-Loir...37 | 60 Oise...4 | 92 Hauts-de-Seine...1 |
| 29 Finistère...98 | 61 Orne...33 | 93 Seine-St-Denis...1 |
| 30 Gard...66 | 62 Pas-de-Calais...21 | 94 Val-de-Marne...1 |
| 31 Garonne (Haute-)..61 | 63 Puy-de-Dôme...73 | 95 Val-d'Oise...3 |

Indicatifs postaux et téléphoniques (service automatique)
pour les départements d'Outre-Mer :

971 GUADELOUPE...590 972 MARTINIQUE...596

973 GUYANE...594 SAINT-PIERRE ET MIQUELON...594 974 RÉUNION...262

Indicatifs téléphoniques des territoires d'Outre-Mer en service automatique :

NOUVELLE-CALÉDONIE...687 POLYNÉSIE FRANÇAISE...689

# POIDS ET MESURES

## I SYSTÈME MÉTRIQUE

| | poids | longueur | volume |
|---|---|---|---|
| 1/1000 | milligramme (mg) | millimètre (mm) | millilitre (ml) |
| 1/100 | centigramme | centimètre (cm) | centilitre (cl) |
| 1/10 | décigramme (dg) | décimètre (dm) | décilitre (dl) |
| **Unité** | **gramme (g)** | **mètre (m)** | **litre (l)** |
| 10 | décagramme | décamètre | décalitre |
| 100 | hectogramme (hg) | hectomètre (hm) | hectolitre (hl) |
| 1 000 | kilogramme (kg) | kilomètre (km) | |
| 100 000 | quintal (q) = 100 kg | | |
| 1 000 000 | tonne (t) = 1000 kg | | |

**Surfaces et volumes** sont exprimés en multiples et sous-multiples du mètre$^2$ (mètre carré) et du mètre$^3$ (mètre cube), par exemple : un millimètre cube, un kilomètre carré...

**surfaces**

**un centiare** = un carré de 1 m de côté = 1 m$^2$
unité : **un are** = un carré de 10 m de côté = 100 m$^2$
un hectare = un carré de 100 m de côté = 10 000 m$^2$

**volumes**

**un litre** = un cube de 10 cm de côté = 1000 cm$^3$ = 1000 cc = 1 décimètre cube = 1 dm$^3$

## II MESURES ANGLO-SAXONES

longueur : inch = un pouce = 2,54 centimètres
foot = un pied = 30,48 centimètres
yard = un yard = 91,44 centimètres
mile = un mille = 1609,31 mètres
nautical mile = un mille marin = 1852 mètres.

surface : square inch = un pouce carré = 6,45 cm$^2$
square foot = un pied carré = 9,28 décimètres$^2$
acre = un arpent = 0,4047 hectare
square mile = un mille carré = 2,59 kilomètres$^2$

volume : cubic inch = un pouce cube = 16,387 cm$^3$
cubic foot = un pied cube = 28,317 décimètres$^3$
cubic yard = un yard cube = 0,765 m$^3$

| | | | mesures britanniques | mesures américaines |
|---|---|---|---|---|
| capacité : | pint = une pinte | = | 0,568 litre | 0,473 litre |
| | quart = un quart | = | 1,136 litres | 0,946 litre |
| | gallon = un gallon | = | 4,546 litres | 3,785 litres |
| | bushel = un boisseau | = | 36,368 litres | 35,238 litres |

poids : système Avoirdupois

ounce = une once = 28,35 grammes
pound = une livre = 453,5 grammes
ton = une tonne = 1 016 kilogrammes.

## III CONVERSIONS

- pour convertir des milles en km :

$$\text{X milles} = X + \frac{X}{2} + \frac{X}{10}\text{kms}$$

exemple :

$$\text{50 milles} = 50 + \frac{50}{2} + \frac{50}{10}\ \text{Kms} = 50 + 25 + 5 = 80\ \text{kms}$$

- pour convertir des degrés Celsius en degrés Fahrenheit :

$$\text{t Celsius} = \frac{9}{5}(t + 32)\ \text{Fahrenheit}$$

- pour convertir des degrés Fahrenheit en degrés Celsius :

$$\text{t Fahrenheit} = \frac{5}{9}(t - 32)\ \text{degrés Celsius}$$

| Celsius | 0 °C | 18 °C | 37,2 °C | 100 °C |
|---|---|---|---|---|
| | eau qui gêle | température dans une maison | température du corps humain | eau qui bout |
| Fahrenheit | 32 °F | 65 °F | 98,4 | 212 °F |

### MINISTÈRES

**Ministère de l'Économie et des Finances**
93, rue de Rivoli, 75001 PARIS. Tél. (1) 260.33.00

**Ministère du Commerce et de l'Artisanat**
80, rue de Lille, 75007 PARIS. Tél. (1) 556.24.24

**Ministère de l'Industrie et de la Recherche**
101, rue de Grenelle, 75007 PARIS. Tél. (1) 556.36.36

**Ministère de l'Agriculture**
78, rue de Varenne, 75007 PARIS. Tél. (1) 555.95.50

**Ministère du Commerce Extérieur et du Tourisme**
41, quai Branly, 75007 PARIS. Tél. (1) 550.71.11

**Ministère des Transports**
246, bd Saint-Germain, 75007 PARIS. Tél. (1) 544.39.93

### ORGANISMES REPRÉSENTATIFS

**Chambre de Commerce et d'Industrie de Paris**
— 27, av. de Friedland, 75008 PARIS. Tél. (1) 561.99.00
— Service des Examens pour étrangers,
14, rue Chateaubriand, 75008 PARIS. Tél. (1) 561.99.00

**Chambre de Commerce Internationale**
38, cours Albert-1er, 75008 PARIS. Tél. (1) 261.85.97

**Assemblée Permanente des Chambres de Métiers**
12, av. Marceau, 75008 PARIS. Tél. (1) 723.61.25

**Assemblée Permanente des Chambres d'Agriculture**
9, av. Georges-V, 75008 PARIS. Tél. (1) 723.55.40

**Conseil National du Patronat Français (C.N.P.F)**
31, av. Pierre-1er-de-Serbie, 75016 PARIS.
Tél. (1) 720.26.73

**Confédération Générale du Travail (C.G.T.)**
213, rue La Fayette, 75010 PARIS. Tél. (1) 200.33.31

**Confédération Française Démocratique du Travail (C.F.D.T.)**
26, rue Montholon, 75009 PARIS. Tél. (1) 247.70.00

**Force Ouvrière (F.O.)**
198, av. du Maine, 75014 PARIS. Tél. (1) 539.22.03

### ORGANISMES DIVERS

**Banque de France**
39, rue Croix-des-Petits-Champs, 75001 PARIS.
Tél. (1) 261.56.72

**Centre de Documentation et d'Information de l'Assurance**
2, rue Chaussé-d'Antin, 75009 PARIS. Tél. (1) 824.96.12

**Centre Français du Commerce Extérieur (C.F.C.E.)**
10, av. d'Iéna, 75016 PARIS. Tél. (1) 505.30.00

**Banque Française du Commerce Extérieur (B.F.C.E.)**
21, bd Haussmann, 75009 PARIS. Tél. (1) 247.47.47

**Commission des Opérations de Bourse (C.O.B.)**
39, quai Citroën, 75015 PARIS. Tél. (1) 578.33.33

**Bourse des Valeurs de Paris**
2, rue Vivienne, 75002 PARIS. Tél. (1) 233.99.83

**Société Nationale des Chemins de Fer (S.N.C.F.)**
86/88, rue Saint-Lazare, 75009 PARIS. Tél. (1) 285.60.00

**P.T.T.**
20, av. de Ségur, 75007 PARIS.
Tél. (1) 566.22.22 ; 564.22.22

**Air-France**
1, square Max-Hymans, 75757 PARIS. Tél. (1) 323.81.81

### ORGANISMES DE DOCUMENTATION

**Institut National de la Statistique et des Études Économiques (I.N.S.E.E.)**
18, bd Adolphe-Pinard, 75014 PARIS. Tél. (1) 540.01.12

**La Documentation Française**
29, quai Voltaire, 75007 PARIS. Tél. (1) 261.50.10

## ■ LEXIQUE

Le chiffre qui suit chaque entrée renvoie au chapitre dans lequel le terme est expliqué.

| FRANÇAIS | ANGLAIS | ALLEMAND | ESPAGNOL |
|---|---|---|---|
| **abri** *(n.m.)* **14** | ***shelter*** | der Unterstand | *el abrigo* |
| **absorber** *(v.)* **11** | ***to absorb, to take over*** | übernehmen, schlucken | *absorver* |
| **absoption** *(n.f.)* **11** | ***absorbtion, take-over*** | die Übernahme | *la absorción* |
| **achat** *(n.m.)* **15** | ***purchase, buy*** | der Kauf, der Einkauf | *la compra* |
| **acheteur** *(n.m.)* **15** | ***buyer*** | der Käufer, die Käuferin | *el comprador* |
| **acquérir** *(v.)* **17** | ***to acquire*** | erstehen, erwerben | *adquirir* |
| **actif** *(n.m.)* (comptabilité) **12** | ***asset*** | die Aktiva | *el activo* |
| **actionnaire** *(n.m.)* **2, 11** | ***stockholder*** | der Aktionär, der Aktieninhaber | *el accionista* |
| **affichage** *(n.m.)* **5** | ***bill-boarding*** | der Plakatanschlag | *la fijación de anuncios (o de carteles)* |
| **agent** *(n.m.)* économique **20** | ***economic agent*** | die Wirtschaftsträger | *el agente económico* |
| **agrandir** *(v.)* **16** | ***to enlarge*** | vergrößern | *agrandar, ampliar* |
| **aligner** *(v.)* les prix **6** | ***to align, to put in line*** | angleichen, anpassen | *ajustar, reajustar.* |

| FRANÇAIS | ANGLAIS | ALLEMAND | ESPAGNOL |
|---|---|---|---|
| **allocations** *(n.f.)* (familiales) **3** | ***(family) allowances*** | das Kindergeld, die Familienzulage | *el subsidio (familiar)* |
| **aménager** *(v.)* **16** | ***to set up, to lay out*** | einrichten | *acondicionar, disponer* |
| **ampleur** *(n.f.)* **8** | ***scope*** | die Größe (nordnung), der Umfang | *la amplitud* |
| **ancienneté** *(n.f.)* **3** | ***seniority*** | das Dienstalter | *la antigüedad* |
| **annexe** *(n.f.)* **8** | ***annex, exhibit*** | der Anhang, die Anlage | *el anexo, la dependencia.* |
| **annonce** *(n.f.)* **3** | ***advertisement*** | die Anzeige, das Inserat | *el anuncio* |
| **annuler** *(v.)* **7,13** | ***to cancel*** | annulieren | *anular, cancelar* |
| **appeler** *(v.)* (téléphone) **13** | ***to call up*** | anrufen | *llamar por teléfono, telefonear* |
| **arranger** *(v.)* (trouver une solution) **7** | ***to solve*** | lösen (eine Lösung finden) | *arreglar* |
| **arts** *(n.m.)* ménagers (le salon des) **16** | ***Ideal Home Exhibition*** | die Hausratsmesse | *las artes domésticas* |
| **associé** *(n.m.)* **2** | ***partner, associate*** | der Geschäftspartner, der Teilhaber | *el socio* |
| **assurance** *(n.f.)* **18** | ***insurance*** | die Versicherung | *el seguro* |
| **assurance-véhicule** *(n.f.)* **18** | ***motor-vehicle insurance*** | die Automobilversicherung | *el seguro de automóviles.* |
| **assureur** *(n.m.)* **18** | ***insurance agent*** | der Versicherungsmakler | *el asegurador* |
| **atout** *(n.m.)* **4** | ***trump card, asset*** | der Trumpf | *la baza* |
| **attrayant** *(adj.)* **3** | ***attractive*** | anziehend, attraktiv | *atractivo,-va ; atrayente* |
| **avance** *(n.f.)* (être en) **1** | ***(to be) early*** | frühzeitig kommen | *adelanto (llegar con)* |

| FRANÇAIS | ANGLAIS | ALLEMAND | ESPAGNOL |
|---|---|---|---|
| **avantages** *(n.m.)* sociaux **3** | ***benefits*** | die sozialen Leistungen | *los beneficios sociales, las ventajas asistenciales* |
| **avantageux** *(adj.)* **8** | ***advantageous*** | vorteilhaft | *ventajoso,-sa* |
| **avenant** *(n.m.)* (à un contrat) **18** | ***rider*** | der Nachtrag, der Zusatz | *el acta adicional* |
| **bénéficier de** *(v.)* **3** | ***to take advantage of, to enjoy*** | genießen, Vorteil ziehen | *beneficiarse con, disfrutar* |
| **bien(s)** *(n.m.)* de consommation **17** | ***consumer good(s)*** | die Konsumgüter | *el (los) bien(es) de consumo* |
| **bilan** *(n.m.)* **12** | ***balance sheet*** | die Bilanz | *el balance* |
| **Bourse** *(n.f.)* **11** | ***Stock Exchange*** | die (Wertpapier) Börse | *la Bolsa* |
| **bureautique** *(n.f.)* **19** | ***bureautics*** | die Bürokommunikation, die Bürotik | *la burótica, la ofimática* |
| **cabinet** *(n.m.)* conseil **3** | ***office, firm*** | das Büro, die Firma | *el despacho, el gabinete* |
| **cadre** *(n.m.)* **3** | ***executive*** | der leitende Angestelle | *el ejecutivo, el cuadro* |
| 1) **caisse** *(n.f.)* **14** | ***cash register, checkout counter*** | die Kasse | *la caja, la caja registradora* |
| 2) **caisse** *(n.f.)* de bois **15** | ***box, crate*** | die Kiste | *la caja de madera* |
| **caisse** *(n.f.)* de retraite **3** | ***(pension) fund*** | die Altersversicherungs (kasse) | *la caja de pensiones* |
| **campagne** *(n.f.)* publicitaire **5** | ***(advertizing) campaign*** | die (Werbe) kampagne | *la campaña publicitaria (o de propaganda)* |

| FRANÇAIS | ANGLAIS | ALLEMAND | ESPAGNOL |
|---|---|---|---|
| **candidat** *(n.m.)* (à un travail) **3** | ***candidate, applicant*** | der Anwärter, der Kandidat | *el candidato* |
| **cantine** *(n.f.)* **3** | ***company restaurant*** | die Kantine, die Mensa | *la cantina, el refectorio* |
| **capital** *(n.m.)* **11** | ***capital*** | das Kapital, das Vermögen | *el capital, el caudal* |
| **carte** *(n.f.)* d'invitation **16** | ***invitation card*** | die Einladung- (skarte) | *la tarjeta de invitación* |
| **catalogue** *(n.m.)* **15** | ***catalog*** | der Katalog | *el catálogo* |
| **centrale** *(n.f.)* d'achats **15** | ***central purchasing unit*** | die Einkaufszentrale | *la central de compra* |
| **C'est de la part de qui ? 13** | ***who is speaking ?*** | Wer ist am Apparat ? | *de parte de quien ?* |
| **chargement** *(n.m.)* **14, 18** | ***load*** | die Ladung | *1. (action) la carga*<br>*2. (résultat) la carga, el cargamento* |
| **charger** *(v.)* quelqu'un de faire quelque chose **1** | ***to entrust someone with doing sthg*** | jdn. beauftragen | *encargar a alguien que haga algo* |
| **cherté** *(n.f.)* **3** | ***dearness*** | die Teuerung | *la carestía* |
| **chez** *(prép.)* (travailler...) **1** | ***(to work) with*** | (arbeiten) bei, mit | *(trabajar) en* |
| **chômage** *(n.m.)* **21** | ***unemployment*** | die Arbeitslosigkeit | *el desempleo, el paro* |
| **cible** *(n.f.)* **5** | ***target, aim, goal*** | die Zielgruppe,das Ziel | *el blanco* |
| **classeur** *(n.m.)* **7** | ***jacket, file*** | der (Leitz) ordner | *el archivador* |
| **clientèle** *(n.f.)* **4,5** | ***customers, clientele*** | die Kundschaft | *la clientela, la parroquia* |
| **collaborateur** *(n.m.)* **3** | ***collaborator, assistant*** | der Mitarbeiter | *el colaborador* |
| **commande** *(n.f.)* **6** | ***order*** | die Bestellung | *el encargo, el pedido* |

| FRANÇAIS | ANGLAIS | ALLEMAND | ESPAGNOL |
|---|---|---|---|
| **commander** *(v.)* passer une commande **6** | ***to order*** | bestellen | *encargar, pedir, hacer (o efectuar ; o pasar) un pedido* |
| **commentaire** *(n.m.)* **8** | ***comment*** | der Kommentar | *el comentario* |
| **commerçant** *(n.m.)* indépendant **15** | ***independent retailer*** | der Einzelhändler | *el comerciante independiente* |
| **commerce** *(n.m.)* extérieur **17** | ***foreign trade*** | der Außenhandel | *el comercio exterior* |
| **communication** *(n.f.)* (être en) **13** | ***(to be on the) line*** | telefonieren, am Apparat sein | *(estar) al teléfono (estar) comunicando* |
| **compagnie** *(n.f.)* d'assurances **18** | ***insurance company*** | die Versicherungs gesellschaft | *la compañia de seguros* |
| **composer** *(v.)* (un numéro) **13** | ***to dial (a telephone number)*** | eine Nummer wählen | *marcar un numero* |
| **comptable** *(n.m.)* **12** | ***accountant*** | der Buchhalter | *el contable, el tenedor de libros* |
| **comptabilité** *(n.f.)* **12** | ***accountancy*** | die Buchhaltung | *la contabilidad* |
| **compte** *(n.m.)* (bancaire) **10** | ***(bank)account*** | das (Bank) konto | *la cuenta (bancaria)* |
| **compter** *(v.)* (= espérer) **7** | ***to expect, to plan*** | zählen, rechnen mit | *contar con* |
| **concurrence** *(n.f.)* **4** | ***competition*** | die Konkurrenz | *la competencia* |
| **conditionnement** *(n.m.)* **14** | ***packaging*** | die Aufmachung, die Verpachung | *el acondicionamiento* |

| FRANÇAIS | ANGLAIS | ALLEMAND | ESPAGNOL |
|---|---|---|---|
| **conflit** *(n.m.)* **21** | ***conflict, strike*** | der Konflikt, die Auseinandersetzung | *el conflicto* |
| **conformément à** *(adv.)* **7** | ***according to, in keeping with*** | entsprechend | *conforme a, en conformidad con* |
| **conquérir** *(v.)* un marché **17** | ***to conquer, to break into (a market)*** | einen Markt erobern | *abrirse un mercado conquistar un mercado* |
| **conseil** *(n.m.)* d'administration **2,8** | ***board of directors*** | der Verwaltungsrat, der Vorstand | *el consejo de administración* |
| **conseiller** *(n.m.)* juridique **2** | ***legal consultant*** | der Rechtsberater | *el asesor (o consejero) jurídico* |
| **consentir** *(v.)* un prêt **9** | ***to grant*** | zugestehen | *conceder, otorgar (un préstamo)* |
| **consommateur** *(n.m.)* **15** | ***consumer*** | der Verbraucher, der Konsument | *el consumidor* |
| **consulter** *(v.)* **15** | ***to consult (with)*** | zu Rate ziehen, befragen | *consultar algo con alguien* |
| **contacter** *(v.)* **15** | ***to get in touch with someone*** | mit jdm Verbindung aufnehmen | *entrar en contacto con* |
| **contrat** *(n.m.)* **18** | ***contract*** | der Vertrag | *el contrato* |
| **contribuable** *(n.m.)* **20** | ***tax-payer*** | der Steuerzahler | *el contribuyente* |
| **contrôle** *(n.m.)* fiscal **12** | ***tax audit*** | die Steuerfahndung | *el control fiscal* |

| FRANÇAIS | ANGLAIS | ALLEMAND | ESPAGNOL |
|---|---|---|---|
| **contrôle** *(n.m.)* | | | |
| 1) exercer le contrôle **2** | ***1) to manage, to head*** | 1) die Kontrolle ausüben | *1) efectuar el control, intervenir* |
| 2) prendre le contrôle **11** | ***2) to take over*** | 2) die Kontrolle übernehmen | *2) controlar* |
| **correspondance** *(n.f.)* (transport) **14** | ***connection*** | der Anschluß | *la correspondencia, el empalme, el enlace.* |
| **convoquer** *(v.)* **3, 8** | ***to convoke, to summon*** | einberufen | *convocar* |
| **correspondant** *(n.m.)* | | | |
| 1)correspondant téléphonique **1,13** | ***1) party*** | 1) der Fernsprechteilnehmer. | *1) el correspondiente* |
| 2)correspondant (banque) **10** | ***2) agent*** | 2) die Bankvertretung | *2) el (banco) corresponsal* |
| **coter** *(v.)* (Bourse) **11** | ***to quote, to list*** | notieren (Börse) | *cotizar* |
| **cotiser** *(v.)* **3** | ***to pay dues*** | Beitrag zahlen | *pagar su cuota (o su cotización)* |
| **coupé** *(adj.)* (au téléphone) **13** | ***we've been cut off*** | wir sind unterbrochen worden | *cortado* |
| **courant** *(n.m.)* | | | |
| 1) (être au) **1** | ***1) to be aware of, to be informed about...*** | 1) auf dem Laufenden sein | *1) estar al corriente* |
| 2) (mettre au) **1** | ***2) to inform*** | 2) unterrichten | *2) informar* |
| **courbe** *(n.f.)* (de vente) **6** | ***sales graph*** | die Verkaufskurve | *la curva (de venta)* |
| **court** *(adj.)* (être à) **9** | ***to be short of*** | knapp sein | *(estar) corto* |
| **couvert** *(adj.)* (par une assurance) **18** | ***to be covered*** | gedeckt sein | *cubierto* |

| FRANÇAIS | ANGLAIS | ALLEMAND | ESPAGNOL |
| --- | --- | --- | --- |
| **créditer** *(v.)* **10** | ***to credit*** | gutschreiben | *abonar en cuenta* |
| **créneau** *(n.m.)* **4** | ***niche, slot, market*** | die Marktlücke | *el hueco (de mercado), el mercado, el segmento (de mercado)* |
| **date** *(n.f.)* de valeur **10** | ***date of value*** | das Ausstellungsdatum ; *jours de ~* die Laufzeiten | *la fecha de valor* |
| **débouché** *(n.m.)* **17** | ***outlet, market*** | der Absatzmarkt | *el mercado, la salida* |
| **déclaration** *(n.f.)* d'accident **18** | ***claim*** | die Unfallanzeige | *la declaración de accidente* |
| **déclaration** *(n.f.)* des revenus **20** | ***income tax return*** | die Einkommen-steuererklärung | *la declaración de la renta* |
| **décorateur** *(n.m.)* **16** | ***interior decorator*** | der Dekorateur | *el decorador* |
| **découvert** *(n.m.)* (banque) **10** | ***overdraft*** | die (Konto) überziehung | *el descubierto* |
| **décrocher** *(v.)* (téléphone) **7** | ***to pick up the receiver*** | den Hörer abnehmen | *descolgar* |
| **dédommager** *(v.)* **18** | ***to reimburse, to compensate*** | entschädigen | *compensar, indemnizar* |
| **déductible** *(adj.)* **20** | ***tax-deductible*** | abziehbar | *deducible* |
| **dégât** *(n.m.)* **14, 18** | ***damage, loss*** | der Schaden | *el daño, el estrago* |
| **délai** *(n.m.)* **6, 9, 14** | ***deadline, time limit, period*** | die Frist | *el plazo* |
| **démonstration** *(n.f.)* **16** | ***demonstration*** | die Vorführung | *la demostración* |
| **dépliant** *(n.m.)* **16** | ***folder*** | der Faltprospekt | *el folleto, el prospecto* |
| **dernièrement** *(adv.)* **7** | ***lately*** | letztlich | *ultimamente, hace poco* |

| FRANÇAIS | ANGLAIS | ALLEMAND | ESPAGNOL |
|---|---|---|---|
| **dette** *(n.f.)* **2** | *debt, debenture* | die Schulden | *la deuda* |
| **détenir** *(v.)* **11** | *to hold (shares)* | besitzen | *poseer, tener* |
| **détenteur** *(n.m.)* **11** | *(share) holder* | der (Aktien) inhaber, der Besitzer | *el tenedor (de acciones).* |
| **destinataire** *(n.m.)* **14** | *sendee* | der Empfänger | *el destinatario* |
| **devise** *(n.f.)* **10** | *hard currency* | die Devisen | *la divisa* |
| **diffuser** *(v.)* **5** | *1) to broadcast* *2) to market (a product)* | 1) senden 2) vertreiben | *comercializar; difundir* |
| **diffusion** *(n.f.)* (d'un produit) **6** | *marketing* | der Vertrieb (einer Ware) | *la comercialización, la difusión* |
| **directeur** *(n.m.)* technique **1** | *production manager* | der technische Leiter | *el director técnico* |
| **disposer** *(v.)* **16** | *to set up, to lay out* | (an) ordnen, einrichten | *disponer* |
| **distribution** *(n.f.)* **15** | *distribution, distribution network* | der Vertrieb | *la distribución* |
| **dividende** *(n.m.)* **11** | *dividend* | die Dividende | *el dividendo* |
| **dommage** *(n.m.)* **14, 18** | *damage* | der Schaden | *el daño, el perjuicio* |
| **dossier** *(n.m.)* **1, 6** | *file* | die Akte | *1)* (chemise) *la carpeta* *2)* (documents) *el expeiente* |
| **douane** *(n.f.)* **14** | *customs* | der Zoll | *la aduana* |
| **droit** (être en droit de) **3** | *to be entitled to* | Anrecht haben auf | *tener el derecho de (o para)* |

| FRANÇAIS | ANGLAIS | ALLEMAND | ESPAGNOL |
|---|---|---|---|
| **échange** *(n.m.)* **17** | ***exchange ; trade*** | der Austausch, der Handel | *el intercambio* |
| **échéance** *(n.f.)* **9, 18** | ***deadline, maturity date*** | das Fälligkeitsdatum, der Termin | *el vencimiento* |
| **écouler** *(v.)* (de la marchandise) **17** | ***to sell off*** | (eine Ware) vertreiben | *dar salida a* |
| **écran** *(n.m.)* **16** | ***screen*** | die Bildschirm | *la pantalla* |
| **écran** *(n.m.)* de visualisation **10** | ***TV screen, C R T*** | die Mattscheibe, die Bildschirm | *la pantalla de visualización* |
| **écoute** *(n.f.)* (radio) **5** | ***audience*** | das Hören | *la audiencia* |
| **écriture** *(n.f.)* | | | |
| 1) comptable **12** | ***entry*** | die Buchung | *el asiento* |
| 2) façon d'écrire **22** | ***writing*** | die Schrift | *la escritura, la letra* |
| **effet** *(n.m.)* de commerce **10** | ***commercial paper*** | der Wechsel der Scheck | *el efecto de comercio* |
| **électro-ménager** *(n.f.)* **4** | ***household appliances*** | das Haushaltsgerät | *los aparatos electrodomésticos* |
| **s'élever contre** *(v.)* **8** | ***to oppose*** | sich erheben gegen | *oponerse a* |
| **emballage** *(n.m.)* **14** | ***packing*** | die Verpackung | *el embalaje, el envase* |
| **embarquer** *(v.)* **14** | ***to load*** | (ver)laden | *embarcar* |
| **émission** *(n. f.)* (Bourse) **11** | ***issue (shares), floatation (bonds)*** | die Emission, die Ausgabe | *la emisión* |

| FRANÇAIS | ANGLAIS | ALLEMAND | ESPAGNOL |
|---|---|---|---|
| **empêchement** *(n.m.)* **8** | ***obstacle, hindrance*** avoir un ~ = ***to be unable to attend*** | die Verhinderung, das Hindernis | *el impedimento, la rémora* (avoir un ~ = *tener una imposibilidad)* |
| **emplacement** *(n.m.)* **16** | ***space, location*** | der Platz, der Stand (ort) | *el emplazamiento, la ubicación* |
| **emprunter** *(v.)* **2** | ***to borrow*** | borge, leihen | *1)* (de l'argent) *pedir dinero prestado* *2)* (utiliser) *coger, tomar* |
| **endommagé** *(adj.)* **14, 18** | ***damaged, spoiled*** | beschädigt | *dañado,da ; deteriorado, da* |
| **enquête** *(n.f.)* **4** | ***inquiry, survey*** | die Untersuchung | *la encuesta, la investigación* |
| **enregistrer** *(v.)* **8** | ***to record, to book*** | aufnehmen, eintragen, registrieren | *inscribir, registrar* |
| **s'ensuivre** *(v.)* **7** | ***to follow*** | sich ergeben aus | *resultar, seguirse* |
| **entrer** *(v.)* **19** | ***to enter*** | eintreten | *entrar* |
| **entretenir** *(v.)* (des relations commerciales) **9** | ***to maintain, to keep up*** | (Handelsbeziehungen) unterhalten | *cuidar, mantener* |
| **entretien** *(n.m.)* **15** | ***maintenance*** | die Wartung | *el mantenimiento* |
| **envisager** *(v.)* **8** | ***to envisage, to plan*** | beabsichtigen | *considerar, enfocar* |
| **envoi** *(n.m.)* **14** | ***shipment*** | der (Schiffs)-versand | *el envio* |
| **équipe** *(n.f.)* (de rédaction) **5** | ***team, staff (copywriting —, editorial —)*** | die Redaktion | *el equipo* |

| FRANÇAIS | ANGLAIS | ALLEMAND | ESPAGNOL |
|---|---|---|---|
| **espace** *(n.m.)* (publicitaire) **5** | ***(advertizing) space*** | der (Werbe)- raum | *el espacio* |
| **établir** *(v.)* (une facture) **7** | ***to draw up a bill*** | eine Rechnung ausstellen | *establecer (o hacer) una factura* |
| **étendre** *(v.)* (un marché) **6** | ***to develop, to extend*** | einen Markt erweitern, ausdehnen | *ampliar, extender* |
| **être** *(v.)* en ligne **13** | ***to be on the line*** | telefonieren | *estar telefoneando* |
| **étude** *(n.f.)* (de marché) **4** | ***(market) survey*** | die Marktstudie | *el estudio de mercado* |
| **éventuel** *(adj.)* **21** | ***possible*** | möglich | *eventual, posible* |
| **exemplaire** *(n.m.)* **16** | ***copy*** | das Exemplar | *el ejemplar* |
| **exercice** *(n.m.)* (comptabilité) **12** | ***accounting year*** | das Geschäfts-Rechnungsjahr | *el ejercicio* |
| **expansion** *(n.f.)* **2** | ***expansion, boom*** | die Expansion, der Boom | *la expansión* |
| **expédition** *(n.f.)* **14** | ***shipment, shipping*** | die Verschiffung | *el envio, la expedición* |
| **expert** *(n.m.)* en assurances **18** | ***claims adjustor*** | der Versicherungsfachmann | *el perito* |
| **expert-comptable** *(n.m.)* **12** | ***CPA (Certified Public Accountant)*** | der Bücherrevisor | *el perito en contabilidad* |
| **exportation** *(n.f.)* **17** | ***export*** | der Export | *la exportación* |
| **express** *(n.m.)* (lettre express) **14** | ***special delivery*** | die Eilzustellung | *la carta exprés (o urgente)* |
| **facilités** *(n.f.)* (de paiement) **9** | ***(payment) terms*** | die Zahlungserleichterungen | *las facilidades de pago* |
| **facture** *(n.f.)* **7, 12** | ***bill, invoice*** | die Rechnung | *la factura* |

| FRANÇAIS | ANGLAIS | ALLEMAND | ESPAGNOL |
|---|---|---|---|
| **facturer** *(v.)* **12** | ***to bill, to invoice*** | berechnen, in Rech-nung stellen | *facturar* |
| **faillite** *(n.f.)* **2** | ***bankruptcy*** | die Pleite, der Bankrott | *la quiebra* |
| **faux** *(n.m.)* **12** | ***forged document*** | die Fälschung | *la falsificación* |
| **fil** *(n.m.)* (ligne *(n.f.)* téléphonique) **13** | ***line*** | die Leitung | *la linea* |
| **filiale** *(n.f.)* **11** | ***subsidiary*** | die Filiale, die Tochtergesellschaft | *la filial, la sucursal* |
| **financement** *(n.m.)* **2** | ***financing*** | die Finanzierung | *la financiación, el financiamiento* |
| **fisc** *(n.m.)* **20** | ***Internal Revenue Service*** | der Fiskus, das Finanzamt | *el fisco, la Hacienda* |
| **flotte** *(n.f.)* **14** | ***fleet*** | die Flotte | *la flota* |
| **fonctionner** *(v.)* **16** | ***to work, to function, to operate*** | arbeiten, funktionieren | *funcionar* |
| **force** *(n.f.)* de vente **4** | ***sales force*** | die Verkäufer | *la fuerza de venta* |
| **formalité** *(n.f.)* **14** | ***formality*** | die Formalität | *el trámite* |
| **formation** *(n.f.)* **21** | ***training*** | die Ausbildung | *la formación* |
| **forme** *(n.f.)* juridique **2** | ***legal form*** | die Rechtsform | *la forma jurídica* |
| **fournisseur** *(n.m.)* **1** | ***supplier*** | der Lieferant | *el abastecedor, el proveedor* |
| **frais** *(n.m.)* **20** | ***expenses*** | die Kosten, die Aufwendungen, die Ausgaben | *los gastos* |

| FRANÇAIS | ANGLAIS | ALLEMAND | ESPAGNOL |
|---|---|---|---|
| **fraude** *(n.f.)* fiscale **20** | ***(tax) evasion*** | der Steuerbetrug | *el fraude fiscal* |
| **fret** *(n.m.)* **14** | ***freight*** | die Fracht | *el flete* |
| **fusionner** *(v.)* **11** | ***to merge*** | zusammenschließen, fusionieren | *fusionar* |
| **gamme** *(n.f.)* **4** | ***range*** | das (Fabrikations)-programm | *la gama, la línea, la serie* |
| **gestion** *(n.f.)* **3** | ***management*** | die Verwaltung, die Betriebsführung | *la gestión* |
| **gondole** *(n.f.)* **15** | ***gondola, island*** | die Gondel | *el mostrador* |
| **grande surface** *(n.f.)* (magasin) **6, 15** | ***supermarket*** | der Supermarkt, der Verbrauchermarkt | *el supermercado* |
| **grand magasin** *(n.m.)* **15** | ***department store*** | das Kaufhaus | *el almacén* |
| **grand public** (produit) **4** | ***consumer product*** | die Konsumgüter | *el bien de consumo* |
| **grève** *(n.f.)* **21** | ***strike*** | der Streik, der Ausstand | *la huelga* |
| **groupe** *(n.m.)* **11** | ***group, holding, conglomerate*** | die Gruppe | *el grupo* |
| **hebdomadaire** *(adj.)* **17** | ***weekly*** | wöchentlich | *semanal* |
| **horaire** *(n.m.)* **3** | ***timetable, time*** | Zeitplan, Fahrplan | *horario* |
| **hors taxe, H.T. 12** | ***less tax*** | Steuern und Abgaben nicht inbegriffen | *tasas no incluidas, derechos no incluidos* |
| **hôtesse** *(n.f.)* **16** | ***hostess, stewardess*** | die Hostesse, die Stewardess | *azafata (de vuelo), recepcionista* |

| FRANÇAIS | ANGLAIS | ALLEMAND | ESPAGNOL |
|---|---|---|---|
| **implantation** *(n.f.)* (commerciale) **6** | ***setting up*** | die (Handels)-niederlassung | *implantación* |
| **implanter** *(v.)* **17** | ***to settle, to set up*** | niederlassen | *implantar* |
| **impôt** *(n.m.)* sur le revenu **20** | ***income-tax*** | die Einkommensteuer | *impuesto sobre la renta* |
| **imprimante** *(n.f.)* **19** | ***printer*** | der Drucker | *impresora* |
| **indemnité** *(n.f.)* **21** | ***allowance*** | die Vergütung | *indemnidad, indemnización* |
| **indicatif** *(n.m.)* **5** | ***theme song : dial tone*** | die Kennmelodie ; der Wählton | *indicativo* |
| **indicatif** *(n.m.)* (téléphonique) **13** | ***(area) code*** | die Vorwahl | *el indicativo territorial* |
| **industrie** *(n.f.)* (légère) **17** | ***light industry*** | die Leichtindustrie | *industria ligera* |
| **informaticien** *(n.m.)* **19** | ***computer specialist*** | der Informatiker | *especialista en informática* |
| **informatique** *(n.f.)* **19** | ***data-processing*** | die EDV | *informática* |
| **inspection** *(n.f.)* du travail **21** | ***factory inspection*** | die Arbeitsaufsichtsbehörde | *inspección del trabajo* |
| **inspecteur** *(n.m.)* du travail **21** | ***factory inspector*** | der Arbeitsaufsichtsbeamte | *inspector del trabajo* |
| **intempéries** *(n.f.)* **14** | ***(bad) weather conditions*** | das schlechte Wetter | *intemperie* |
| **intéressement** *(n.m.)* (aux bénéfices) **3** | ***profit sharing*** | die (Gewinn)- beteiligung | *participación en los beneficios* |
| **intermédiaire** *(n.m.)* **10** | ***middleman*** | der Zwischen- (händler) | *intermediario* |

| FRANÇAIS | ANGLAIS | ALLEMAND | ESPAGNOL |
|---|---|---|---|
| **interphone** *(n.m.)* **13** | ***intercom*** | die Sprechanlage | *interfono* |
| **investissement** *(n.m.)* **2** | ***investment*** | die Investition | *inversión* |
| **jour** *(n.m.)* férié **10** | ***holiday, bank holiday*** | der Feiertag | *día festivo, día feriado* |
| **jour pour jour** *(loc.)* **7** | ***to the day*** | auf den Tag genau | *exactamente* |
| **justificatif** *(n.m.)* **12** | ***proof, document in proof, relevant paper*** | der Beleg | *justificante* |
| **lancement** *(n.m.)* (de produit) **6** | ***launching*** | die Einführung (einer Ware auf dem Markt) | *lanzamiento* |
| **lettre** *(n.f.)* **de voiture 14** | ***waybill*** | der Frachtbrief | *carta de porte* |
| **libre-échange** *(n.m.)* **17** | ***free market*** | der Freihandel | *libre cambio* |
| **licence** *(n.f.)* (de fabrication) **17** | ***license, licensing agreement*** | die Lizenz | *licencia de fabricación* |
| **licenciement** *(n.m.)* **21** | ***lay off*** | die Entlassung | *despido, licenciamiento* |
| **ligne** *(n.f.)* **13** | ***telephone line*** | die Leitung | *línea* |
| **liquidité** *(n. f.)* **9** | ***liquidity*** | die Barmittel | *liquidez* |
| **listage** *(n.m.)* **19** | ***listing*** | die Aufzählung | *listado, listín* |
| **livraison** *(n.f.)* **6** | ***delivery*** | die Lieferung | *entrega* |
| **livre** (journal grand livre) **12** | ***book ; ledger*** | das Hauptbuch | *libro (libro diario ; libro mayor)* |
| **livrer** *(v.)* **7** | ***to deliver*** | liefern | *entregar* |
| **logiciel** *(n.m.)* **19** | ***computer program ; software*** | die Software | *el software* |
| **lundi en huit 13** | ***a week from monday*** | Montag in einer Woche | *lunes en ocho días* |

| FRANÇAIS | ANGLAIS | ALLEMAND | ESPAGNOL |
|---|---|---|---|
| **magasin** *(n.m.)* **12** | ***store, warehouse*** | das Geschäft | *almacén* |
| **magasin** *(n.m.)* à succursales multiples **15** | ***multiple store, chain store*** | das Filialgeschäft | *almacén con sucursales* |
| **main d'œuvre** *(n.f.)* **21** | ***manpower ; staff*** | die Arbeitskraft | *mano de obra* |
| **maison** *(n.f.)* (société) **1** | ***house ; company*** | die Firma, die Gesellschaft | *casa (comercial) empresa, sociedad* |
| **maison** *(n.f.)* de vente par correspondance **6, 15** | ***mail order house*** | das Versandhaus | *sociedad de venta por correspondencia* |
| **majorer** *(v.)* **20** | ***to increase*** | erhöhen | *recargar, aumentar* |
| **manquer de** *(v.)* **1** | ***to lack, to be short of*** | nicht vorrätig haben | *carecer de* |
| **marché** *(n.m.)* financier **11** | ***financial market*** | der Finanzmarkt | *mercado financiero* |
| **marge** *(n.f.)* (bénéficiaire) **6** | ***(profit) margin*** | die Gewinnspanne | *el margen de beneficio* |
| **mémoire** *(n.f.)* **19** | ***memory*** | der Speicher | *memoria* |
| **ménage** *(n.m.)* (foyer) **4** | ***household*** | der Haushalt | *matrimonio* (couple), *hogar* |
| **ménagère** *(n.f.)* (femme au foyer) **5** | ***housewife*** | die Hausfrau | *ama de casa* |
| **mettre** *(v.)* en valeur **16** | ***to display*** | ausstellen | *hacer resaltar* (mettre en évidence)<br>*hacer fructificar poner en valor* (gallicisme) |

| FRANÇAIS | ANGLAIS | ALLEMAND | ESPAGNOL |
|---|---|---|---|
| **micro-ordinateur** *(n.m.)* **19** | ***microcomputer*** | der Mikrocomputer | *microordenador* |
| **montage audio-visuel 16** | ***multi-media presentation*** | die audio-visuelle Bearbeitung | *montaje audiovisual* |
| **montant** *(n.m.)* **9** | ***amount, sum*** | der Betrag | *importe* |
| **mouvement** *(n.m.)* (sur un compte) **10** | ***movement*** | die Kontobewegung | *operación, movimiento* |
| **négociable** *(adj.)* **11** | ***negociable*** | marktgängig, verkäuflich | *negociable* |
| **ne quittez pas 13** | ***hold the line*** | Bitte, bleiben Sie am Apparat ! | *No se retire, no cuelgue* |
| **numéro** *(n.m.)* (composer un ~) **1** | ***to dial a number*** | eine Nummer wählen | *el número (marcar)* |
| **occupé** *(adj.)* (tél.) **1, 13** | ***busy, engaged*** | besetzt | *esta comunicando, la linea esta ocupada* |
| **occupé** *(adj.)* (être... à) **1** | ***to be busy with*** | beschäftigt sein | *ocupado (estar)* |
| **officieusement** *(adv.)* **21** | ***unofficially*** | inoffiziell | *oficiosamente* |
| **opération** *(n.f.)* | | | |
| 1) financière **10** | ***1) operation, deal*** | 1) das Geldgeschäft | *1) operación financiera* |
| 2) comptable **12** | ***2) entry*** | 2) der Buchungs-vorgang | *2) operación contable* |
| **ordre** *(n.m.)* (de transfert) **10** | ***(transfer) order*** | der Überweisungsauftrag | *la orden de transferencia* |
| **ordre** *(n.m.)* du jour **8** | ***agenda*** | die Tagesordnung | *la orden del día, el temario* |

| FRANÇAIS | ANGLAIS | ALLEMAND | ESPAGNOL |
|---|---|---|---|
| **ouverture** *(n.f.)* **1** | *opening hour* | die Offnungszeiten, die Dienststunden | *apertura (action)* |
| **palais** *(n.m.)* des expositions **16** | *exhibition hall* | die Ausstellungshalle, die Messehalle | *el edificio (o el pabellón) de la feria (o de la exposición)* |
| **partenaire** *(n.m.)* **2, 17** | *partner, associate* | der Geschäftspartner, der Teilhaber | *socio* (en affaires) *interlocutor* |
| **participation** *(n.f.)* **11** | *participation, profit sharing scheme* | die (Gewinn)- beteiligung | *participación* |
| **passager** *(adj.)* **9** | *temporary* | zeitweilig | *pasajero* |
| **passer** *(v.)* un coup de téléphone **1** | *to phone, to call up* | anrufen | *llamar por teléfono* |
| **passif** *(n.m.)* (comptabilité) **12** | *liabilities* | die Passiva | *el pasivo* |
| **P.C.V.** (tél.) **13** | *to call collect* | das R-Gespräch | *conferencia a cobro revertido* |
| **pénalité** *(n.f.)* **20** | *penalty* | die (Vertrags)- strafe | *penalidad, sanción* |
| **percée** *(n.f.)* (sur un marché) **6, 17** | *breakthrough* | das Eindringen (auf dem Markt) | *penetraciòn, brecha* |
| **permettez-moi de... 1** | *allow me to* | Bitte, erlauben Sie mir... | *permítame....* |
| **personnel** *(n.m.)* **21** | *personal* | das Personal, die Belegschaft | *el personal, la plantilla* |
| **petit commerçant** *(n.m.)* **15** | *small shopkeeper* | der Einzelhändler | *pequeño comerciante* |

| FRANÇAIS | ANGLAIS | ALLEMAND | ESPAGNOL |
|---|---|---|---|
| **pièce** *(n.f.)* comptable **12** | ***accounting document*** | der Buchungsbeleg | *documento contable* |
| **pied** (mettre sur...) **5** | ***to set up*** | einrichten, aufstellen | *constituir, organizar* |
| **point** (faire le...) **6** | ***to survey, to review*** | Bilanz ziehen | *hacer el balance* |
| **ponctuel** *(adj.)* **9** | ***punctual, temporary*** | pünktlich, zeitweilig | *puntual* |
| **port dû 14** | ***carriage forward*** | unfrei, unfrankiert | *porte debido* |
| **port payé 14** | ***carriage paid*** | Porto bezahlt | *porte pagado* |
| **poste** *(n.m.)* **21** | ***job ; work station*** | die Stelle | *empleo, cargo, puesto* |
| **précaire** *(adj.)* **11** | ***precarious*** | vorübergehend,unsicher | *precari o* |
| **préliminaire** *(adj.)* **8** | ***preliminary*** | vor... vorbereitend | *preliminar* |
| **prématuré** *(adj.)* **8** | ***premature, untimely*** | verfrüht | *prematurado* |
| **prendre connaissance 18** | ***to be informed*** | Kenntnis nehmen | *enterarse de, informarse* |
| **pré-retraite** *(n.f.)* **21** | ***early retirement*** | die Frührente | *jubilación anticipada* |
| **présenter** *(v.)* **1** | ***to introduce*** | vorstellen | *presentar* |
| **prétentions** *(n.f.)* (salaire) **3** | ***salary asked*** | die Gehaltsans prüche | *pretensiones salariales* |
| **prévenir** *(v.)* **7** | ***to warn*** | benachrichtigen | *avisar* |
| **prime** *(n.f.)* (en plus du salaire) **3** | ***bonus*** | die Prämie | *sobresueldo* |
| **prime** *(n.f.)* (d'assurance) **18** | ***premium*** | die Versicherungsprämie | *prima (de seguro)* |
| **primer** *(v.)* **8** | ***to take precedence*** | Vorrang haben | *dominar* (l'emporter) *superar a* (l'emporter sur) *tener prelación* |

| FRANÇAIS | ANGLAIS | ALLEMAND | ESPAGNOL |
| --- | --- | --- | --- |
| **prise** *(n.f.)* **11** | | | |
| 1) de contrôle | *1) to take over* | 1) die Übernahme | *1) toma de control* |
| 2) de participation | *2) to buy into, to buy a stake* | 2) die Beteiligung | *2) toma de participación* |
| **prix** *(n.m.)* hors taxes (H.T.) **20** | *price without tax* | Preis ohne Steuern und Abgaben | *precio tasas no incluidas* |
| **prix** *(n.m.)* toutes taxes comprises (T.T.C.) **20** | *price all taxes included* | Preis, Steuern und Abgaben inbegriffen | *precio tasas incluidas* |
| **profil** *(n.m.)* **3** | *profile* | das Profil | *perfil* |
| **pro forma** *(adj.)* **14** | *pro forma* | proforma | *pro-forma* |
| **programme** *(n.m.)* informatique **19** | *computer program* | das Computer-programm | *programa informático* |
| **programmer** *(v.)* (une campagne) **5** | *to schedule* | eine Werbekampagne planen | *programar* |
| **projet** *(n.m.)* **2** | *project* | das Projekt | *proyecto* |
| **promotion** *(n.f.)* **1** | *promotion* | die Beförderung | *promoción* |
| **protectionnisme** *(n.m.)* **17** | *protectionism* | der Protektionismus | *proteccionismo* |
| **provision** *(n.f.)* (sur un compte) **10** | *provision* | die Deckung | *provisión* |
| **publicité** *(n.f.)* **5** | *publicity, advertising* | die Werbung | *publicidad* |
| **raccrocher** *(v.)* **13** | *to hang up* | auflegen, aufhängen | *colgar* (le téléphone) |
| **rachat** *(n.m.)* **11** | *buy back, purchase* | der Rückkauf | *recompra, nueva compra* *retroventa* (juridique) |

| FRANÇAIS | ANGLAIS | ALLEMAND | ESPAGNOL |
| --- | --- | --- | --- |
| **ralentissement** *(n.m.)* (ventes) **6** | ***slow down*** | die Geschäftsflaute | *disminución* |
| **rapport** *(n.m.)* **8** | ***report*** | der Bericht | *el informe* |
| **(ré)actualiser** *(v.)* **18** | ***to update*** | reaktualisieren | *reactualizar* |
| **recevoir** *(v.)* quelqu'un **1** | ***to welcome*** | jdn. empfangen, begrußen | *recibir* |
| **recherche** *(n.f.)* (être à la recherche...) **3** | ***to be looking for*** | suchen | *estar buscando* |
| **reclasser** *(v.)* (un employé) **21** | ***to relocate, to retrain*** | wiedereingliedern | *1) asignar a un nuevo puesto*<br>*2) readaptar* |
| **reconduire** *(v.)* **18** | ***to renew*** | verlängern | *prorrogar, reconducir* |
| **recourir à** *(v. intr.)* **21** | ***to resort to*** | greifen zu | *recurrir a, apelar a* |
| **recrutement** *(n.m.)* **3** | ***recruiting, hiring*** | die Einstellung | *contratación, reclutamiento* |
| **reçu** *(n.m.)* **12** | ***receipt*** | die Quittung | *recibo* |
| **récupérer** *(v.)* (la T.V.A.) **20** | ***to recuperate, to charge*** | (die Mehrwertsteuer) zurückerstattet erhalten | *recuperar* |
| **recyclage** *(n.m.)* **21** | ***re-training*** | die Umschulung | *reciclaje, reconversión* |
| **rédaction** *(n.f.)* (publicité) **5** | ***writing ; copy writing*** | die Ausarbeitung, die Abfassung | *redacción* |
| **régler** *(v.)* (une dette) **9** | ***to settle, to pay*** | (Schulden) begleichen | *pagar, satisfacer (una deuda)* |

| FRANÇAIS | ANGLAIS | ALLEMAND | ESPAGNOL |
|---|---|---|---|
| **relevé** *(n.m.)* (de compte) **10** | ***statement*** | der Kontoauszug | *extracto de cuenta* |
| **rembourser** *(v.)* **2** | ***to pay back, to pay off*** | zurückerstatten | *reembolsar* |
| **remise** *(n.f.)* en état **18** | ***repair*** | die Reparatur | *arreglo, revisión* |
| **renouveler** *(v.)* **18** | ***renew*** | erneuern | *1) renovar* (un contrat)<br>*2) reponer* (les stocks)<br>*3) repetir* (une commande) |
| **renseignements** *(n.m.)* (donner des) **1** | ***to inform*** | unterrichten | *dar informes* |
| **rentrée** *(n.f.)* (d'argent) **10** | ***receipt*** | die Einnahmen | *ingreso, entrada* |
| **report** *(n.m.)* (comptabilité) **9** | ***brought forward*** | der Übertrag | *1) suma y sigue*<br>*2) suma anterior* |
| **représentant** *(n.m.)* **17** | ***representative, salesman, agent*** | der Vertreter | *representante* |
| **réseau** *(n.m.)* (de distribution) **4** | ***network*** | das (Vertriebs)netz | *red (f)* |
| **responsable** *(n.m.)* **1, 2** | ***person in charge*** | der Verautwortliche | *responsable* |
| **résilier** *(v.)* **18** | ***cancel, terminate*** | annulieren | *rescindir* |
| **retraite** *(n.f.)* **3, 20** | ***retirement, pension*** | die Pension | *jubilación* |
| **revendication** *(n.f.)* **21** | ***claim*** | die Forderung | *reivindicación* |
| **revenus** *(n.m.)* **4** | ***income*** | das Einkommen | *renta* |
| **risque** *(n.m.)* **18** | ***risk*** | das Risiko | *riesgo* |

| FRANÇAIS | ANGLAIS | ALLEMAND | ESPAGNOL |
| --- | --- | --- | --- |
| **risque** *(n.m.)* de change **10** | ***exchange risk*** | das Wechselrisiko | *riesgo de cambio* |
| **ristourne** *(n.f.)* **6** | ***rebate*** | der Rebatt | *descuento, rebaja* (réduction) *bonificación* (assurances) |
| **rotation** *(n.f.)* (des stocks) **15** | ***turnover*** | der Warenumschlag | *reposición (de existencias)* |
| **saisir** *(v.)* (une situation) **7** | ***to understand*** | etwas begreifen | *comprender, captar* |
| **salon** *(n.m.)* (des arts ménagers) **16** | ***exhibition, fair*** | die (Hausrats)- messe | *sálon, exposición* |
| **seconder** *(v.)* **3** | ***to help, to assit*** | unterstützen, helfen | *secundar* |
| **sélectionner** *(v.)* **3** | ***to select, to screen*** | auswählen | *seleccionar* |
| **sensibiliser** *(v.)* **5** | ***to sensitize, to raise conciousness*** | vertraut machen, sein | *sensibilizar* |
| **service** *(n.m.)* après-vente **15** | ***after sales services*** | der Kundendienst | *servicio posventa* |
| **siège** *(n.m.)* (social) **3, 10** | ***registered office ; head office*** | der Firmensitz | *sede (social)* |
| **slogan** *(n.m.)* **5** | ***slogan catchword*** | der Slogan, der Werbespruch | *eslogan* |
| **social** *(adj.)* (entreprise « sociale ») **3** | ***socially concious company*** | sozial (bewußtes Unternehren) | *social (empresa que toma en cuenta los problemas sociales)* |

| FRANÇAIS | ANGLAIS | ALLEMAND | ESPAGNOL |
|---|---|---|---|
| **solde** *(n.m.)* **9** | ***sale*** | der Schlußverkauf, der Ausverkauf | *saldo, rebaja* |
| **sondage** *(n.m.)* **4** | ***poll, survey*** | die Meinungsumfrage | *sondeo* |
| **sortie** *(n.f.)* (d'argent) **10** | ***outgoing expense*** | die Ausgaben | *salida* |
| **soumettre** *(v.)* (un problème), **8, 9** | ***to submit*** | unterbreiter | *someter* |
| **souscrire** *(v.)* (une assurance) **3** | ***to take*** | zeichnen ; sichversichern | *suscribir* |
| **spot** *(n.m.)* (publicitaire) **5** | ***spot, commercial*** | der Werbespot | *spot* |
| **stage** *(n.m.)* **19, 21** | ***training period*** | das Praktikum | *cursillo* (théorique) *período de prácticas* (pratique) |
| **stand** *(n.m.)* **16** | ***stand*** | der Stand | *caseta, stand* |
| **stocker** *(v.)* **7** | ***to build up an inventory*** | lagern | *almacenar* |
| **supermarché** *(n.m.)* **15** | ***supermarket*** | der Supermarkt | *supermercado* |
| **syndicat** *(n.m.)* **21** | ***trade union*** | die Gewerkschaft | *sindicato* |
| **tarif** *(n.m.)* **1** | ***price ; price list*** | die Preisliste | *tarifa, lista de precios* |
| **taux** *(n.m.)* **20** | ***rate*** | die Rate, der Satz | *tipo, tasa* |
| **solvabilité** *(n.f.)* **10** | ***solvency*** | die Kreditwürdigkeit, die Solvenz | *solvencia* |
| **terminal** *(n.m.)* **19** | ***terminal*** | die Datenendstation | *terminal* |
| **tester** *(v.)* **4** | ***to test, to try*** | testen, prüfen | *someter a un test* |
| **tirer** *(v.)* (une traite) **9** | ***to draw*** | Ziehen (einen Wechsel) | *girar, librar* |

| FRANÇAIS | ANGLAIS | ALLEMAND | ESPAGNOL |
|---|---|---|---|
| **Toutes Taxes Comprises, T.T.C. 12** | ***all taxes included*** | Steuern und Abgaben inbegriffen | *tasas incluidas* |
| **titre** *(n.m.)* (Bourse) **11** | ***security*** | das Wertpapier | *valor(m), título* |
| **toucher** *(v.)* (un public)**5** | ***to reach, to influence*** | erreichen, ansprechen | *alcanzar al publico* |
| **tour** *(n.m.)* d'horizon **3** | ***survey, review*** | der Überblick | *examen general, panorama* |
| **traite** *(n.f.)* **9** | ***bill of exchange*** | der Wechsel, die Tratte | *letra de cambio* |
| **traitement** *(n.m.)* de données **19** | ***(data) processing*** | die Datenverarbeitung | *el proceso de datas* |
| **traitement** *(n.m.)* de texte **19** | ***word-processing*** | die Textverarbeitung | *tratamiento de textos* |
| **transfert** *(n.m.)* de technologie **17** | ***technology transfer*** | der Technologietransfer | *transferencia (transmisión) de tecnología* |
| **transporteur** *(n.m.)* **14** | ***carrier*** | der Beförderer, der Spediteur | *transportista* |
| **travail** *(n.m.)* « au noir » **20** | ***moonlighting, undeclared work*** | die Schwarzarbeit | *trabajo negro* |
| **trésorerie** *(n.f.)* **9** | ***cash, cash flow*** | die flüssige Aktiva,die Barmittel | *tesoreria, cash flow (activos líquidos)* |
| **trésorier** *(n.m.)* **9** | ***treasurer*** | der Schatzmeister | *tesorero* |
| **troc** *(n.m.)* **17** | ***barter*** | der Tauschhandel | *trueque (m.)* |
| **trou** *(n.m.)* (financier) **10** | ***hole, gap, deficit*** | die Dechungslücke | *agujero* |

| FRANÇAIS | ANGLAIS | ALLEMAND | ESPAGNOL |
|---|---|---|---|
| **unité** *(n.f.)* centrale **19** | ***central unit*** | der Zentralspeicher | *unidad central* |
| **usine** *(n.f.)* clé-en-main **17** | ***turn-key plant*** | die Schlüsselfertige Fabrik | *fábrica con llaves en mano* |
| **vendre** *(v.)* **1** | ***to sell*** | verkaufen | *vender* |
| **vente** *(n.f.)* par correspondance **15** | ***mail order sales*** | der Versandhandel | *venta por correspondencia* |
| **verser** *(v.)* (de l'argent) **9** | ***to pay, to deposit*** | bezahlen, überweisen | *entregar, abonar* (de l'argent)<br>*ingresar* (en compte)<br>*pagar* (une cotisation) |
| **visiter** *(v.)* **1** | ***to visit*** | besuchen | *visitar* |
| **vol** *(n.m.)* (avion) **14** | ***flight*** | der Flug | *vuelo* |
| **voyage** *(n.m.)* d'affaires **20** | ***business trip*** | die geschäftreise, die Dienstreise | *viaje de negocios* |

Les chiffres renvoient au(x) chapitre(s).

# INDEX GÉNÉRAL

| Chapitres | Notions-Fonctions | Points grammaticaux |
|---|---|---|
| 1 | questionner | l'interrogation directe |
| 2 | proposer, accepter, refuser | |
| 3 | s'informer | l'interrogation indirecte |
| 4 | l'alternative | la cause |
| 5 | conseiller, recommander | le but, l'intention |
| 6 | déduire | la conséquence |
| 7 | mettre en garde | la quantité |
| 8 | exposer ses idées : — pour commencer ; — pour continuer | le lieu |
| 9 | insister | la manière |
| 10 | protester | l'opposition |
| 11 | concéder | l'hypothèse, la condition |
| 12 | refuser | la négation |
| 13 | exposer ses idées : — pour terminer | le futur, l'avenir |
| 14 | le regret, la déception | le passé |
| 15 | l'intérêt, l'indifférence | la comparaison |
| 16 | la certitude | la forme impersonnelle |
| 17 | donner un ordre | la durée |
| 18 | l'hypothèse, l'appartenance | les possessifs |
| 19 | l'espoir | la concordance des temps |
| 20 | nuancer, minimiser | la quantité : chiffres et proportions |
| 21 | la surprise | le temps : moment et date |
| 22 | demander dans une lettre d'affaires | |
| 23 | exprimer ses sentiments, la volonté | • l'emploi du subjonctif après « que »<br>• l'emploi des prépositions |
| 24 | exprimer son opinion | • le discours indirect<br>• l'emploi des modes verbaux avec les verbes d'opinion |
| 25 | | la dérivation : les préfixes et les suffixes |
| 26 | argumenter | les pronoms personnels, démonstratifs, indéfinis, relatifs |
| 27 | argumenter, exprimer le doute, la possibilité et la probabilité | |

# SIGLES ET ABRÉVIATIONS ÉCONOMIQUES ET SOCIAUX



## A

| | |
|---|---|
| A | Ampère |
| A.E.L.E. | Association européenne de libre-échange |
| A.F.N.O.R | Association française de normalisation |
| A.F.P. | Agence France-Presse |
| A.F.P.A. | Association pour la formation professionnelle des adultes |
| A.G. | Assemblée générale |
| A.G.F. | Assurances générales de France |
| A.I.D. | Association internationale de développement |
| A.I.T.A. | Association internationale des transports aériens |
| A.N.P.E. | Agence nationale pour l'emploi |
| A.O.C. | (Vin d')appellation d'origine contrôlée |
| Appt. | Appartement |
| Apr. (ou av.) J.-C. | Après (ou avant) Jésus-Christ |
| A.R. | Accusé de réception |
| A.S.S.E.D.I.C. | Association pour l'emploi dans l'industrie et le commerce |
| Av. | Avenue |

## B

| | |
|---|---|
| Bd (ou Boul.) | Boulevard |
| B.D. | Bande dessinée |
| B.D.F. | Banque de France |
| B.E.I. | Banque européenne d'investissement |
| B.E.N.E.L.U.X. | Union douanière de la Belgique, des Pays-Bas et du Luxembourg |
| B.E.P. | Brevet d'études professionnelles |
| B.F.C.E. | Banque française du commerce extérieur |
| B.I.C. | Bénéfices industriels et commerciaux |
| B.I.R.D. | Banque internationale pour la reconstruction et le développement (sigle anglo-saxon : I.B.R.D.) |
| B.I.T. | Bureau international du travail |
| B.N.P. | Banque nationale de Paris |
| B.O. | Bulletin officiel |
| B.P. | Boîte postale |
| B.P.L. | British Petroleum (Limited) |
| B.P.F. | Bon pour francs |
| B.R.I. | Banque des règlements internationaux |
| B.T.(S.) | Brevet de technicien (supérieur) |
| B.T.P. | Bâtiment, travaux publics |

## C

| | |
|---|---|
| C.A. | Chiffre d'affaires |
| C.A. | Conseil d'administration |
| C-à-d. | C'est-à-dire |
| C.A.F. | Coût, assurance, frêt (sigle anglo-saxon : C.I.F.) |
| C.A.P. | Certificat d'aptitude professionnelle |
| C.C. | Corps consulaire |
| C.C.F. | Crédit commercial de France |
| C.C.I. | Chambre de commerce et d'industrie |
| C.C.I.P. | Chambre de commerce et d'industrie de Paris |
| C.C.P. | Centre des chèques postaux ou Compte chèque postal |
| C.D. | Corps diplomatique |
| C.D.F. | Charbonnages de France |
| C.D.S. | Centre des démocrates sociaux |
| C.E. | Comité d'entreprise |
| C.E.A. | Commissariat à l'énergie atomique |
| C.E.A. | Compte d'épargne en actions |
| C.E.C.A. | Communauté européenne du charbon et de l'acier |
| C.E.D.E.X. | Courrier d'entreprise à distribution exceptionnelle |
| C.E.E. | Communauté économique européenne |
| C.E.E.A. | Communauté européenne de l'énergie atomique (ou : EURATOM) |
| Cent. | Centimes |
| C. et F. | Coût et frêt |
| C.E.R.N. | Centre européen pour la recherche nucléaire |
| C.E.S. | Conseil économique et social |
| Cf. | **Confer** (reportez-vous à) |
| C.F.A. | (franc) de la Communauté financière africaine |
| C.F.C.E. | Centre français du commerce extérieur |
| C.F.D.T. | Confédération française démocratique du travail |
| C.F.P. | Compagnie française des pétroles (Total) |
| C.F.T.C. | Confédération française des travailleurs chrétiens |
| C.G.C. | Confédération générale des cadres |
| C.G.E. | Compagnie générale électrique |
| C.G.T. | Confédération générale du travail |
| C.G.T.-F.O. | Confédération générale du travail - Force ouvrière |
| Chap. | Chapitre |
| Ch. de f. | Chemin de fer |
| C.H.U. | Centre hospitalier universitaire |
| C.I.C. | Crédit industriel et commercial |

| | |
|---|---|
| Cie | Compagnie |
| C.I.S.L. | Confédération internationale des syndicats libres |
| cl. | Centilitre |
| C.L. | Crédit lyonnais |
| cm. | Centimètre |
| C.M.C.C. | Crédit de mobilisation des créances commerciales |
| C.N.A.M. | Conservatoire national des arts et métiers |
| C.N.C. | Conseil national du crédit |
| C.N.C.A. | Caisse nationale du crédit agricole |
| C.N.E. | Caisse nationale d'épargne |
| C.N.J.A. | Centre national des jeunes agriculteurs |
| C.N.P. | Caisse nationale de prévoyance |
| C.N.P.F. | Conseil national du patronat français |
| C.N.R.S. | Centre national de la recherche scientifique |
| C.N.U.C.E.D. | Conférence des Nations unies pour le commerce et le développement (sigle anglo-saxon : U.N.C.T.A.D.) |
| C/o. | **care of** (aux bons soins de) |
| C.O.B. | Commission des opérations de Bourse |
| C.O.D.E.R. | Commission de développement économique régional |
| C.O.D.E.V.I. | Compte pour le développement industriel |
| C.O.F.A.C.E. | Compagnie française d'assurance pour le commerce extérieur |
| C.O.M.E.C.O.N. | Organisation de coopération économique des pays de l'Europe de l'Est |
| C.Q.F.D. | Ce qu'il fallait démontrer |
| C.R.E.D.O.C. | Centre de recherches, d'études et de documentation sur la consommation |
| C.S.L. | Confédération des syndicats libres |
| C.S.P. | Catégorie socio-professionnelle |
| C.U.M.A. | Coopérative d'utilisation du matériel agricole |
| C.V. | **Curriculum vitae** |
| C.V. | Cheval-vapeur |

## D

| | |
|---|---|
| D.A.T.A.R. | Délégation à l'aménagement du territoire et à l'action régionale |
| D.M. | Deutsche Mark |
| Dol. (ou $) | Dollar |
| D.O.M. | Département d'Outre-Mer |
| Douz. (ou dz.) | Douzaine |
| Dr. | Docteur |
| D.T.S. | Droits de tirage spéciaux |
| D.U.T. | Diplôme universitaire de technologie |

## E

| | |
|---|---|
| E.C.U. | **European currency unit** (Unité de compte européenne) |
| E.D.F. | Électricité de France |
| E.G.F. | Électricité et Gaz de France |
| E.N.A. | École nationale d'administration |
| Env. | Environ |
| E.S.S.E.C. | École supérieure de sciences économiques et commerciales |
| Etc. | **Et cætera** (et le reste) |
| Ets. | Établissements |
| EURATOM | Communauté européenne de l'énergie atomique (voir C.E.E.A.) |
| Ex. | Exemple |

## F

| | |
|---|---|
| F. (ou f.) | France (ou français) |
| F.A.O. | Food and agriculture organisation |
| F.A.S. | Free alongside ship (franco le long du navire) |
| F.B. | Franc belge |
| F.B.C.F. | Formation brute de capital fixe |
| F.E.D. | Fonds européen de développement |
| F.E.N. | Fédération de l'Éducation nationale |
| F.E.O.G.A. | Fonds européen d'orientation et de garanties agricoles |
| F.F. | Franc français |
| Fg. | Faubourg |
| F.L. | Franc luxembourgeois |
| F.M.I. | Fonds monétaire international (sigle anglo-saxon : I.M.F.) |
| F.N.S.E.A. | Fédération nationale des syndicats d'exploitants agricoles |
| F.O. | Voir C.G.T.-F.O. |
| F.O.B. | **Free on board** (franco à bord) |
| F.O.R. | **Free on rail** (franco wagon) |
| F.S. | Franc suisse |
| F.S.M. | Fédération syndicale mondiale |

## G

| | |
|---|---|
| g. | Gramme |
| G.A.E.C. | Groupement agricole d'exploitation en commun |
| G.A.T.T. | General agreement on tariffs and trade (Accord général sur les tarifs douaniers et le commerce) |
| G.-B. | Grande-Bretagne |
| G.D.F. | Gaz de France |
| G.I.E. | Groupement d'intérêt économique |

### H

| | |
|---|---|
| H (ou h.) | Heure |
| Ha. | Hectare ( = 10 000 $m^2$) |
| H.E.C. | (École des) hautes études commerciales |
| hl. | Hectolitre (100 litres) |
| H.L.M. | Habitation à loyer modéré |
| H.T. | (prix) Hors taxes |

### I

| | |
|---|---|
| I.A.T.A. | Association de transport aérien international |
| Id. | Idem (le même) |
| I.D.I. | Institut de développement industriel |
| I.F.O.P. | Institut français d'opinion publique |
| I.N.C. | Institut national de la consommation |
| I.N.E.D. | Institut national d'études démographiques |
| I.N.P.I. | Institut national de la propriété industrielle |
| I.N.R.A. | Institut national de la recherche agronomique |
| I.N.S.E.E. | Institut national de la statistique et des études économiques |
| I.R.P.P. | Impôt sur le revenu des personnes physiques |
| I.U.T. | Institut universitaire de technologie |
| I.V.D. | Indemnité viagère de départ |

### J

| | |
|---|---|
| J.O.. | Journal officiel |

### K

| | |
|---|---|
| Kg. | Kilogramme (ou kilo) |
| Km. | Kilomètre |
| Km/h. | Kilomètre/heure |
| Kw. | Kilowatt |

### L

| | |
|---|---|
| l. | Litre |
| L. (ou £) | la livre (monnaie anglaise) |
| L.C.R. | Lettre de change relevé |

### M

| | |
|---|---|
| m. | Mètre |
| $m^2$. | mètre carré |
| $m^3$. | mètre cube |
| M. | Monsieur |
| MM. | Messieurs |
| Mlle (Mlles) | Mademoiselle (Mesdemoiselles) |
| Mme (Mmes) | Madame (Mesdames) |
| M.A.S. | Magasin à succursales |

| | |
|---|---|
| Max. | Maximum |
| M.B.A. | Marge brute d'autofinancement |
| Me. | Maître |
| mg. | Milligramme |
| Min. (ou Mn) | Minimum |
| mm. | Millimètre |

## N

| | |
|---|---|
| N/... | Notre... |
| N.B. | **Nota bene** (notez bien) |
| N.F. | Norme française |
| N° (n°, n$^{os}$). | numéro(s) |

## O

| | |
|---|---|
| O.A.C.I. | Organisation de l'aviation civile internationale |
| O.C.A.M. | Organisation de coopération africaine et malgache |
| O.C.D.E. | Organisation de coopération et de développement économique |
| O.I.C. | Organisation internationale du commerce |
| O.I.T. | Organisation internationale du travail |
| O.M.S. | Organisation mondiale de la santé (sigle anglo-saxon : W.H.O.) |
| O.N.U. | Organisation des Nations unies (sigle anglo-saxon : U.N.O.) |
| O.N.U.D.I. | Organisation des Nations unies pour le développement industriel |
| O.P. | Ouvrier professionnel |
| O.P.A. | Offre publique d'achat |
| O.P.E. | Offre publique d'échange |
| O.P.E.P. | Organisation des pays exportateurs de pétrole |
| O.S. | Ouvrier spécialisé |
| O.S.T. | Organisation scientifique du travail |
| O.T.A.N. | Organisation du traité de l'Atlantique-Nord (sigle anglo-saxon : N.A.T.O.) |

## P

| | |
|---|---|
| p. | Page |
| P.C.(F.) | Parti communiste (français) |
| P.C.V. | A percevoir (téléphone) |
| P.-D.G. | Président-directeur général |
| p. ex. | Par exemple |
| P.I.B. | Produit intérieur brut |
| P.J. | Pièce(s) jointe(s) |
| P.J. | Police judiciaire |
| Pl. | Place |

| | |
|---|---|
| P.L.V. | Publicité sur le lieu de vente |
| p.m. | **Post meridiem** (après-midi) |
| P.M.E. | Petite et moyenne entreprise |
| P.M.I. | Petite et moyenne industrie |
| P.M.U. | Pari mutuel urbain (tiercé) |
| P.N.B. | Produit national brut |
| P.O.S. | Plan d'occupation des sols |
| p.p. | Par procuration |
| P.S. | **Post scriptum** |
| P.S. | Parti socialiste |
| P.S.U. | Parti socialiste unifié |
| P.T.T. | Poste, télécommunications, télédiffusion |
| P.U.K. | Péchiney-Ugine-Kuhlmann |
| P.V. | Prix de vente |
| P.V. | Procès verbal |

## Q

| | |
|---|---|
| Q (ou q). | Quintal (= 100 kg) |
| Qch. | Quelque chose |
| Q.G. | Quartier général |
| qqn. | Quelqu'un |

## R

| | |
|---|---|
| R. | Recommandé |
| R.A.T.P. | Régie autonome des transports parisiens |
| R.C. | Registre du commerce |
| R.C.B. | Rationalisation des choix budgétaires |
| R.D.A. | République démocratique d'Allemagne |
| Réf. | Référence |
| R.E.R. | Réseau express régional |
| R.F.A. | République fédérale d'Allemagne |
| R.I. | Républicain(s) indépendant(s) |
| R.N. | Route nationale |
| R.N. | Revenu national |
| R.P.R. | Rassemblement pour la République |
| R.V.I. | Renault véhicules industriels |

## S

| | |
|---|---|
| s. | Seconde |
| S.A. | Société anonyme |
| S.A.F.E.R. | Société d'aménagement fonctionnel et d'équipement rural |
| S.A.R.L. | Société à responsabilité limitée |
| S.A.U. | Surface agricole utile |
| S.C.O.P. | Société coopérative ouvrière de production |
| S.D.R. | Société de développement régional |
| S.E.I.T.A. | Société d'exploitation industrielle des tabacs et des allumettes |

| | |
|---|---|
| S.E.R.N.A.M. | Service national des Messageries |
| S.F.I. | Société financière internationale |
| S.G.D.G. | (Breveté) sans garantie du gouvernement |
| S.I.C.A.V. | Société d'investissement à capital variable |
| S.I.C.O.M.I. | Société immobilière pour le commerce et l'industrie |
| S.I.C.O.V.A.M. | Société interprofessionnelle de compensation des valeurs mobilières |
| S.I.R.E.N. | Système informatique pour répertoire des entreprises |
| S.I.R.E.N.E. | Système informatique pour répertoire des entreprises et des établissements |
| S.I.R.E.T. | Système informatique pour répertoire des établissements |
| S.M.E. | Système monétaire européen |
| S.M.I. | Système monétaire international |
| S.M.I.C. | Salaire minimum interprofessionnel de croissance |
| S.M.I.G. | Salaire minimum interprofessionnel garanti |
| S.N.C. | Société en nom collectif |
| S.N.C.F. | Société nationale des Chemins de fer |
| S.N.E.A. | Société nationale d'Elf-Aquitaine |
| S.N.E.C.M.A. | Société nationale pour l'étude et la construction des moteurs d'avion |
| S.N.I.A.S. | Société nationale de l'industrie aéro-spatiale |
| S.O.P.E.X.A. | Société pour l'expansion des produits agricoles à l'étranger |
| S.O.S. | Au secours ! (appel de détresse) |
| S.S. | Sécurité sociale |
| Sté. | Société |
| S.V.P. | S'il vous plaît |

## T

| | |
|---|---|
| T (ou t.) | Tonne ( = 1000 kilos) |
| T.E.C. | Tonne équivalent charbon |
| T.E.E. | Trans-Europ-Express |
| Tél. | Téléphone |
| T.G.V. | Train grande vitesse |
| T.I.R. | Transport international routier |
| T.O.M. | Territoire d'Outre-Mer |
| T.T. | Transit temporaire |
| T.T.C. | Toutes taxes comprises (prix) |
| T.V. | Télévision |
| T.V.A. | Taxe à la valeur ajoutée |

## U

| | |
|---|---|
| U.A.P. | Union des assurances de Paris |
| U.D.F. | Union pour la démocratie française |

| | |
|---|---|
| U.E.B.L. | Union économique Belgique-Luxembourg |
| U.E.O. | Union de l'Europe occidentale |
| U.N.E.D.I.C. | Union nationale pour l'emploi dans l'industrie et le commerce |
| U.N.E.S.C.O. | Organisation des Nations unies pour l'éducation, les sciences et la culture |
| U.P.A. | Union professionnelle des artisans |
| U.P.U. | Union postale universelle |
| U.R.S.S. | Union des Républiques socialistes soviétiques |
| U.R.S.S.A.F. | Union pour le recouvrement de la sécurité sociale et des allocations familiales |
| U.S.A. | United States of America (États-Unis d'Amérique) |
| U.T.A. | Union des transports aériens |

**V**

| | |
|---|---|
| V. | Volt |
| V/... | Votre... |
| V.A. | Valeur ajoutée |
| V.D.Q.S. | Vin délimité de qualité supérieure |
| V.I.P. | Personnalité très importante **(very important person)** |
| V.R.P. | Voyageur, représentant, placier |
| V.S.O.P. | **Very superior old product** |
| Vve. | Veuve |

**W**

| | |
|---|---|
| W. | Watt |

**Z**

| | |
|---|---|
| Z.U.P. | Zone à urbaniser en priorité |

IMPRIMÉ EN FRANCE PAR BRODARD ET TAUPIN
58, rue Jean Bleuzen - Vanves.
Usine de La Flèche, le 7-01-1985.
1504-5 - N° d'Éditeur 2160, janvier 1985.

PRESSES POCKET - 8, rue Garancière - 75006 Paris
Tél. 634.12.80